P9-ELF-815

EMKA EXPORT COMPANY
48 WEST 48TH STREET
NEW YORK CITY

Margot Friedlander
mit Malin Schwerdtfeger

# »Versuche, dein Leben zu machen«

## Als Jüdin versteckt in Berlin

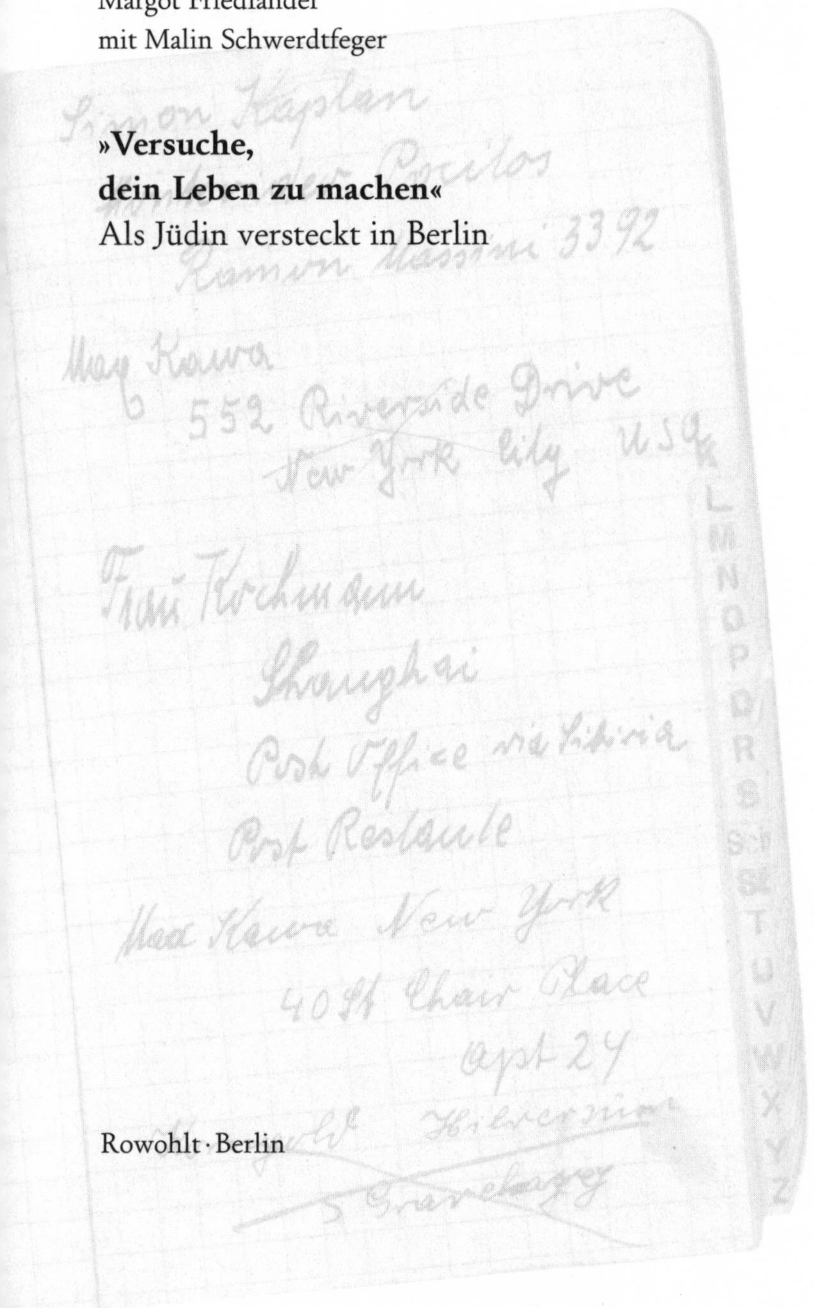

Rowohlt · Berlin

1. Auflage März 2008

Satz aus der Foundry Old Style Expert PostScript,
In Design, bei Pinkuin Satz und Datentechnik, Berlin
Druck und Bindung CPI – Clausen & Bosse, Leck
Printed in Germany
ISBN 978 3 87134 587 6

Meinen Eltern
und meinem Bruder Ralph
gewidmet

## Inhalt

## «Versuche, dein Leben zu machen»

Ich gehe die Skalitzer Straße entlang. Es ist kurz nach zwei Uhr, ein grauer Januarmittag in Berlin-Kreuzberg. Auf den Hochbahngleisen rattert die U-Bahn. Viele Leute sind zu Fuß unterwegs, sie haben blasse, verschlossene Wintergesichter, ihre Blicke sind starr auf den Boden gerichtet. Auch ich bin so in Gedanken versunken, dass ich den Mann kaum wahrnehme, der ungefähr einen Häuserblock entfernt vor mir hergeht.

Es ist der 20. Januar 1943.

Ich denke nur an heute Abend. Wir wollen fort aus Berlin, meine Mutter, mein Bruder und ich. Unsere Flucht ist lange geplant. Einmal noch treffen wir uns in der Wohnung, um uns abzusprechen. Wenn alles gutgeht, sind dies meine letzten Stunden in Berlin. Wie wird es sein, dort, wo wir hinwollen? Es wird besser sein als hier, das glauben wir zumindest. Wir hoffen es. Es ist unsere letzte Hoffnung.

Unser Vorhaben erscheint ungeheuerlich, es nimmt meine Gedanken völlig in Anspruch. Nur nebenbei bemerke ich, dass es nicht mehr weit ist bis zur Nummer 32, unserer Wohnung. Hier kommt schon die Straßenlaterne. Noch wenige Schritte.

Dann fühle ich plötzlich, dass etwas nicht stimmt. Ich blicke auf. Der Mann, der vor mir hergeht – irgendetwas gefällt mir an ihm nicht. Ich starre auf seinen Rücken in dem dunklen Mantel, unwillkürlich übernehme ich den Rhythmus seiner Schritte, es sind kurze schnelle Schritte, als sei ihm kalt. Ich habe Angst und weiß nicht, warum.

Der Mann verschwindet in einem Hauseingang. Es ist die

Nummer 32. Unwillkürlich presse ich meine Handtasche gegen die Brust, um den gelben Stern zu verdecken. Soll ich einfach weiterlaufen? Aber wohin? Ich muss nach Hause. Ich will nichts an unserem Plan ändern. Sonst wird alles scheitern.

Die Nummer 32 ist ein gewöhnliches Berliner Mietshaus, die ockergelbe Fassade nachgedunkelt vom Ruß der Kohleöfen. Ich öffne die Eingangstür und trete ins Treppenhaus. Es riecht nach Linoleum und kaltem Rauch.

Unsere Wohnung liegt im Vorderhaus, zweiter Stock. Von dem Mann ist nichts zu sehen. Ohne Zögern steige ich die Treppe hinauf. Vielleicht bin ich einfach zu nervös. Es wird sich schon zeigen, dass meine Sorgen unbegründet sind. Der Mann ist sicher nicht mehr da. Vielleicht ist er in einer Wohnung verschwunden, vielleicht besucht er jemanden, oder er hat sich in der Hausnummer geirrt und kommt gleich die Treppe herunter.

Doch dann sehe ich ihn. Er steht in der zweiten Etage, direkt vor unserer Wohnung, lehnt mit dem Rücken an unserer Tür. Ich schaue ihn nicht an, starre auf einen unsichtbaren Punkt in der Luft.

Am liebsten würde ich wieder hinuntergehen, doch zum Umkehren ist es zu spät. Mir bleibt keine Wahl. Meine Schritte hallen durchs Treppenhaus, im selben Rhythmus wie bisher, nicht schneller, nicht langsamer. Noch immer halte ich die Handtasche gegen meine Brust.

Dann muss ich an ihm vorbei. Ich bin ihm so nah, dass er mich berühren könnte, aber ich schaue ihn nicht an, ich verwende all meine Kraft darauf, teilnahmslos zu wirken. Was will dieser Mann, warum steht er vor unserer Tür? Auf wen wartet er?

Sein Gesicht ist nichts als ein heller Fleck über einem dunklen Mantel, der nur kurz durch mein Blickfeld wischt.

Der Mann rührt sich nicht.

In der dritten Etage bleibe ich stehen. Ich muss mich schnell entscheiden. Kurz entschlossen klingle ich an einer Tür. Die Nachbarn, die hier wohnen, kenne ich kaum, obwohl ihre Wohnung direkt über unserer liegt. Es sind Nichtjuden, ich habe noch kein Wort mit ihnen gewechselt. Jetzt bete ich, dass sie zu Hause sind.

Tatsächlich höre ich Schritte, die sich der Tür nähern, kurze, energische Schritte, Absätze klappern über den Dielenboden, es sind die Schritte einer Frau.

Die Tür öffnet sich, und die Nachbarin erkennt mich sofort. Ich habe Angst, dass sie mich laut begrüßt, doch sie bleibt stumm, winkt mich in ihre Wohnung hinein und schließt die Tür.

Jetzt wird mir klar, dass etwas Schreckliches geschehen sein muss. Ich sehe es in ihren Augen. Sie bittet mich ins Wohnzimmer, zeigt auf einen Stuhl. Ich setze mich, sie nimmt mir gegenüber Platz. «Sie sind gekommen», sagt die Nachbarin leise, als könnte der Mann auf dem Treppenabsatz noch immer mithören, «Gestapo.»

«Wann?», frage ich. Ich höre meine eigene Stimme wie von ferne. Der Raum schließt sich enger um mich, und das Deckenlicht erscheint mir plötzlich dunkler, als sei die Glühbirne kurz vor dem Erlöschen.

«Am Vormittag», sagt sie. «Vor ein paar Stunden. Plötzlich hat jemand durchs Treppenhaus gebrüllt: ‹Aufmachen, aufmachen!› Dann das Poltern auf der Treppe. Ich bin zum Fenster gelaufen, da kamen sie gerade zur Tür heraus. Sie haben sie in den Polizeiwagen gestoßen.»

«Wen?», frage ich.

«Frau Meißner», sagt die Nachbarin, «und noch zwei andere, ein Mann und eine Frau, etwa Mitte zwanzig. Ich kannte sie nicht. Und der Junge.»

Mein Bruder Ralph.

«Meine Mutter?»

Die Nachbarin schüttelt den Kopf.

Meine Mutter ist nicht dabei gewesen. Etwa eine Stunde nachdem die Gestapo verschwunden war, sei sie gekommen, erzählt die Nachbarin. Sie habe unsere Tür versiegelt gefunden.

«Ich habe ihr alles erzählt.»

«Hat sie nach mir gefragt?»

«Ich habe ihr gesagt, dass du nicht da warst.»

«Wo ist sie jetzt?»

«Zu Nachbarn gegangen. Juden. Irgendwo hier in der Straße.»

Ich weiß sofort, wen sie meint. Ein Ehepaar, das wir flüchtig kennen, wohnt drei Häuser weiter. Dort also ist sie, ganz nah, aber ich kann nicht zu ihr. Wahrscheinlich steht der Mann noch immer vor unserer Tür. Ich kann nicht fortgehen. Ich kann nichts tun als hier sitzen und warten.

Die Nachbarin überlässt mich meinen Gedanken. Ich bin ihr dankbar, denn sie verlangt nicht, dass ich gehen soll. Sie bleibt einfach sitzen, genau wie ich, die Ellbogen auf die Tischplatte, das Gesicht in die Hände gestützt. Ich kenne sie kaum, sie kann mir nicht helfen, und doch ist es gut, dass sie mich hier sein lässt. Es ist gut, dass ich schweigen darf.

Allmählich wird es Nachmittag. Der blasse Januarhimmel, von dem ich einen kleinen Ausschnitt durch das Küchenfenster sehen kann, ist inzwischen dunkelgrau geworden. Irgendwann stehe ich auf und verabschiede mich. Ich muss gehen. Sofort. Ganz egal, ob der Mann noch da ist.

Langsam steige ich die Treppen hinunter. Er wartet nicht mehr vor unserer Tür. Jetzt kann ich auch das Siegel erkennen, das quer über Schlüsselloch und Türrahmen klebt.

Erst unten auf der Skalitzer Straße fällt die Starre plötzlich von mir ab. Meine Gedanken rasen, alles muss schnell gehen. Ich weiß nicht, wie lange ich bei der Nachbarin gesessen habe, gewiss mehr als eine Stunde, vielleicht zwei.

Meine Mutter wartet auf mich, sicher macht sie sich Sorgen.

Wir müssen überlegen, was wir jetzt tun können. Wir müssen meinen Bruder finden oder uns verstecken. Was auch immer geschieht: Zusammen finden wir einen Weg.

Ich stehe vor dem Nachbarhaus. Gleich werde ich meine Mutter sehen. Es dämmert schon. Das Ehepaar wartet am erleuchteten Fenster, ich kann die Umrisse hinter der Gardine erkennen. Ich schaue auf, suche nach der vertrauten Gestalt meiner Mutter. Aber sie ist nicht da.

Die Frau öffnet mir die Tür.

«Wo ist sie?», frage ich atemlos.

Die Frau wartet, bis ich im Flur bin. Dann schließt sie die Tür.

«Sie ist gegangen.»

Im ersten Moment verstehe ich nicht. Bin ich zu spät? Sucht sie mich?

«Sie hat eine Nachricht für dich hinterlassen.» Ich warte darauf, dass die Frau mir etwas überreicht, aber sie steht einfach so da. Ich suche nach einem Zettel in ihrer Hand, nach irgendetwas Geschriebenem, das meine Mutter mir hinterlassen hat.

«Ich soll dir etwas ausrichten.» Und dann sagt sie mir, was mir meine Mutter nicht mehr selbst sagen kann: «‹Ich habe mich entschlossen, zur Polizei zu gehen. Ich gehe mit Ralph, wohin auch immer das sein mag. Versuche, dein Leben zu machen.›»

Das sollen ihre Worte sein? Es ist, als hätten sie nichts mit mir zu tun. Kalte Worte aus dem Mund fremder Leute.

Ich schaue die Frau fragend an.

«Das hat sie gesagt. Sonst nichts. Dann ist sie gegangen. Versuche, dein Leben zu machen.» Sie wiederholt den Satz. Erst beim zweiten Mal begreife ich seinen Sinn. Ein grausamer Satz, hart und gleichgültig.

Ich stehe da, mit nichts außer diesem Satz. Ich habe nicht einmal eine einzige Zeile in ihrer Handschrift.

Jetzt greift die Frau nach etwas, das auf der Flurkommode steht. Sie drückt es mir in die Hand. Ich fühle glattes Leder. Erst dann sehe ich, was es ist: die Handtasche meiner Mutter. Ich öffne sie. Ein vertrauter Geruch steigt in meine Nase: der Geruch nach angerautem Leder, Parfum und Bleistiftminen, nach Seife, nassem Mantel und Papier, nach Regentagen. Ihr ganz eigener Geruch.

Ich fasse in die Tasche und ziehe ihr Adressbüchlein hervor, ein kleines Heftchen aus Karopapier. Der Umschlag hat sich längst abgelöst. An der Kante das Register, ein Alphabet, abwechselnd in Schwarz und Rot, einige Buchstaben sind abgegriffener als andere. Viele Adressen sind ordentlich mit Füllfederhalter geschrieben, andere mit Bleistift eingetragen und flüchtig hingekritzelt: die Adressen von Reisebüros, Visastellen, Konsulaten und Kontakten, die später vielleicht nützlich sein könnten.

Doch in der Tasche ist noch mehr. Auf ihrem Boden fühle ich etwas Schweres, Kühles, Glattes. Ich ziehe es hervor. Es ist ihre Bernsteinkette. Eine halblange Kette aus mattpolierten Bernsteinen, die zur Mitte hin größer werden. Einige der Steine sind gold- oder senfgelb, andere dunkler, fast rötlich.

Ich schließe die Tasche und gehe zur Tür. Es gibt keinen Grund, noch länger zu bleiben. Die Frau beobachtet mich, sie hält mich nicht auf, fragt nicht, wohin ich gehe. «Auf Wiedersehen», sage ich.

«Auf Wiedersehen», sagt sie. Wir wissen, es wird kein Wiedersehen geben.

Am Tag, an dem ich untertauche, nehme ich den Judenstern ab.

Ich stehe auf der Skalitzer Straße. Automatisch setze ich einen Fuß vor den anderen. Es ist dunkel geworden und sehr kalt. Ich kann die Nacht nicht auf der Straße verbringen. Aber wohin soll ich gehen? Wo soll ich schlafen? Auf einer Bank? Ich würde erfrieren. Ich muss eine Entscheidung treffen. Ich bin gerade einundzwanzig Jahre alt, ich habe noch nie eine Entscheidung ganz allein getroffen. Ich habe noch kein eigenes Leben. Mein Leben ist das Leben mit meiner Mutter, meinem Bruder, meiner Familie. Dieses Leben ist nun vorbei. Warum hat meine Mutter nicht auf mich gewartet?

Ich laufe weiter, mechanisch, ohne Ziel. Plötzlich stehe ich, ohne zu wissen, wie ich dorthin gelangt bin, vor der Wohnung von jüdischen Freunden, Siggie Hirsch und seiner Schwester. Ich klingle. Sie sind zu Hause, ich kann die Nacht bei ihnen verbringen, einige Nächte, meine ersten Nächte im Untergrund.

Früh am Morgen verlasse ich das Haus, laufe durch die Januardunkelheit. Der Untergrund - das ist bisher nichts als ein zielloses Umherlaufen in Straßen, die ich gut kenne, die aber plötzlich fremd und gefährlich erscheinen. Ab heute muss ich fürchten, jemandem zu begegnen, der mich kennt. Ich senke den Kopf, wenn andere Menschen mir entgegenkommen. Aber niemand beachtet mich. Die Gesichter der Leute sind hinter Schals und Mantelkragen versteckt. Sie haben es eilig, sie gehen zur Arbeit.

Ich gehe nirgendwohin. Ich gehe einfach.

Es wird hell. Allmählich öffnen die Bäckereien und Zeitungskioske, dann alle anderen Geschäfte. Irgendwann am Vormittag komme ich an einem Friseurladen vorbei. Er ist leer, nur die Friseurin ist da, sie fegt den Fußboden und wartet auf Kundschaft.

Ich treffe eine Entscheidung.

«Was kann ich für Sie tun?» Die Friseurin lächelt mich an.

«Einmal Haare färben, bitte!»

Ich setze mich auf den Frisierstuhl.

«Welche Farbe hätten Sie denn gern?»

Ich überlege. «Rot», sage ich.

Ich lasse mir die Haare färben, tizianrot. Juden haben keine roten Haare, denken die Leute. Ich will nichtjüdisch aussehen. Meine schwarzen Haare nehmen die Farbe schlecht an, die Kopfhaut brennt, es tut weh, aber ich will unbedingt anders aussehen. Ich bin nicht mehr die Margot Bendheim von gestern. Diese Margot darf es nicht mehr geben.

Ich bin untergetaucht.

«Versuche, dein Leben zu machen» – ich muss es versuchen. An diesem und an allen folgenden Tagen meiner Untergrundzeit muss ich es versuchen, so, wie meine Mutter es mir aufgetragen hat.

Kapitel 1

## Guschi, Adele und der Onkel mit dem Dreirad: Kindheit in Berlin

Am 5. November 1921 wurde ich geboren, im Schlafzimmer meiner Eltern in der Lindenstraße in Berlin. Alle waren glücklich über die gesunde Geburt. Ein Junge allerdings, der nach dem Tod der Eltern das Kaddisch sagen könnte, wäre wohl noch besser gewesen.

Meine Eltern gaben mir den Namen Anni Margot.

Als ich auf die Welt kam, waren Auguste und Arthur Bendheim genau ein Jahr und einen Tag verheiratet. Wie mein Vater und meine Mutter sich kennenlernten, haben sie mir nie erzählt. Als Kind habe ich sie nicht danach gefragt. Sie waren meine Eltern. Ich konnte mir nicht vorstellen, dass sie einmal nicht zusammen gewesen waren. Für mich waren sie eins. Später, als es unsere Familie nicht mehr gab, hätte ich gern alles über das «Davor» gewusst: vor ihrer Hochzeit, vor meiner Geburt. Doch später konnte ich niemanden fragen. Es gab niemanden mehr. Niemand kann mir etwas erzählen über mich, über meine Familie. Alle sind tot.

Meine Mutter, Auguste Groß, «Guschi» genannt, war zum Zeitpunkt ihrer Verlobung fünfundzwanzig Jahre alt. Sie war eine sehr hübsche junge Frau, klein, mit schwarzem Haar und großen dunklen Augen. Es gibt ein Foto von ihr aus dieser Zeit, im Studio eines Fotografen aufgenommen. Darauf trägt Guschi ein elegantes Kleid und einen großen Wagenradhut und schaut konzentriert in die Kamera. Sie wirkt zart, aber entschlossen und voller Tatkraft, als bereite es ihr Mühe, für das Foto einen Moment still zu stehen.

Meine Mutter wurde 1895 in Teschen geboren, einer Stadt in Oberschlesien, die damals noch zu Österreich-Ungarn ge-

Die Mutter Auguste Groß, um 1919

hörte. Im Laufe seiner Geschichte wurde Teschen von verschiedenen Ländern einverleibt - eine Grenzstadt, die ihre Zugehörigkeit ständig wechselte und in deren Straßen schon immer drei Sprachen zu hören gewesen waren: Polnisch, Tschechisch und Deutsch. Teschen lag in Schlesien, aber gleich jenseits des Flusses Olsa begann Mähren. Breslau und Krakau waren nicht weit - ebenso eine kleine Stadt in der Nähe von Krakau, von der damals noch kaum jemand sprach: Auschwitz.

Nach dem Ersten Weltkrieg verschwand Österreich-Ungarn von der Landkarte, und Teschen wurde zwischen den neu gegründeten Staaten Polen und der Tschechoslowakei aufgeteilt. Die neue Grenze verlief mitten durch die Stadt. Den Teil, der am östlichen Ufer der Olsa lag, nannte man Polnisch Teschen, aus der Vorstadt am Westufer wurde Tschechisch Teschen. Später, 1939, würden die Deutschen kommen und Teschen zu einer Kreisstadt im Gau Schlesien erklären. Doch zu dieser Zeit lebte meine Mutter längst nicht mehr dort.

Die Eltern meiner Mutter waren jüdisch und deutsch zugleich. Über die ständig wechselnden Grenzziehungen machte man sich in der Familie Groß keine Gedanken. Zwar hatte meine Mutter als Kind einmal beobachtet, wie der österreichische Kaiser Franz Joseph an ihrem Geburtshaus vorbei zum Manöver ritt, aber das blieb das einzige Mal, dass sie mit der großen Politik in Berührung kam.

Mein Großvater Wilhelm Groß war ein wohlhabender Mann. Er besaß viel Land und außerdem eine florierende Wirtschaft: «Wein und Spirituosen». Sein eigentlicher Name war Wolf, aber alle nannten ihn Wilhelm: ein lebhafter Mann mit einem großen Schnurrbart. Das Besondere an ihm waren seine Augen. Das eine hatte er sich als Kind verletzt, als er mit einem Messer in der Hand vom Stuhl aufgesprungen war. Seitdem war es trüb, und das Lid hing etwas herunter. Das andere Auge blinzelte fast immer freundlich. Es sah aus, als

Großvater Wolf («Wilhelm») Groß

sei die eine Hälfte seines Gesichts traurig, die andere fröhlich, was mir als Kind sehr merkwürdig vorkam.

Großvater Wilhelm hat es nie nötig gehabt, wirklich zu arbeiten. Er lebte gut, das Geschäft besorgten seine vielen Angestellten. Nur um den Einkauf der Weine, Branntweine und Schnäpse kümmerte er sich mit Hingabe - vor allem, weil seine Einkaufstouren immer mit vergnüglichen Besuchen bei befreundeten Schnapsproduzenten und Weinhändlern verbunden waren. Besonders oft fuhr Wilhelm zu Freunden nach Ungarn, die eine Schnapsbrennerei besaßen und einen besonders guten «Bronfen» herstellten, wie der Branntwein auf Jiddisch hieß.

Auguste Groß war das jüngste von fünf Geschwistern. Sie hatte drei ältere Schwestern, Rose, Amalie und Henriette, genannt «Jetti», und einen Bruder, über den in unserer Familie selten gesprochen wurde, weil er schon jung im Krieg gefallen war. Er wurde so selten erwähnt, dass ich nicht einmal mehr seinen Namen weiß.

Guschis Mutter, meine leibliche Großmutter Anni, starb, als ihre jüngste Tochter kaum sechzehn Jahre alt war. Nach ihrem Tod wurde Guschi für eine Weile zu ebenjenen ungarischen Freunden geschickt, von denen ihr Vater den guten Bronfen bezog. Etwa ein Jahr verbrachte sie dort, und trotz der Trauer um meine Großmutter erinnerte sich meine Mutter später gern an diese Zeit zurück. Sie konnte sogar noch ein Lied auf Ungarisch singen.

Während meine Mutter in Ungarn war, löste mein Großvater sein Geschäft auf. Er hatte beschlossen, nach Berlin zu gehen. Nach dem Tod seiner Frau wollte Wilhelm ein neues Leben beginnen. Viele seiner Verwandten lebten in Berlin, auch seine Tochter Jetti, die bereits verheiratet war und einen Sohn hatte.

Großvater Wilhelm verkaufte alles und zog von der schlesischen Provinz in die Hauptstadt. Von nun an hatte er keine

Großvater Wolfs zweite Frau Adele Groß, geborene Guth, um 1910

große Wirtschaft und keine Angestellten mehr, sondern nur noch eine geräumige, aber überschaubare Wohnung in der Neuen Grünstraße in Berlin-Mitte – und genug Geld aus dem Verkaufserlös seiner Besitzungen und seiner Spirituosenhandlung, um die nächsten Jahre gut leben zu können.

Der Erste Weltkrieg brach aus. Wilhelms einziger Sohn wurde eingezogen und auch Jettis Mann Adolf. Aber noch etwas anderes hatte sich in Wilhelms Leben verändert. Er hatte eine Frau kennengelernt, Adele Guth, die später meine geliebte Omi Adele werden sollte. Sie war schon Ende dreißig und ledig, also das, was man damals eine alte Jungfer nannte. Bisher hatte sie mit ihren beiden ebenfalls unverheirateten Schwestern zusammengelebt. Adele war klein und rundlich, mit dunklem, sorgfältig onduliertem Haar und immer nach der Mode der Zeit gekleidet. Nachdem sie Wilhelm geheiratet hatte, ging sie ganz in ihrer neuen Rolle als Ehefrau auf.

Auch Guschi war inzwischen nach Berlin gezogen, zu ihrer Schwester Jetti, die, seitdem ihr Mann an der Front war, allein mit ihrem Sohn lebte und sich freute, dass Guschi ihr zur Hand gehen konnte.

Der Abschied von Teschen fiel meiner Mutter leicht. Sie hatte Liebeskummer. Der Mann, in den sie sich nach ihrer Rückkehr aus Ungarn verliebt hatte, stammte zwar aus einer wohlhabenden Teschener Familie, aber er wollte Schauspieler werden – keine standesgemäße Partie für eine Tochter aus einer angesehenen Kaufmannsfamilie. Guschi befürchtete Schlimmes. Bei einem kurzen Besuch in Berlin erzählte sie ihrem Vater von ihrem Verehrer.

«Was ist er? Schauspieler?»

«Er will nach Wien», sagte Guschi. «Auf die Schauspielschule.»

«Also ist er noch gar nichts!»

«Er hat mich gefragt, ob ich mich mit ihm verloben will.» Guschi gab nicht auf. «Bevor er nach Wien geht.»

«Und? Willst du?»

Guschi nickte.

«Schlag es dir aus dem Kopf», sagte Wilhelm. «Einen Schauspieler heiratet man nicht.»

Damit war die Sache für ihn erledigt.

Guschi wusste, dass es keinen Sinn hatte, ihrem Vater zu widersprechen. Sie kam nach Berlin, entschlossen, alles, was sie an Teschen und ihre erste Liebe erinnerte, hinter sich zu lassen.

Obwohl ihr Vater wohlhabend war, wollte Guschi unbedingt selbst zu ihrem Lebensunterhalt beitragen. Sie war vierundzwanzig Jahre alt und hatte keinen Beruf gelernt, aber sie wollte arbeiten, etwas aus ihrem Leben machen.

Die Neue Grünstraße lag ganz in der Nähe des Hausvogteiplatzes, wo viele, vor allem jüdische Textilfirmen und Modeateliers, ansässig waren. Zur damaligen Zeit waren stoffbezogene Knöpfe sehr gefragt, Knöpfe für Kleider und Kostüme, Knöpfe in allen Größen, in allen Farben und Formen. Große Firmen benötigten sie für die Konfektion, und kleine Kurzwarengeschäfte handelten damit.

Guschi beschloss, ein Knopfgeschäft zu eröffnen. Sie mietete einen kleinen Laden in der Grünstraße, nicht weit vom Haus ihres Vaters und vom Hausvogteiplatz. Zu dem Laden gehörte eine winzige Wohnung, sodass sie bei ihrer Schwester Jetti ausziehen konnte. Nun lebte Guschi allein. Sie war unabhängig, zum ersten Mal in ihrem Leben.

Um stoffbezogene Knöpfe herzustellen, brauchte sie ein besonderes Gerät – eine Knopfmaschine. Zu dieser Maschine gehörten verschiedene Rohlinge und Einsätze für die unterschiedlichen Knopfgrößen und ein Holzblock mit Holzhammer und Stanzeisen, um den Stoff in den jeweiligen Größen auszustanzen. Meine Mutter kaufte eine solche Knopfmaschine und eröffnete ihr erstes Geschäft. Nach kurzer Zeit hatte sie so viel zu tun, dass sie die Arbeit kaum allein bewältigen konnte.

Mittlerweile dauerte der Krieg schon mehrere Jahre an. Guschis Schwager Adolf war an der Front, und seine Frau Jetti, die mit ihrem Sohn allein lebte, war erneut schwanger. Um ihrer Schwester zu helfen, die kleine Familie zu ernähren, überließ sie ihr das Knopfgeschäft und eröffnete ein zweites, mit einem Teil der Kunden, den sie übernehmen konnte.

Guschis Bruder kehrte aus dem Krieg nicht zurück. Ihr

Schwager Adolf überlebte, aber er war im Schützengraben verschüttet worden und seitdem erblindet. Schwer verwundet und unfähig, für seine Familie zu sorgen, kam er nach Berlin zurück. Vor dem Krieg war er Schneider gewesen und hatte als Zwischenmeister in seiner eigenen Werkstatt zugeschnittene Kleiderteile für die Konfektion zusammennähen lassen. Doch jetzt konnte er nicht mehr in seinem Beruf arbeiten. So kam es gerade recht, dass seine Frau Jetti das Knopfgeschäft hatte, um ihren Lebensunterhalt zu verdienen.

Inzwischen war Guschi wieder verliebt – diesmal in ihren Cousin. Walter war ein Sohn ihres Onkels Bernhardt, der mittlerweile ebenfalls nach Berlin gezogen war. Die Hechts waren eine große, etwas exzentrische Familie, die einen ausgeprägten Hang zu den angenehmen Seiten des Lebens hatte. Bernhardt, der Bruder von Guschis leiblicher Mutter, hatte insgesamt elf Kinder, neun Söhne und zwei Töchter. Meine Mutter verliebte sich in einen dieser neun Brüder und ging so in dieser Verliebtheit auf, dass ihr Geschäft zum ersten Mal ein wenig in den Hintergrund rückte. Sie wollte sich mit Walter verloben und bereitete sich schon innerlich auf ihre Rolle als Ehefrau vor. In dieser Zeit gelang es Großvater Wilhelm, Guschi zu überreden, ihm das zweite Knopfgeschäft zu überlassen.

Von nun an saß in einem Zimmer von Wilhelm und Adeles Wohnung in der Neuen Grünstraße eine Angestellte den ganzen Tag an der Maschine und machte Knöpfe.

Als ich ein Kind war, gab es dieses Geschäft in der Neuen Grünstraße noch immer. Oft sah ich der Angestellten zu, die die Maschine bediente. Stoff hinein, Rohling hinein, Hebel runter, Hebel hoch, Rohling umdrehen. Das Geräusch, mit dem die Metallteile ineinanderschnappten. «Einpoppsen, umdrehen – fertig ist der Knopf!» Großvater Wilhelm allerdings interessierte sich nicht im Mindesten für die Knopfmacherei. Arbeit, ganz gleich welcher Art, lag ihm gar nicht. Wenn der

Vertreter mit den Rohlingen kam, saß Wilhelm stundenlang mit ihm beim Kaffee und plauderte. Ansonsten kümmerte er sich wenig um das Geschäft – er schien es mehr zu seiner eigenen Unterhaltung zu betreiben, genau wie die Spirituosenhandlung in Teschen. In seinem ganzen Leben hat er nie einen Knopf in der Hand gehabt.

Als Guschi und Walter ihre Verlobungspläne verkündeten, kamen Einwände. Vor allem Walters Geschwister waren dagegen. Eine Cousine ersten Grades? Was, wenn Guschis und Walters Kinder behindert wären? Man wisse ja nie, was aus solchen Verbindungen entstehe. Nach kurzer Zeit stand fest: Die Familie war gegen diese Ehe, und Guschi und Walter wagten nicht, ihre Verlobung gegen den Widerstand ihrer Familie durchzusetzen. Zielsicher hatte sich meine Mutter wieder einen Mann ausgesucht, den sie nicht lieben durfte.

Zum Andenken schenkte Walter seiner Cousine ein Schmuckstück. Es war eine Kette. Eine Kette aus mattpolierten gelben und rostroten Bernsteinen.

Meine Mutter ließ sich nicht unterkriegen, eröffnete wieder ein neues Knopfgeschäft und stürzte sich in Arbeit. Damals, 1919, war es nicht üblich, dass eine ledige junge Frau ein eigenes Unternehmen führte und für sich selbst sorgte. Doch meine Mutter konnte Untätigkeit nicht ertragen. Allmählich hatte sie die Hoffnung auf eine eigene Familie aufgegeben. Sie lebte für ihren Vater, für ihre Schwestern. Wenn sie ihnen ihre Geschäfte überlassen hatte, war es nicht aus Zwang geschehen, sondern weil sie ihre Familie liebte und sich für sie verantwortlich fühlte. Doch jedes Mal baute sie sich mit nie nachlassender Energie etwas Neues auf. Mittlerweile war Guschi fünfundzwanzig Jahre alt. Es war höchste Zeit zu heiraten. Niemand sprach direkt davon, aber alle schienen es von ihr zu erwarten, auch wenn sie selbst gar nicht mehr damit rechnete, dass sie sich jemals wieder verlieben könnte.

Zu Beginn des Jahres 1920 lernte Guschi Arthur Bendheim kennen. Er war nur zwei Jahre älter als sie und erst vor kurzem von Frankfurt nach Berlin gekommen. Wie so viele, die aus dem Krieg zurückgekehrt waren, hatte auch er seine Erlebnisse an der Front noch nicht überwunden.

Arthur und sein älterer Bruder waren beide eingezogen und nach Frankreich geschickt worden. Arthur lenkte einen Pferdewagen, der die Front mit Munition belieferte. Jeden Tag fuhr er von der Etappe an die Front, und auf dem Rückweg nahm er die frisch Verwundeten mit, um sie ins Lazarett zu bringen. Auf der Fahrt wurde er fast immer beschossen, mitsamt seiner Ladung von Menschen, die vor Schmerzen stöhnten und schrien. Manche überlebten es nicht. So ging es Tag für Tag.

Im letzten Kriegsjahr wurde Arthur verwundet. Eine Granate schlug direkt neben seinem Wagen ein. Selbst von einem Granatsplitter getroffen, brachte er erst die Verwundeten in Sicherheit, bevor er schließlich zusammenbrach. Nun kam er selbst ins Lazarett. Noch während er schwer verletzt dort lag, Nacht für Nacht von Albträumen gequält, erhielt er die Nachricht, dass sein älterer Bruder an einem anderen Frontabschnitt gefallen war.

Arthur wurde wieder gesund. Nach dem Tod seines Bruders musste er nicht zurück an die Front, er blieb in der Etappe. Jetzt war er das Oberhaupt der Familie, denn sein Vater war schon lange tot.

Mit dem Eisernen Kreuz zweiter Klasse, dem Verwundetenabzeichen und einem schweren Kriegstrauma kehrte mein Vater nach Hause zurück, zurück zu seiner Mutter, die in einem kleinen Ort bei Darmstadt lebte. Es blieb ihm keine Zeit, diese Erfahrungen zu verarbeiten. Er musste sofort die Rolle des Ernährers übernehmen.

Am liebsten hätte Arthur Medizin studiert. Schon immer wäre er gern Arzt geworden. Doch nun musste er einen praktischen Beruf ergreifen, bei dem man schnell Geld verdienen konnte. Genau wie Guschi verzichtete Arthur darauf, sich seine Träume zu erfüllen – seiner Familie zuliebe.

Er ging als Kaufmann erst nach Frankfurt und kurze Zeit später nach Berlin. Dort lernte er sehr bald meine Mutter kennen. Nicht lange darauf hielt er um ihre Hand an.

Ebenso kurz entschlossen willigte meine Mutter ein. Sie wollte endlich eine eigene Familie gründen und ein erfülltes Leben führen. Die letzten beiden Gelegenheiten hatte sie verpasst. Diese hier wollte sie nutzen, um jeden Preis.

Vor seiner Verlobung hatte mein Vater seiner Braut wenig über seine Familie erzählt. Guschi wusste, dass Arthur noch zwei Geschwister hatte, doch Arthur war ihren Nachfragen ausgewichen. Es dauerte eine Weile, bis er sie endlich mit nach Hessen nahm, um sie seiner Familie vorzustellen.

Als Guschi vor dem Haus ihrer zukünftigen Schwiegermutter in Langen bei Darmstadt stand, ahnte sie nicht im Entferntesten, was sie erwartete. Arthurs Mutter Betti öffnete die Tür, um sie zu begrüßen. Kaum hatte Guschi ihr die Hand gegeben, bemerkte sie eine Gestalt hinter ihr im dunklen Flur. Die Gestalt löste sich aus dem Schatten und bewegte sich mit einem seltsamen Hüpfen auf Guschi zu, es war wie das Hüpfen eines Affen. Guschi gelang es mit Mühe, einen Schrei zu unterdrücken.

«Das ist mein Bruder Sally», sagte Arthur.

Die Gestalt hüpfte näher, und erst jetzt konnte Guschi erkennen, dass es zweifellos ein Mensch war, ein Mann mit einem ganz normalen Kopf, das Haar sorgfältig mit Brillantine zurückgekämmt. Einem Kopf, der auf einem ganz normalen Rumpf in einem gutsitzenden, offenbar maßgeschneiderten Jackett saß. Die Arme des Mannes waren von ganz gewöhnlicher Länge, und er hatte gepflegte Hände. Guschi bemerkte sogar einen dicken goldenen Siegelring an der linken Hand, mit der er sich auf einem kurzen Stock abstützte. Doch seine

Beine waren verkümmert. Sie waren klein und tatsächlich so krumm wie die Beine eines Affen und standen steif und nutzlos vom Körper ab. Die ganze Gestalt reichte Guschi kaum bis zur Taille.

Arthurs Bruder Sally gab Guschi die Hand. Sie ergriff die Hand, ließ sie aber gleich wieder los. Sie brachte kein Wort heraus. Arthur nahm ihr den Mantel ab und führte sie durch den Flur ins Wohnzimmer.

Auf dem Sofa dort saß Arthurs Schwester Lina am schweren Biedermeiertisch, der schon mit dem Kaffeegeschirr gedeckt war. Guschi atmete auf. Lina schien ganz normal zu sein. Doch als sie sich neben sie setzte, konnte sie sehen, dass auch Linas Beine verkrüppelt waren, zwar nicht so kurz und gekrümmt wie Sallys, aber sie steckten in hohen, schweren Schnürstiefeln und waren mit dicken Metallschienen fixiert, die fast bis an Linas Knie reichten.

Guschi versuchte, sich nicht anmerken zu lassen, wie erschrocken sie war. Während sie in kleinen Schlucken Kaffee trank und ihren Kuchen hinunterwürgte, überlegte sie, ob dies nun das Ende ihrer dritten Liebe bedeutete. Sie war zutiefst enttäuscht von meinem Vater, am meisten darüber, dass er ihr seine behinderten Geschwister verheimlicht hatte. Wie konnte sie einem solchen Mann vertrauen? Sie dachte an die gescheiterte Verlobung mit ihrem Cousin. Wer konnte ihr garantieren, dass die Kinder, die sie mit Arthur haben würde, nicht ebenso missgebildet sein würden wie seine Geschwister?

Arthur und Guschi fuhren zurück nach Berlin. Meine Mutter ließ die Verlobung bestehen. Es fiel ihr schwer, ihm zu verzeihen, aber dieses Mal wollte sie den Mann, mit dem sie sich eine Zukunft vorgestellt hatte, nicht aufgeben.

Wenig später holte mein Vater seine Mutter und seine Geschwister nach Berlin, wo alle drei gemeinsam eine Wohnung bezogen.

Trotz des ersten Schocks hatte Guschi schon bei ihrer ersten Begegnung festgestellt, dass Sally und Lina geistig absolut normal waren. Zwar konnte sich Sally im Haus nur in seinem seltsamen Hüpfgang fortbewegen und fuhr auf der Straße ein Dreirad. Doch seinen Kopf verstand er ausgezeichnet zu benutzen. Er war ein Rechengenie, dazu sehr musikalisch. Er spielte wunderbar Klavier. Von Beruf war er vereidigter Buchprüfer. Später führte er die gesamte Buchhaltung meines Vaters.

Auch Tante Lina verdiente ihr eigenes Geld. Sie war Putzmacherin und fertigte in der neuen Wohnung in Berlin Hüte an – auf einer Singer-Nähmaschine, die so umgerüstet war, dass sie mit einer Handkurbel statt des Fußpedals bedient werden konnte. Mit ihren Schienen und einer Stütze konnte sie einigermaßen gut laufen. Wenn sie ausging, benutzte sie nie einen Gehstock, dazu war sie viel zu eitel. Stattdessen nahm sie einen Schirm. Das sah eleganter aus.

Damals wurden Behinderte noch sehr vor den Blicken der Öffentlichkeit versteckt. Lina und Sally wurden später von der Familie meiner Mutter nie zu Familienfeiern oder Landausflügen eingeladen. Wir dagegen besuchten sie häufiger.

Seine verkrüppelten Beine ausgenommen, war Onkel Sally ein gutaussehender Mann. Er trug die Haare eine Spur länger als allgemein üblich und stets seinen großen Siegelring am Finger. Er hatte sogar eine Freundin, die ihn oft begleitete, wenn er mit seinem Dreirad unterwegs war. Auch ich ging manchmal mit meinem Onkel «konditern» in die Friedrichstraße: Sally fuhr auf seinem Dreirad den Bürgersteig entlang, und ich trottete nebenher.

Auguste Groß und Arthur Bendheim heirateten am 4. November 1920. An diesem Tag wurde wieder einmal gestreikt.

Die Hochzeit fiel in eine bewegte Zeit: 1919 waren Rosa Luxemburg und Karl Liebknecht ermordet worden, seit Anfang des Jahres war der Versailler Vertrag in Kraft, der Beginn von Reparationszahlungen und Inflation. Die Arbeitslosigkeit stieg bedrohlich, und das führte immer häufiger zu Aufständen, Demonstrationen und Streiks.

Am Hochzeitstag meiner Eltern fuhr keine Straßenbahn. Es gab weder Gas noch Strom. Überall auf den Straßen herrschte Chaos, Menschen lungerten herum, formierten sich zu Grüppchen und größeren Pulks, misstrauisch beäugt von der anrückenden Polizei. Das Brautpaar fuhr mit einer Kutsche zum Tempel. Auch dort funktionierte die Heizung nicht. Während der Feier war der eiskalte Gottesdienstraum von Dutzenden von Kerzen erleuchtet, denn der Strom war ebenfalls ausgefallen.

Schon der Anfang ihrer Ehe sei ein schlechtes Omen gewesen, sagte meine Mutter später.

Gleich nach der Hochzeit übernahm mein Vater Guschis Knopfgeschäft. Es war das dritte Mal, dass meine Mutter ein Unternehmen, das ihr selbst gehörte und das sie allein aufgebaut hatte, einem anderen überließ. Das erste führte mittlerweile ihre Schwester Jetti, das zweite ihr Vater. Das dritte gehörte nun ihrem Mann.

Arthur Bendheim hatte große Pläne. Die Knopfmacherei genügte ihm nicht. Stattdessen etablierte er ein Engrosgeschäft mit Knopfmaschinen und dem nötigen Zubehör, die er an Kurzwarenläden, Modeateliers und Plisseebrennereien verkaufte. Auguste Bendheim, geborene Groß, wurde nun Hausfrau und Mutter – nicht ganz aus freiem Willen. Doch das wurde mir, und vielleicht auch ihr selbst, erst in späteren Jahren klar.

Ein Jahr und einen Tag nach der Hochzeit wurde ich geboren. Meine Mutter war erleichtert, dass ich gesund war. Meine Beine waren nicht verkrüppelt, wie sie es insgeheim befürchtet hatte.

Bis ich vier Jahre alt war, blieb ich ein Einzelkind. Ich

wurde geliebt und verwöhnt – vor allem von Großvater Wilhelms zweiter Frau Adele, die mich nur «Mäuschen» nannte.

Dann kam mein Bruder zur Welt, diesmal nicht zu Hause mit Hilfe einer Hebamme, sondern im Krankenhaus. Mein Bruder erhielt den Namen Ralph, genannt «Bubi».

Einige Monate nach seiner Geburt wurde ich krank. Ich hatte Keuchhusten. Da Ralph sich nicht anstecken sollte, brachte man mich zu Großmutter Betti. Sie freute sich sehr darüber, ich dagegen weniger, vor allem, als es Zeit war, zu Bett zu gehen. Ich wollte hier nicht schlafen, in der fremden, düsteren Wohnung, in der alles ganz anders roch als zu Hause oder bei meiner geliebten Omi Adele.

Als es meiner Großmutter endlich gelungen war, mich in ihr Bett zu stecken, ein großes, vor Alter beinahe schwarzes Mahagonibett mit wuchtigem Kopfende, fing ich an zu schreien: «Ich bekomme keine Luft! Ich kann nichts sehen!» Ich fürchtete mich vor dem riesigen, dunklen Bett. Genau genommen waren es zwei einzelne Betten, die sie zusammengeschoben hatte. In dem einen schlief meine Großmutter, in dem anderen Tante Lina. Die dicken, schweren Plumeaus, die doppelte Lage Kissen unter dem Kopf, oben Federn, unten Federn – ich hatte das Gefühl, zu ersticken. Es gefiel mir gar nicht, neben der Tante mit ihren geschienten Beinen zu liegen. Alles war mir fremd und unheimlich. Ich fing an zu weinen, so lange, bis man mich zu meinen anderen Großeltern brachte.

Bei Omi Adele beruhigte ich mich schlagartig. Sie hängte im ganzen Schlafzimmer nasse Tücher auf, damit ich besser atmen konnte. Daraufhin durfte ich bei meinen Großeltern in der Neuen Grünstraße bleiben, bis ich wieder gesund war. Ich konnte nichts daran ändern, ich liebte Adele mehr als Großmutter Betti. Auch wenn Betti oft traurig darüber war: Omi Adele war mir von allen Menschen der liebste.

Als ich allmählich wieder zu Kräften kam, ging meine

Großmutter jeden Tag mit mir spazieren. Es war Spätherbst, und ich war noch recht schwach und konnte nicht weit laufen. So gingen wir langsam nebeneinanderher, Hand in Hand, immer denselben Weg entlang: meine kleine, zierliche Großmutter in ihrem Persianer und ich, pummelig in meinem neuen grauweißen Pelzmantel.

Wenn ich auf dem Rückweg nicht mehr weiterkonnte, nahm mich meine Großmutter auf den Arm. Eines Tages, als sie mich wieder einmal die Straße entlang schleppte, die winzige ältere Dame mit dem kaum kleineren Kind auf dem Arm, blieb plötzlich ein Herr stehen und fragte: «Schämst du dich nicht! So ein großes Mädchen lässt sich von seiner alten Großmutter tragen?»

Tatsächlich schämte ich mich sofort fürchterlich und rutschte schnell von Adeles Arm. Langsam liefen wir weiter. Immer wieder sah ich mich um, um zu prüfen, ob der strenge Mann noch in der Nähe war. Als endlich nichts mehr von ihm zu sehen war, streckte ich die Arme nach meiner Großmutter aus: «Nur noch bis zur nächsten Laterne!» Meine kleine Großmutter nahm mich wieder auf den Arm und trug mich nach Hause.

All diese kleinen Erlebnisse hat mir meine Großmutter immer wieder erzählt. Wir hatten unsere gemeinsamen Erinnerungen. Für jeden anderen mochten sie alltäglich und unbedeutend sein – für uns waren sie wichtig, denn sie gehörten nur uns. «Eines Tages schreibe ich das alles auf», sagte Adele. «Später, wenn du heiratest, mache ich dir daraus ein Hochzeitsbuch.»

Das Hochzeitsbuch hat es nie gegeben.

Nach dem Krieg konnte ich niemanden mehr nach meiner Kindheit fragen. So fließen Erinnertes und Erzähltes ineinander: die Bilder in meinem Kopf und die Geschichten, die mir meine Großmutter erzählte.

Ich erinnere mich an unser Dienstmädchen Frieda, das viele Jahre bei uns war, daran, wie sie im Hof stand und die Teppiche klopfte. Am Waschtag kam die Waschfrau, die oben auf dem Boden in großen Bottichen die Wäsche kochte und wusch. Anschließend brachten die Waschfrau, Frieda und ich die Wäsche in ein kleines Geschäft im Nebenhaus, wo es eine Mangel gab. Ich sah gern beim Mangeln zu und beobachtete, wie die Wäsche auf Rollen gewickelt wurde und dann auf komplizierte Weise durch die Mangel lief; erst gerade, dann zu einer Seite hinunter. Schließlich wurde sie gewendet, und das Ganze geschah noch einmal von vorne, nur andersherum.

Und ich erinnere mich an das blaue Sofa. Es war ein breites, bequemes Sofa, mit königsblauem Samt bezogen, das in unserem Wohnzimmer stand. Wenn ich auf diesem Sofa lag, kam ich mir vor wie auf einem großen Schiff, das behäbig durch eine ruhige See fuhr. Ich schloss die Augen und fühlte mich sicher und geborgen.

Die Familie meiner Mutter war sehr groß, wir hatten viel Besuch. Manchmal erschienen noch nach dem Abendessen Gäste zu Kaffee und Kuchen. Mein Vater spielte Skat mit den Männern und meine Mutter manchmal Bridge mit den Frauen. An solchen Abenden musste Frieda lange aufbleiben, damit sie die Gäste noch spätabends zur Tür hinunter begleiten konnte. Dafür bekam sie von jedem ein Trinkgeld zugesteckt.

An anderen Abenden gingen meine Eltern aus. Sie hatten Abonnements für das Theater und die Oper. Ich wusste immer schon vorher, wann es so weit war, denn dann lag der Smoking meines Vaters bereits nachmittags, von Frieda sorgfältig gebürstet und glatt gestrichen, auf seinem Bett.

Wenn meine Eltern die Großeltern besuchten, spielte mein Vater mit Großvater Wilhelm Skat. Wilhelm hatte überhaupt kein Talent dafür und verlor ständig, aber er spielte leidenschaftlich gern. Jeden Nachmittag legten er und meine Großmutter Domino, immer zur selben Zeit. Sie hatten ihren festen Tagesablauf, an dem sich nie etwas änderte. Alles an ihnen strahlte Ruhe und Verlässlichkeit aus. Außerdem lebten sie mit allem modernen Komfort der damaligen Zeit. Schon früh hatte Wilhelm elektrisches Licht legen lassen und sich ein Telefon angeschafft.

Zu den Skatpartien bei den Großeltern kamen oft auch Tante Jetti, die Schwester meiner Mutter, und ihr Mann, Onkel Adolf. Tante Jetti war eine stämmige, resolute Frau. Seit Onkel Adolf verwundet aus dem Krieg heimgekehrt war und hauptsächlich Tante Jetti für den Unterhalt der Familie sorgte, hatte sie in ihrer Ehe eindeutig die Hosen an. Meinen Vater amüsierte das: «Wenn Tante Jetti niest, darf Onkel Adolf gerade mal Gesundheit sagen.» Immerhin erholte sich Adolf allmählich von seiner Verwundung, das Augenlicht kehrte zurück, und bald konnte er wieder als Zwischenmeister arbeiten.

Meine beiden Großmütter waren sehr fromm. Beide führten einen koscheren Haushalt. Auch meine Mutter richtete sich noch eine Zeitlang nach den jüdischen Speisegesetzen, vor allem den Großeltern zuliebe, damit sie bei uns essen konnten.

Fleisch kaufte sie immer beim koscheren Fleischer, wo es teurer war, denn die Tiere waren auf komplizierte Weise nach den rabbinischen Vorschriften geschächtet worden. Mitte der zwanziger Jahre herrschte Inflation, und jeden Mittag kam der Laufbursche aus dem Geschäft meines Vaters zu uns nach Hause geradelt und brachte meiner Mutter etwas von dem bereits eingenommenen Geld, damit sie einkaufen gehen konnte. Am nächsten Tag wäre das Geld schon viel weniger wert gewesen. Meine Mutter lief dann sofort zum koscheren Fleischer, um Wurst oder Fleisch für den Abend zu besorgen.

Eines Tages stand sie im Geschäft und beobachtete, wie der

Lieferwagen vor der Tür hielt und Fleisch auslud. Als sie nach Hause ging, sah sie denselben Lieferwagen eine Ecke weiter vor dem nichtkoscheren Fleischer halten. Meine Mutter war empört: «Wieso soll ich mehr zahlen, wenn das koschere Fleisch ohnehin direkt neben dem treifenen liegt?»

Das war das Ende des koscheren Haushalts meiner Eltern. Ab jetzt gab es bei uns alles, was auch in nichtjüdischen Familien auf den Tisch kam. Meine Großeltern allerdings hielten sich bis zuletzt an die jüdischen Speisegesetze. Als Hitler an die Macht kam und nicht mehr geschächtet werden durfte, verzichteten sie einfach völlig auf Fleisch und lebten streng vegetarisch.

Als ich älter wurde und in die jüdische Schule an der Großen Hamburger Straße ging, fand ich alles, was mit jüdischem Leben und den jüdischen Feiertagen zusammenhing, ungeheuer schön und interessant. Ich war zu dieser Zeit etwas jüdisch angehaucht, vielleicht sogar mehr als meine Mutter, sicher aber stärker als mein Vater, der sich wenig um die Einhaltung der Vorschriften kümmerte. Als Kind war er von seinen Eltern streng religiös erzogen worden. Irgendwann hatte er begonnen, dagegen zu rebellieren, und mittlerweile lehnte er alles, was mit Religion zu tun hatte, rigoros ab.

Während der Pessachwoche wurden die Unterschiede zwischen der Generation meiner Großeltern und der meiner Eltern besonders deutlich. In dieser Woche durfte man kein normales Brot essen, nur ungesäuerte Matzen, die an den eiligen Aufbruch der Juden zur Wüstenwanderung erinnerten.

Der erste Pessachabend wurde immer bei den Großeltern Wilhelm und Adele gefeiert. Wir aßen Matzen und hartgekochte Eier, die wir in Salzwasser tauchten, das für die Tränen stand, die die Juden in der Wüste vergossen hatten. Mein Bruder, als jüngstes Kind, stellte die traditionelle Frage: «Was unterscheidet diese Nacht von allen anderen Nächten?», und Großvater Wilhelm las aus der Pessach-Haggada.

Bei uns zu Hause dagegen ging es auch während der Pessachwoche nicht koscherer zu als sonst. Ich war die Einzige, die noch versuchte, Gesetzestreue zu demonstrieren. Eines Tages während der Pessachwoche gab es bei uns Schmorbraten mit einer wunderbaren Sauce dazu.

Ich saß am Tisch und sah meinem Vater zu, wie er sein Brot in die Bratensauce tunkte. Mir lief das Wasser im Mund zusammen. Auch ich tunkte so gern Brot in die Sauce. Eine Weile konnte ich widerstehen, doch schließlich griff ich nach einem Stück Brot und stippte ein. Es schmeckte herrlich! Mit meiner Frömmigkeit war es also nicht weither.

Meine Großmutter Adele kochte ebenfalls sehr gut. Was auf den Tisch kam, richtete sich danach, ob es ein «milchiger» oder ein «fleischiger» Tag war, denn nach den Speisegesetzen werden Milchprodukte und Fleisch streng getrennt. An fleischigen Tagen gab es bei meiner Großmutter zum Abendessen Gänseschmalz und Cervelatwurst, an milchigen Tagen Rollmops in Remouladensauce und Räucherflunder. Am Freitagabend, dem Schabbatabend, kochte sie das traditionelle Abendessen mit Suppe, Fisch und Huhn.

Jeden Samstagmorgen setzte mein Opa den Zylinderhut auf und ging in die Synagoge in der Lindenstraße, wo der Gottesdienst besonders feierlich war, mit Orgelmusik, gemischtem Chor und Melodien des Kantors Lewandowski. Auch wir gingen zu den hohen Feiertagen dorthin.

Allerdings feierten wir nicht nur die jüdischen Feste. Dezember – das war für uns nicht allein die Zeit von Chanukka, dem Lichterfest, sondern auch die Weihnachtszeit. Zumindest bei Onkel Paul und Tante Martha und ihren vier Kindern in der Leibnizstraße wurde jedes Jahr ein riesiger, üppig geschmückter Weihnachtsbaum aufgestellt – «für die christlichen Dienstboten», hieß es offiziell. Doch auch wir

Kinder bekamen am ersten Weihnachtstag bunte Teller mit Nüssen, Süßigkeiten und Geschenken. «Weihnukka» nannten wir diese Zeit

Die Hechts waren allesamt «Lebeleute», großzügig und gesellig. Vor allem mein Onkel Bruno, genannt Brunchen, stand in dem Ruf, ein echter Lebemann zu sein: Immer elegant gekleidet, immer eine Zigarette im Mundwinkel, eine Hand lässig in der Tasche. Mein Lieblingsonkel aber war Paul, Marthas Mann, der füllig und sehr gemütlich war. Zusammen mit seinem Schwager Richard besaß er eine Möbelfabrik.

Als die Inflation begann, kauften Paul und Richard zusammen ein Landgut am Scharmützelsee. Damals versuchte jeder, sein Geld in Immobilien und anderen festen Werten anzulegen. Mein Großvater Wilhelm erwarb ein Wohnhaus in Pankow, um es zu vermieten.

Inzwischen nutzte die ganze Familie jede Gelegenheit, an den Scharmützelsee zu fahren. An den Wochenenden, zu Ostern, zu Pfingsten, in den Sommerferien - meine Eltern, mein Bruder und ich hatten dort mehrere Jahre unsere festen zwei Zimmer mit Küche im Leutehaus.

Wenn wir am Sommeranfang mit einer Wagenladung Koffern und unserem Dienstmädchen ins Waldgut zogen, kam es mir so vor, als müssten wir nie mehr in die Stadt zurück. Am Scharmützelsee gab es keine Langeweile, schließlich hatten mein Bruder und ich neun Onkel und zwei Tanten, und daher eine Menge Vettern und Cousinen, mit denen wir spielen, schwimmen und Bootsausflüge machen konnten.

Das Gut lag an einer etwas abseits gelegenen Privatstraße. Es gab ein Herrenhaus, ein Leutehaus, Stallungen für die Pferde Pascha und Lotte und die dazugehörige Kutsche. Außerdem Kühe und Schweine und eine große Hühnerfarm mit einem eigenen Hühnerdoktor, was uns Kinder sehr beeindruckte. Zum Gut gehörte ein eigener Badesteg mit Bootshaus und Umkleidekabinen.

Ralph und Margot, um 1929

Im Ruderclub «Welle Poseidon» Berlin-Grünau, um 1930.
Vorne links der Vater, ganz rechts Tante Jetti

Der Weg hinunter zum See führte am Ententeich und an den Tennisplätzen vorbei. Dann schlängelte er sich zwischen Obstplantagen hindurch, wo meine Mutter im Herbst gern Fallobst sammelte, das sie zu Kompott und Marmelade einkochte. Erdbeerbeete gab es, Stachelbeerhecken und rote und weiße Johannisbeersträucher. In den Treibhäusern wuchsen Tomaten und eine Rosensorte, die Tante Martha züchtete und auf die sie sehr stolz war. «Marschanielrosen» nannten wir Kinder sie, weil wir ihren richtigen Namen nicht verstanden: Es waren altmodische, dicht gefüllte, betäubend duftende goldgelbe Teerosen der Sorte «Maréchal Niel».

Der Steg unten am See ragte weit ins Wasser hinein. Er endete in einer Sonnenterrasse. Neben dem weiß gestrichenen Bootshaus lagen die zwei Umkleidekabinen, Damen links, Herren rechts. Hölzerne Treppen führten hinunter ins Wasser. An dieser Stelle war es bereits so tief, dass ein Kind nicht mehr darin stehen konnte. Meine Mutter brachte mir früh das Schwimmen bei. Auch mein Bruder lernte es, als er noch sehr klein war. Meine Mutter liebte Wasser, nur mein Vater konnte nicht schwimmen.

Als wir älter waren, spielten wir Tischtennis, oder wir legten Schallplatten auf und tanzten dazu. Am liebsten tanzten wir zu Swing. Die meisten meiner Cousinen und Cousins waren einige Jahre älter als ich. Mein Bruder Ralph, der Jüngste, wurde meist ausgeschlossen. Ralph war viel allein, er war ein sanfter Junge, der alles, was er tat, ruhig und konzentriert anging. Onkel Paul mochte meinen Bruder besonders gern. Wenn Ralph wieder einmal bedächtig und gemessenen Schrittes über den Hof ging, die Hände auf dem Rücken verschränkt, sagte Onkel Paul respektvoll: «Seht mal! Hier geht der Herr Verwalter!»

Doch die Sommer gingen jedes Mal zu Ende, und wir fuhren mit all unseren Koffern und dem Dienstmädchen zurück nach Berlin. Die Schule begann. Ich mochte die Schule nicht besonders, vor allem, als ich mit zehn Jahren an die Mittelschule der Jüdischen Gemeinde in der Großen Hamburger Straße kam. Das war im Jahr 1931. Wir wohnten inzwischen in Berlin-Mitte. Ich fühlte mich gleich unwohl an dieser Schule. Ich hätte gern ein normales Lyzeum besucht. Wenig später, nach Hitlers Machtergreifung, hätte ich jedoch ohnehin nicht mehr auf ein Lyzeum gehen können, denn das war für jüdische Kinder bereits verboten.

Ich war keine besonders ehrgeizige Schülerin. Einige Fächer mochte ich trotzdem, und Erdkunde liebte ich sogar. Am schönsten war es, mit dem Finger auf der Landkarte zu reisen. Meine anderen beiden Lieblingsfächer waren Handarbeiten und Sport.

Schon mit vier oder fünf Jahren ging ich in den Sportverein. Zunächst hatten meine Eltern versucht, mich zusammen mit meiner Cousine Marion, der Tochter meines Onkels Kurt

Schule an der Großen Hamburger Straße, Klasse 5a: Margot ist die fünfte von rechts in der vorletzten Reihe

Hecht und seiner christlichen Frau Anna, in einer der Tanzschulen der berühmten Tänzerin Mary Wigman zum Ballettunterricht anzumelden, doch das Tanzen gefiel mir nicht. Schließlich landete ich im jüdischen Turnverein «Bar Kochba» und war glücklich. Meine Spezialität war Leichtathletik, vor allem der 100-Meter-Lauf und der Staffellauf.

Mein Bruder Ralph dagegen ging gern in die Schule. Er war ein Ass im Rechnen und in vielen Fächern Klassenbester. Außerdem war er sehr musikalisch. Schon mit sieben oder acht Jahren erhielt er seine ersten Geigenstunden.

Damit er auch ein wenig Sport trieb, hatte ein befreundeter Arzt meiner Mutter geraten, meinen Bruder ebenfalls in einem Verein anzumelden. Dr. Cohn war ein begeisterter Boxer, und als er meinen Bruder sah, meinte er, Ralph müsse unbedingt boxen lernen. So wurde er Mitglied im jüdischen Boxclub «Maccabi Berlin».

Die vier Jahre, die mich von Ralph trennten, waren für

mich damals ein großer Altersunterschied. Wir unternahmen selten etwas zusammen. Ich war viel mit meinen Freunden unterwegs, Ralph blieb zu Hause, er übte Geige und lernte. Ich liebte ihn, natürlich, aber ich dachte nicht viel über ihn nach. Wenn ich gewusst hätte, wie wenig Zeit uns noch blieb, hätte ich versucht, ihn besser kennenzulernen. So kann ich sagen, ich habe meinen Bruder geliebt, aber ich habe ihn nicht wirklich gut gekannt.

Ich versuche mir vorzustellen, was aus ihm geworden wäre: Ralph als Mann, als Vater, als alter Herr. Doch vor mir sehe ich immer den Jungen mit der Hornbrille und dem dicken schwarzen Haar, der langsam und würdevoll über den Hof des Waldgutes schreitet, die Hände auf dem Rücken verschränkt.

Vor Jahren hatten Ralph und ich unverhofft noch einen großen Bruder bekommen: Eine von Guschis Schwestern war schon vor längerer Zeit gestorben, und als auch ihr Mann starb, wurden die jüngeren Kinder Erich und Anni bei Verwandten untergebracht. Anni kam zu meinen Großeltern, Erich nach einigen Umwegen zu uns. Er war sieben Jahre älter als ich und lebte mehrere Jahre in unserer Familie. Ich hatte ihn sofort als älteren Bruder betrachtet.

Anfang 1933 verließ uns Erich. «Erich ist in der SPD», hieß es immer, aber was genau das bedeutete, wusste ich nicht. Es klang geheimnisvoll und gefährlich. Im Januar wurde er bei einer Demonstration in eine Schlägerei verwickelt. «Die Nazis» waren es, so viel verstand ich. Vor allem beeindruckte mich, dass Erich voller blauer Flecken war und eine blutige Platzwunde am Kopf hatte. «Die Polizei hat mich nicht erwischt», sagte er, «ein Glück.» Was konnte die Polizei von Erich wollen? Hatte er etwas Schlimmes getan?

Wenige Tage später packte er seine Sachen, verließ unsere Wohnung und fuhr zum Schlesischen Bahnhof. Er wollte nach Bielitz in Oberschlesien, ganz in der Nähe von Teschen, wo seine älteste Schwester Hilda lebte, die inzwischen verheiratet war. Vielleicht aus einer Ahnung heraus, was in den nächsten Monaten geschehen würde, hatte er beschlossen, Berlin zu verlassen. Ich versuchte nicht einmal zu verstehen, warum er ging. Dass Erich uns verließ, war für mich ebenso unverständlich wie alles andere, das in diesem Jahr noch passieren sollte. Ich war elf. Ich fragte nicht danach, warum etwas geschah.

Kurz darauf kamen die Nazis an die Macht. Unser Leben änderte sich von Grund auf. Doch bis wir begriffen, wie bedrohlich diese Veränderungen tatsächlich waren, sollte es noch lange Zeit dauern.

Nach der Machtergreifung Hitlers begannen die Probleme in der Ehe meiner Eltern. Noch merkten wir Kinder nicht viel davon. Sie stritten nicht, sie wurden nicht laut, aber irgendetwas hatte sich verändert. Es war, als ob die Luft in unserer Wohnung dünner wurde und uns das Atmen schwermachte. Es war wie bei einem sich nähernden Gewitter, das man als Erstes durch einen stärker werdenden Druck im Kopf wahrnimmt. Sie stritten nicht. Sie sprachen gar nicht mehr miteinander. Und das war viel schlimmer.

Die Missstimmungen zwischen meinen Eltern nahmen im selben Maße zu, wie die politische Lage bedrohlich wurde. Mit meinen dreizehn Jahren konnte ich nicht genau sagen, was dort draußen passierte, aber ich spürte, wie die Menschen, die wir kannten, bedrückter waren. In den Zeitungen standen Dinge über «die Juden», die ich nicht verstand.

Für meinen Bruder und mich war beides tabu, die Ehekrise meiner Eltern und Hitler. Über das eine wurde bei uns zu Hause gar nicht, über das andere kaum gesprochen.

Am 1. April 1933 organisierten die Nazis den ersten Boykott jüdischer Geschäfte. Wenig später folgte das Berufsverbot für jüdische Beamte und Staatsangestellte. Mein Vater war selbständig, das Berufsverbot betraf uns also nicht, unsere

Existenz war noch nicht bedroht. Es gab keinen Grund, zu reagieren. Wir warteten ab und versuchten, so normal wie möglich weiterzuleben. Wir lebten so, als hofften wir darauf, dass dieser Hitler einfach wieder verschwände, gewissermaßen über Nacht, so rasch, wie er gekommen war.

## Kapitel 2
## «Hitler verschwindet nicht, wir sind es, die gehen müssen»: Eine Welt bricht zusammen

Das Schweigen zwischen meinen Eltern wurde unerträglich. 1935, fünfzehn Jahre nach ihrer Hochzeit, die laut meiner Mutter unter einem so schlechten Stern gestanden hatte, kapitulierten Auguste und Arthur Bendheim. Sie trennten sich.

Mit uns sprachen unsere Eltern nicht darüber. Erst später konnte ich manche Bemerkungen meiner Mutter deuten. Als meine Eltern heirateten, hatten sie sich kaum ein Jahr gekannt. Guschi hatte Arthur geliebt, aber vermutlich war es nie eine große, leidenschaftliche Liebe gewesen. Das Dasein als Hausfrau und Mutter machte sie nicht glücklich. Vor ihrer Heirat war sie eine selbständige junge Frau mit einem eigenen kleinen Unternehmen gewesen, damals hatte sie sich nach Ehe und Familie gesehnt.

Doch jetzt, im Alltag, konnte sie sich nicht damit abfinden, dass mein Vater über ihr gemeinsames Leben entschied, dass er morgens aus dem Haus ging, in seine eigene Firma, und sie zu Hause blieb. Seit Guschi im siebten Monat mit mir schwanger war, führte er das Geschäft allein weiter. Inzwischen war aus dem kleinen Knopfgeschäft eine große Firma geworden, ohne dass Guschi daran Anteil hatte. Und doch war sie es gewesen, mit der alles begann.

Unser Auszug aus der Wohnung bedeutete für mich einen größeren Einschnitt als Hitlers Machtergreifung, die für mich bisher überhaupt nichts verändert hatte. Ein Möbelwagen fuhr vor. Die Packer luden den Teil unserer Möbel auf die Ladefläche, der nun uns gehören sollte, meinem Bruder, meiner Mutter und mir. Ich bemerkte erleichtert, dass auch das blaue Sofa darunter war. Gleichzeitig schnürte es mir den Hals zu, als ich sah, wie es die Treppen hinuntergetragen wurde. Es war mein Schiff gewesen, meine Wolke. Es hatte sich in alles verwandeln können, was ich mir nur vorstellte. Es hatte Sicherheit, Geborgenheit für mich bedeutet, auch, weil es *unser* Sofa war, es war ein geheimer Mittelpunkt unseres Lebens. Ich bezweifelte, dass es an einem anderen Ort seine magischen Kräfte entfalten konnte.

Meine Mutter zog mit mir und meinem Bruder in die Niebuhrstraße, ganz in der Nähe des Kurfürstendamms, eine gutbürgerliche Gegend mit breiten Bürgersteigen und von Bäumen gesäumten Straßen. Die Wohnung war groß und hell, mit unendlich hohen Decken. Morgens fuhr ich mit der Hochbahn zur Schule. An der Haltestelle «Börse» stieg ich aus. Von dort musste ich noch ein Stück zur Schule an der Großen Hamburger Straße laufen.

Mein Vater zog ebenfalls aus, wir wussten nicht, wohin. Es war wie eine stillschweigende Übereinkunft: Er fragte nicht, ob wir ihn besuchen wollten, und wir verlangten nicht danach. Einmal in der Woche kam er und holte uns mit unserem Auto ab, dem BMW, mit dem wir früher so oft ins Grüne gefahren waren. Meist machten wir dann Station bei Großmutter Betti, Tante Lina und Onkel Sally.

Jedes Mal nach diesen Besuchstagen waren mein Bruder und ich verwirrt. Bei Großmutter Betti wurden wir nach unserer Mutter gefragt. Und zu Hause wollte meine Mutter wissen, wie es bei meinem Vater und der Großmutter gewesen sei: «Haben sie nach mir gefragt?» Sie bemühte sich, heiter und beiläufig zu klingen, aber ihre Stimme zitterte vor Anspannung. «Was haben sie über mich gesagt?»

Keiner von ihnen forderte von uns, sich für einen von beiden zu entscheiden. Trotzdem war es mir, als fragten mich beide stumm: «Wen liebst du mehr?»

Bei wem lag meine Treu, bei meinem Vater oder meiner Mutter? Ich fühlte mich gezwungen abzuwägen. Meine Mutter hatte mich immer umsorgt und verwöhnt, hatte mit mir Krankheiten durchgestanden, war immer für mich da. Mein Vater war trotz seiner Forschheit ein zärtlicher Vater. Als Kind verehrte ich ihn so sehr, dass meine Mutter oft eifersüchtig war und meinte: «Du liebst ihn mehr als mich!»

Ich war eine Vatertochter. Trotzdem erschien mir mein Vater immer öfter fremd und rätselhaft. Ich warb um ihn. Meine Mutter dagegen war mir näher. Sie war so klug, so erfindungsreich, ihr vertraute ich bedingungslos. Solange sie da war, konnte mir nichts passieren.

Mit der Trennung meiner Eltern geriet alles ins Wanken. Bisher war unser Leben ein fein abgestimmtes Gefüge von Schule, Arbeit, Familienritualen und gemeinsamen Unternehmungen gewesen, abgesichert durch ein Netz, das die vielen Verwandten meiner Mutter spannten. Nun begann dieses Gefüge zusammenzubrechen. Die Kräfte, die darauf einwirkten, kamen gleichzeitig von innen und von außen.

Im Laufe des Jahres 1935 wurde die Stimmung in Berlin immer bedrückender. Ständig hörten wir von Verhaftungen. Wir liefen an Geschäften mit beschmierten Schaufensterscheiben vorbei, von denen selbst wir keine Ahnung hatten, dass die Inhaber jüdisch waren. «Kauft nicht bei Juden» – welche Juden waren das? Die aus den Karikaturen im «Stürmer»? Dieses Bild der Juden hatte nichts mit uns tun. Um zu verstehen, dass die Nazis auch uns aus dieser Gesellschaft ausstoßen wollten, und die Konsequenzen daraus zu ziehen, mussten wir begreifen, dass wir in ihren Augen «anders» waren. Aber wir waren nicht anders. Und deshalb fehlte uns der letzte Anstoß zu sagen: Wir können in diesem Land nicht mehr leben.

Es war nicht der Mut, der uns fehlte, sondern die Vorstellungskraft. Selbst wenn wir tatsächlich Hitlers «Mein Kampf» gelesen hätten – wir hätten es nicht ernst genommen. Wir fühlten uns nicht gemeint.

Vor 1933 war unsere Familie nie mit Antisemitismus in Berührung gekommen. Die Boykotte jüdischer Geschäfte wirkten auf uns fast irreal. Es war absurd, dass die Leute nun nicht mehr zu ihrem gewohnten Fleischer, Bäcker oder Schuster an der Ecke gehen sollten, bei dem sie schon jahrelang kauften, nur weil dieser Fleischer, Bäcker oder Schuster Jude war. Sie waren doch all die Jahre gute Fleischer, gute Bäcker, gute Schuster gewesen. Sie hatten einen festen Platz in einer funktionierenden Gesellschaft.

Im Jahre 1936 beendete ich die jüdische Mittelschule an der Großen Hamburger Straße.

Schon seit einem Jahr waren die Nürnberger Gesetze in Kraft. Von nun an wurde unterschieden zwischen deutschen Staatsangehörigen und «Reichsbürgern». Juden konnten keine Reichsbürger sein. Und wer Jude war, bestimmten die Nürnberger Gesetze. Zwar waren wir noch deutsche Staatsangehörige, mit allen Pflichten, aber unsere Rechte hatten wir fast alle verloren.

Drei Jahre schon lebten wir unter Hitlers Macht. Es lag in der Luft, dass Entscheidungen getroffen werden mussten. Bleiben oder Gehen – das war die Entscheidung, die auf alle zukam, auch wenn es nicht jeder wahrhaben wollte. Immer mehr Leute emigrierten in die USA oder nach Südamerika, verschifften ihren Besitz, soweit es noch möglich war, gaben ihre Existenz, ihr Leben in Deutschland auf. Doch in unserer Familie stand das Thema Auswanderung gar nicht erst zur Diskussion.

Als meine resolute Tante Jetti 1935 beschloss, mit ihrem Mann Adolf nach Brasilien zu emigrieren, war mein Vater beinahe persönlich beleidigt: «Wie kann man ein gutgehendes Geschäft einfach so im Stich lassen!» Mein Vater fühlte sich in seiner Ehre als Geschäftsmann getroffen. Jettis und Adolfs Söhne Eugen und Hans waren beide bereits emigriert, der eine nach Brasilien, der andere nach Palästina. Eugen in Brasilien hatte ein eigenes Geschäft gegründet und konnte für seine Eltern bürgen. «In Brasilien kann man ganz anständig leben», sagte Adolf. «Eugen hat es auch geschafft. Wir bauen uns etwas Neues auf.»

«Wie ihr meint», sagte mein Vater. «Ich jedenfalls bleibe hier.»

Für mich war damals schwer zu sagen, wer recht hatte, Onkel Adolf oder mein Vater. Ich akzeptierte einfach, was mein Vater entschied, es blieb mir nichts anderes übrig. Außerdem hatte ich andere Sorgen: Ich musste mich mit meiner Zukunft auseinandersetzen. Für mich gab es diese Zukunft noch, ich sah sie hier in Deutschland. Während andere entschieden, ob sie bleiben oder gehen sollten, war ich vollkommen mit der Frage beschäftigt, welchen Beruf ich erlernen wollte.

Seit ich denken konnte, liebte ich alles, was mit Mode zu tun hatte. Wahrscheinlich lag diese Leidenschaft in der Familie. Ich wollte schneidern und entwerfen. Durch die Firma meines Vaters war ich schon früh mit dem Modegeschäft in Berührung gekommen. Schon lange vor 1933 hatte mein Vater ein Unternehmen aufgekauft, das mit Kleiderschmuck handelte. Die Knopfmacherei war ihm nie genug gewesen, und so hatte er bereits kurz nach der Hochzeit mit meiner Mutter begonnen, das Geschäft zu erweitern. Statt die Knöpfe mit einer Knopfmaschine selbst herzustellen und zu verkaufen, schaffte er sich mehrere solcher Maschinen an und verkaufte sie weiter an Läden und Ateliers, die damit ihre eigenen Knöpfe fertigen konnten. Dazu brauchten sie ständig neue Rohlinge, die ihnen wiederum Arthur Bendheim lieferte. Bald versorgte mein Vater fast alle Geschäfte und Konfektionshäuser in Berlin, die eine Knopfmaschine besaßen, mit entsprechendem Zubehör, er exportierte sogar nach Dänemark, Schweden und Holland.

Schließlich kaufte er die Firma «M. Schleier» am Hausvogteiplatz, die mit Kleiderschmuck, Schnallen und Strass handelte. Mein Onkel Sally führte die Bücher und war als Geschäftsmitinhaber eingetragen.

Die Firma meines Vaters war von den Restriktionen durch die Nazis noch nicht betroffen. Es war kein Ladengeschäft, sondern lag in einer Etage, sodass es von Boykotten oder Überfällen verschont blieb.

1936 beendete ich die Schule und schrieb mich an der Kunstgewerbeschule «Feige und Straßburger» ein. Dort lernte ich Mode- und Reklamezeichnen. Es gab nicht mehr viele Möglichkeiten für junge Juden, eine Ausbildung zu absolvieren, Feige und Straßburger war eine davon. Viele, die mit mir auf diese Schule gingen, taten es nur, um die Zeit bis zur Emigration zu überbrücken. Ich nicht. Ich wollte in die Konfektion gehen, selbst Kleider entwerfen. Mir gefiel die Atmosphäre rund um den Hausvogteiplatz, wo die meisten Modeateliers ansässig waren. Viele davon waren noch immer in jüdischen Händen. Dies war meine Welt. Ich hatte große Pläne.

Im selben Jahr geschah etwas, das mir Hoffnung machte: Meine Eltern kamen wieder zusammen. Auch diesmal verrieten sie uns nicht den Grund. Wir spürten, dass sie es uns Kindern zuliebe taten, vielleicht aber auch, weil die Welt allmählich aus den Fugen zu geraten schien. Es war, als wollten sie all der Ungewissheit etwas entgegensetzen.

Mein Vater hatte für uns alle eine neue große Wohnung in der Neuen Friedrichstraße gefunden. Während wir uns dort einrichteten, packten Freunde und Verwandte ihre Sachen. Onkel Adolf und Tante Jetti wanderten tatsächlich nach Brasilien aus. Doch mein Vater glaube noch immer, es würde sich alles normalisieren.

Wenn meine Mutter vorsichtig das Thema Auswanderung ansprach, wiegelte er ab. «Und was ist mit meiner Mutter? Mit Lina und Sally? Die will doch niemand haben!»

Er hatte recht: Mit einer Krankheit oder Behinderung hatte kaum jemand eine Chance, ein neues Leben in den USA, in Südamerika oder Australien zu beginnen. Jeder Einwanderer musste sich einer Gesundheitsprüfung unterziehen. Kein Land akzeptierte Immigranten, die nicht für sich selbst sorgen konnten. Doch offenbar schien diese Tatsache meinen Vater eher zu erleichtern. Allein, ohne seine Familie, für die er verantwortlich war, wollte er nicht auswandern. Genauso wenig wollte er sein Unternehmen aufgeben für die vage Aussicht auf eine unsichere Zukunft im Exil.

Die Familie war wieder vereint. Guschi und Arthur redeten miteinander, so wie früher. Während andere ihre Haushalte auflösten, lebten wir wieder als Familie. Wir besaßen ein Auto. Die Wohnung in der Neuen Friedrichstraße hatte elf Zimmer. Wir stellten sogar erneut ein Dienstmädchen ein, diesmal allerdings kein junges Mädchen wie früher, sondern eine ältere Frau: Nach den neuen Gesetzen durften jüdische Familien weibliche deutsche Dienstboten nur dann beschäftigen, wenn sie älter als 45 Jahre alt waren. Liebschaften zwischen Juden und Nichtjuden waren verboten, und die Nazis gingen offenbar davon aus, dass jeder jüdische Hausherr eine Affäre mit seinem deutschen Dienstmädchen anfing.

Ralph und ich genossen das neue Gefühl der Normalität. An den Sonntagen fuhren wir mit dem Auto nach Schloss Marquardt oder besuchten ein Café am Kurfürstendamm. Als angehende Modezeichnerin betrachtete ich dort die Kleider und Anzüge der Leute, die an unserem Tisch vorbeigingen. Ich war kein Schulmädchen mehr, sondern eine junge Frau, die einen richtigen Beruf erlernte. Ich fühlte mich sehr erwachsen.

Eines Tages im Café Wien passierte ein ganz besonders gut geschnittener Anzug unseren Tisch. Ich schaute auf. Der Mann, der in diesem Anzug steckte, war auffallend groß und

Familie Bendheim, ca. 1935

hatte dunkle Haare. Er war braun gebrannt, als sei er gerade von einem langen Urlaub zurückgekehrt, nicht blass und angespannt wie die meisten von uns in dieser Zeit. Denn dass er Jude war, konnte ich mir denken. Die Kundschaft im Café Wien war überwiegend jüdisch, auch jetzt noch.

Gemeinsam mit seinem Freund setzte sich der Anzug an einen Tisch, der viel zu weit entfernt war von unserem Tisch, an dem ich mit meinen Eltern saß. Kurz entschlossen stand ich auf und ging zur Toilette. Auf dem Weg musste ich an ihm vorbei und hoffte, er würde mich bemerken. Ich schlenderte besonders langsam. Er schaute nicht einmal auf. Noch mindestens drei Mal lief ich innerhalb der nächsten halben Stunde zur Toilette und zurück, bis es meine Eltern nicht mehr mit ansehen konnten. Wir gingen nach Hause, und ich war für mehrere Tage unglücklich.

Etwa eine Woche später erzählte mir meine Mutter beiläufig, ein Herr Lewin habe angerufen.

«Lewin?»

«Ja, er kennt Eugen von früher und will auch nach Brasilien. Ich soll ihm alles erzählen, was ich über das Land weiß. Er kommt morgen zum Kaffee.»

Am folgenden Tag kam ich wie immer aus der Zeichenschule nach Hause, als mir plötzlich einfiel, dass uns wohl eine langweilige Unterhaltung mit einen älteren, auswanderungswilligen Herrn bevorstand. Ich beeilte mich nicht besonders, meinen Mantel auszuziehen. Schon im Flur hörte ich Stimmen aus dem Herrenzimmer. Ich öffnete die Tür: Da saß er, der Mann aus dem Café Wien, und lächelte mich an.

«Philipp Lewin.» Er stand auf und gab mir die Hand.

«Herr Lewin hat ein Atelier am Hausvogteiplatz», sagte meine Mutter.

«Ich gehe auf die Modezeichenschule», sagte ich.

«Dann kommen Sie doch mal bei mir vorbei», sagte Philipp. «Vielleicht kann ich Ihnen bei Ihren Entwürfen helfen.»

Nach diesem Nachmittag besuchte ich Philipp oft in seinem Atelier. Dort fertigte er vor allem Kostüme nach seinen eigenen Entwürfen an. Das Atelier umfasste eine ganze Etage in einem Haus am Hausvogteiplatz. Nach meinem Unterricht bei Feige und Straßburger ging ich oft hinauf und beobachtete die Näherinnen und die Männer, die die großen Zuschneidemaschinen bedienten. Ich sah zu, wie aus den einzelnen Stoffteilen wunderschöne Kostüme entstanden. Einmal schneiderte Philipp ein Kostüm ganz allein für mich. Es war grau mit einem Überkaro in Rot, feine rote Linien auf grauem Stoff. Dieses Kostüm trug ich viele Jahre.

Immer hoffte ich, dass Philipp und ich mehr sein könnten als nur gute Freunde. Bis ich eines Tages wieder einmal zu seinem Atelier hinaufstieg und schon im Treppenhaus Stimmen und Gläserklirren hörte. Als ich die Tür zur Werkstatt öffnete, sah ich, dass Philipp offenbar einen Empfang gab. Kaum hatte ich das Atelier betreten, da kam er mir auch

Am Scharmützelsee, um 1936

schon entgegen, an seinem Arm ein Mädchen. Ich kannte sie, sie ging mit mir zusammen zu Feige und Straßburger.

«Hallo Margot», sagte Philipp und strahlte mich an. Er drückte das Mädchen an sich. «Jetzt lernt ihr euch endlich kennen. Das ist meine Verlobte!»

Ich konnte mich nicht einfach umdrehen und gehen. Ich versuchte mich zusammenzureißen, aber es war mir sehr bitter. An diesem Abend betrank ich mich zum ersten und zum letzten Mal in meinem Leben. Wie ich später nach Hause kam, weiß ich nicht mehr. Ich erinnere mich nur noch daran, dass meine Mutter mich ins Bett steckte und ich meinen Rausch und mein Unglück ausschlief, die ganze Nacht und den folgenden Tag lang.

In dieser Zeit habe ich wenig an die Nazis gedacht. Ich hatte Liebeskummer. Nichts anderes hatte neben diesem Gefühl Platz.

Ich besaß ein Bild von Philipp Lewin, das ich später mit in

Margot und Ralph mit der Cousine Anni Goldberger, 1937

den Untergrund nahm. In einem der Zimmer, bei einem meiner überstürzten Aufbrüche, ist dieses Bild liegengeblieben. Es ist verloren.

1936 gab es wieder mehr Luft zum Atmen. Es war das Jahr der Olympischen Spiele. Berlin sollte der Welt vorgeführt werden, und deshalb verzichteten die Nazis für eine Weile auf Boykotte und Zeitungskampagnen gegen Juden. Auf den Straßen sahen wir keine beschmierten Schaufensterscheiben mehr. All die Jahre hatten wir uns immer wieder selbst beruhigt: Eines Tages ist der Spuk vorbei. War es jetzt so weit?

Mit meinen Freunden sprach ich über Auswanderung, aber es war wie ein Spiel, wie das Reisen mit dem Finger auf der Landkarte. Wer sich gleich nach der Machtergreifung zur Auswanderung entschlossen hatte, war schon fort. Wer geblieben war, suchte nach immer gewagteren Möglichkeiten. Es klang alles so phantastisch: Kuba, Brasilien, Schanghai.

Namen, die wir nur aus dem Atlas kannten. Es war kaum zu glauben, dass man dort wirklich leben konnte.

Anfang 1937 ging mein Jahr bei Feige und Straßburger zu Ende. Im April fand ich eine Lehrstelle als Schneiderin in einem kleinen Salon, bei Rosa Lang-Nathanson in der Kalckreuthstraße in Schöneberg. Ich arbeitete und lernte auf eine Zukunft hin, die ich nicht mehr erleben sollte, doch das ahnte ich damals nicht.

Wir wohnten jetzt schon fast zwei Jahre mit unseren beiden Eltern in der großen schönen Wohnung in der Neuen Friedrichstraße. Am Anfang hatten wir ein recht harmonisches Familienleben gehabt. Doch irgendwann begannen die Veränderungen. Zuerst bemerkten wir, dass unser Vater abends nicht mehr im gemeinsamen Schlafzimmer zu Bett ging. Die Stimmung zwischen den Eltern wurde kühler, bedrückter, gezwungener. Aber bisher hatte der Vater noch jeden Abend mit uns am Abendbrottisch gesessen.

Eines Abends jedoch waren wir nur noch zu dritt. Weder mein Bruder noch ich fragten nach unserem Vater. Erst als er am nächsten Abend wieder nicht erschien und unsere Mutter ruhiger als sonst war, wagten wir es: «Wo ist Papa?»

«Er hat uns verlassen», sagte unsere Mutter leise. «Und diesmal wird er nicht mehr zurückkommen. Wir lassen uns scheiden.»

Diesmal stand es fest. Sie wollten nicht mehr. Unsere Familie brach auseinander. Wir fühlten uns verlassen ohne Vater. Und wir mussten unsere große Wohnung aufgeben. Aber meine Mutter fand einen Ausweg: Sie mietete für uns zwei Zimmer in einer Pension. Wieder zogen wir in den Westen Berlins, in die Pension Mandowsky am Ludwigkirchplatz. Ein paar Möbel nahmen wir mit, so viel, wie wir in unseren beiden Zimmern unterbringen konnten. Auch das blaue Sofa.

Ein neues Leben begann.

Die Mandowskys waren Juden, deshalb hatte die Pension nur noch jüdische Gäste. Vor kurzem hatten sie noch eine zusätzliche Etage hinzugenommen und vermieteten uns dauerhaft zwei große Zimmer. Es gab sogar eine Küche auf dieser Etage, die wir fast allein benutzten, da alle anderen Gäste in der Pension aßen.

Wieder holte uns Vater jedes Wochenende mit dem Auto ab. Er wartete unten auf der Straße, bis wir herunterkamen, denn er wollte Guschi nicht begegnen. Meist gingen wir dann zu dritt in ein Restaurant zum Abendessen.

Ich war inzwischen schon fast siebzehn und mein Bruder noch nicht dreizehn. Ralph war empfindsam und hing sehr an unserer Mutter. Ich arbeitete jeden Tag im Salon, traf Freunde und verbrachte ohnehin wenig Zeit zu Hause. Für Ralph war die Scheidung schlimmer als für mich. Aber auch ich war immer im Zwiespalt. Ohne dass es ausgesprochen wurde, hatte ich das Gefühl, dass mein Vater schuld an dieser Trennung war. Ich liebte ihn sehr, aber ich fühlte mich fast verpflichtet, ihn nicht mehr so zu lieben wie zuvor. Wenn wir samstagabends im Restaurant saßen und über belanglose Dinge sprachen, hätte ich ihm gern gesagt, dass er mir fehlte, dass ich Sehnsucht nach unserem alten Leben hatte. Ich wusste nichts über das Leben, das er jetzt führte, und ich wollte es auch nicht wissen, denn es wäre mir wie ein Verrat an meiner Mutter vorgekommen. War er glücklich? Glücklicher, als er es mit uns gewesen war? Er sagte nie, dass er uns vermisste.

Als kleines Kind war ich jeden Sonntagmorgen zu meinem Vater ins Bett gekrochen. Das war unser Ritual. Er ließ mich auf seinen Knien herumrutschen und spielte «Hoppe, hoppe, Reiter». Einmal, als ich über das Wochenende unbedingt bei meinen Großeltern schlafen wollte, bekam ich, kaum dass mein Vater fort war, so große Sehnsucht nach ihm, dass ich aufrecht im Bett saß und nicht einschlafen konnte. Ich weinte nicht. Ich saß einfach da und seufzte. «Schade», sagte ich, unendlich traurig. «Schade, schade, schade.»

«Was ist denn so schade?», fragte Adele.

Schade war, dass ich am nächsten Morgen nicht zu meinem Vater ins Bett kriechen konnte. Allein der Gedanke daran machte mich traurig. Ich wollte keinen dieser Sonntage verpassen. Noch am selben Abend kam mein Vater und holte mich nach Hause.

Jetzt fühlte ich dieselbe Sehnsucht wieder, jeden Samstagabend. Doch an jedem dieser Abende setzte uns mein Vater wieder vor der Pension Mandowsky ab und fuhr davon, und wir stiegen die Treppen hinauf zu unseren beiden Untermietzimmern, die voller Möbel waren, die uns an früher erinnerten.

Wir fuhren nur noch selten und jetzt ohne meinen Vater an den Scharmützelsee. Einige Verwandte waren schon emigriert, und Onkel Richard und Onkel Paul besaßen nicht mehr die Mittel, das Gut Waldfrieden allein zu finanzieren. Seit längerem hatten sie die Zimmer im Herrenhaus für zahlende Gäste freigemacht. Und es kamen viele Gäste. Ins Ausland zu reisen war für Juden verboten, und viele Leute waren froh, für ein paar Tage der Stadt entfliehen zu können. Jeden Freitag kamen Autos vorgefahren. Richard und Paul stellten einen Koch ein. An Lebensmittel zu gelangen war nicht schwierig: Gemüse, Kartoffeln und Tomaten wuchsen im eigenen Garten, die Hühner legten Eier, und Tante Martha kochte Kompott aus den Früchten, die wir in der Obstplantage ernteten. Frühstück, Mittagessen und Abendbrot wurden an langen Tischen serviert. Zusammen mit den Gästen badeten wir, unternahmen Bootspartien und spielten Federball am Seeufer. Es war fast wieder so wie früher. Doch am Sonntagabend fuhren wir alle wieder nach Berlin zurück, zurück in die Stadt, in einen Alltag, der immer enger und bedrückender wurde.

Am Scharmützelsee, mit einem Freund der Familie, um 1937

Jetzt, da Arthur fort war, begann Guschi, ernsthaft über Emigration nachzudenken. Sie hatte es schon früher getan, so wie sie immer die treibende Kraft bei wichtigen Entscheidungen gewesen war, aber Arthur hatte all ihre Versuche, das Thema anzusprechen, im Keim erstickt.

Noch beschränkten sich die Maßnahmen der Nazis gegen Juden hauptsächlich auf Berufsverbote und wirtschaftliche Einschränkungen. Juden erhielten keine Steuervergünstigungen mehr. Juden durften keinen Doktortitel mehr führen. Sie durften nicht an nichtjüdischen Schulen und Universitäten lehren, keine Apotheken und Gasthöfe pachten. Jüdische Rechtsanwälte durften nicht mehr praktizieren, Journalisten wurden aus der Reichspressekammer ausgeschlossen.

Noch sahen wir keine Gefahr für unser Leben, doch es war, als schlössen sich vor den deutschen Juden allmählich alle Türen in die Zukunft. Die einzige Tür, die noch offen stand, führte in die Emigration.

Aus Brasilien kamen Briefe von Tante Jetti und Onkel Adolf. «Das Leben hier ist nicht einfach», hieß es. «Versuch mal, hier einen ordentlichen Gänsebraten auf den Tisch zu bekommen. Das Schlimmste sind die Dienstmädchen. Man findet einfach kein ordentliches Personal.»

Die Tatsache, dass die ärgsten Probleme, mit denen Tante Jetti in Brasilien zu kämpfen hatte, Schwierigkeiten mit den Dienstboten und dem Sonntagsbraten waren, bestätigte meine Mutter endgültig darin, dass es besser war, so schnell wie möglich zu emigrieren. Sie setzte sich hin und schrieb einen Brief an ihre Schwester, in dem sie um Einreisepapiere für Brasilien bat. Doch da meine Mutter eigentlich lieber in die USA gegangen wäre, schrieb sie noch einen zweiten Brief, diesmal an ihren Neffen Hermann. Hermann war bereits vor 1936 in die USA gegangen. Guschi bat ihn, einen weiteren Brief für sie weiterzuleiten, den sie mit in den Umschlag legte. Er war an entfernte Verwandte gerichtet, die schon seit den zwanziger Jahren in den USA lebten. Guschi hatte sie seit ihrer Kindheit nicht mehr gesehen und den Kontakt verloren. Vielleicht konnte Hermann ihre Adresse herausfinden und dafür sorgen, dass sie den Brief bekamen, in dem Guschi sie um ein Affidavit bat, eine Bürgschaft, ohne die man kein Einreisevisum erhielt.

Affidavit, Visum, Auswanderungsquote: Diese Wörter sollten in den nächsten Jahren als Überschrift über unserem Leben stehen.

Vor drei Jahren, als Tante Jetti und Onkel Adolf gegangen waren, hatte mein Vater sie für verrückt erklärt. Wir würden bleiben, das stand fest. Nicht nur die Familie, sondern auch das Materielle hatte uns in Deutschland gehalten: die Firma, die Möbel, das Geld. Paradoxerweise war es jedoch damals noch möglich gewesen, Geld und Wertgegenstände mit ins Ausland zu nehmen. Jetzt, wo wir ernsthaft an Auswanderung dachten, wurden den Juden immer mehr Ausfuhr- und Devisenbeschränkungen auferlegt. Je länger wir warteten, desto mehr von unserem Besitz würden wir opfern müssen.

Und wir konnten es nicht allein schaffen. Für meine Mutter bedeutete es eine große Überwindung, um Hilfe zu bitten. Bisher war immer sie es gewesen, die geholfen hatte. Sie hasste es, Bettelbriefe zu schreiben. Aber sie hatte keine Wahl. Wir hatten schon einige Chancen verpasst. Jetzt, nach der Scheidung, war sie zumindest nicht mehr an die Pläne meines Vaters gebunden.

Viele Juden hatten Berlin zu dieser Zeit bereits verlassen, vor allem jene, die schon 1933 ihre Berufe aufgeben mussten und klug genug waren, nicht auf ein gutes Ende zu hoffen. Viele junge Leute waren vor 1936 als Touristen in die USA oder nach Südamerika gereist und hatten sich dann direkt um eine Aufenthaltsgenehmigung bemüht. Andere gingen nach Kuba und versuchten, von dort in die USA zu gelangen.

Auguste Bendheim,
geb. Groß, um 1937

Seit 1936 vergaben die US-Konsulate keine Touristenvisa mehr. Die Flut der Immigranten machte den Amerikanern Angst. Nur wer ein Affidavit hatte, eine Bürgschaft eines Freundes oder Verwandten, der bereits in Amerika lebte, durfte ein Visum beantragen, und das auch nur, wenn er sich bereits früh genug beim Konsulat hatte registrieren lassen. Jeder, der sich registriert hatte, bekam eine Quotennummer. Über das Schicksal des Einzelnen entschied die Quote des Landes, in dem er geboren war, denn aus jedem Land durfte nur eine gewisse Anzahl Menschen in die USA einwandern. Hatte man eine relativ niedrige Quotennummer ergattert, war die Chance größer, ein Visum zu erhalten. Die geringsten Aussichten hatte, wer in Polen geboren war, denn dort lebten viel mehr Juden als in Deutschland, und die Quote war schnell ausgeschöpft. Am schlimmsten traf es Ehepaare, bei denen ein Partner unter die deutsche, der andere unter die polnische Quote fiel. Dann war es fast unmöglich, gemeinsam auszuwandern, und meist entschieden sich diese Paare, zu bleiben.

Während Deutschland die Juden immer dringender loswerden wollte, erschwerten die amerikanischen Behörden ihnen die Einreise. Hunderttausende Quotennummen verfielen – hinter jeder dieser nie aufgerufenen Nummern ein Mensch, der hätte überleben können.

Die USA – das war das Land, auf das wir die meisten Hoffnungen setzten. Wir konnten uns nicht vorstellen, dass ein so großes und reiches Land keine Möglichkeit hatte, uns aufzunehmen. Wir deutschen Juden, so sagten wir uns, waren doch kultivierte, fleißige Menschen. Wir wollten niemandem auf der Tasche liegen. Wir wollten für unseren Lebensunterhalt arbeiten.

Auch die jüdischen Organisationen in den USA schienen uns nicht ernst zu nehmen. Die amerikanischen Juden wären die Einzigen gewesen, die uns Rückhalt und Unterstützung hätten geben können, aber sie unternahmen nichts, um uns die Ausreise aus Nazideutschland zu erleichtern, vielleicht aus Gleichgültigkeit, vielleicht aus Furcht, den eigenen bescheidenen Wohlstand teilen zu müssen. Deutschland wollte uns nicht, und Amerika wollte uns auch nicht.

Jahrzehnte später, ein Jahr vor seinem Tod, gab mir mein Vetter Hermann den Brief an die Verwandten, den meine Mutter ihm damals geschickt hatte. Er war noch versiegelt. Hermann hatte sich nicht einmal bemüht, die Adresse herauszufinden.

Das Jahr 1938 ging zu Ende. Im August war mein Bruder Ralph dreizehn Jahre alt geworden. Eigentlich hätte er schon längst seine Bar-Mizwa feiern sollen, gemäß der Tradition am ersten Samstag nach dem dreizehnten Geburtstag. Doch an seinem Geburtstag war Ralph krank, und deshalb war seine Bar-Mizwa auf den 12. November verschoben worden.

Am Donnerstag, dem 10. November, betrat ich frühmorgens die Ludwigkirchstraße. Wie an jedem Wochentag wollte ich zur Arbeit in den Salon von Frau Lang-Nathanson gehen. Ein kühler Novembermorgen, aber die Sonne schien - es war erst kurz nach acht, doch es sah so aus, als würde es ein strahlender Tag werden. Nur die Luft roch merkwürdig. Nicht frisch, sondern scharf und seltsam beklemmend, nach Brand und Rauch. Etwas flog mir ins Auge, ich tupfte es mit dem Finger weg: eine Rußflocke. Kleine Rußpartikel wirbelten durch die Luft. Irgendwo brennt es, dachte ich. Aber warum sind keine Menschen auf den Straßen? Warum höre ich keine Sirenen? Eine unheimliche Ruhe in den Straßen. Sonst waren um diese Zeit viele Leute unterwegs, die früh zur Arbeit gingen, so wie ich. Wenn es gebrannt hatte, mussten doch noch mehr Leute auf den Straßen sein, Schaulustige. Die Berliner ließen sich so etwas nicht entgehen.

Am liebsten wäre ich umgekehrt. Aber ich ging weiter in Richtung Uhlandstraße. Plötzlich knirschte etwas unter meinen Sohlen. Ich schaute zu Boden. Es waren Glasscherben. Ein paar Meter weiter, an der Ecke zur Uhlandstraße, lag eine zerbrochene Schaufensterscheibe auf dem Pflaster. Dort war ein jüdisches Geschäft, das wusste ich, ein Lebensmittelladen. Der Bürgersteig war übersät mit zerbeulten Konservendosen, zerfetzten Tüten, zertretenen Süßigkeiten. Zwei SA-Männer standen vor der Eingangstür. Auch die Glasscheibe in der Tür war zerborsten, darin baumelte noch das Schild: «Geschlossen».

Ich wagte nicht, stehenzubleiben, ich ging weiter, versuchte, die SA-Männer nicht anzusehen. Vorsichtig stieg ich über all die verstreuten Waren, die Plünderer offenbar in der Eile zurückgelassen hatten. Ein dritter SA-Mann kam mir entgegen. Immer mehr braune Uniformen waren zu sehen.

Ralph Bendheim, um 1938

Trotzdem lief ich weiter, ich wollte jetzt wissen, was geschehen war.

In der Uhlandstraße gab es viele jüdische Geschäfte. Jedes einzelne hatte zerschlagene Fenster und war ausgeraubt. Aus den Geschäften drang ein eigenartiger Geruch nach Moder und Rauch. Davor stand die SA. Es waren ganz normale Männer mit ganz normalen Gesichtern. Aber so, wie sie da standen, in ihren Uniformen, regungslos und verschlossen, hatten sie nichts Menschliches an sich. Sie starrten ins Leere. Ich hatte das Gefühl, wenn ihr Blick mich träfe, dann wäre es vorbei. Das Knirschen des Glases unter meinen Schuhen schien mir unendlich laut. Ich kehrte um und lief so schnell wie möglich zur Pension Mandowsky zurück.

Keine zwanzig Minuten war es her, dass ich das Haus verlassen hatte. Als ich fortgegangen war, hatte noch niemand gewusst, was in der Nacht geschehen war. Doch jetzt waren die Mandowskys und alle Gäste im Speisezimmer versammelt. Als ich kam, stand meine Mutter auf und umarmte mich wortlos. Alle schauten mich an. In jedem einzelnen dieser Gesichter lag Hoffnungslosigkeit.

Die Nachricht hatte sich schnell verbreitet, auch ohne Radio. «Sie haben die Synagogen angezündet», sagte jemand.

Die Synagogen brannten. Das war der Rauch, der in Nase und Lungen drang. Die Glasscherben, sie waren überall. «Reichskristallnacht» nannten sie es.

Es gab viele Gerüchte: Tausende Männer sollten in dieser Nacht verhaftet worden sein. Niemand wusste, wohin sie diese Männer gebracht hatten. Ein Name machte die Runde: Sachsenhausen. Ein Konzentrationslager. Was die Männer dort erwartete, konnten wir uns nicht vorstellen.

Bis zu diesem Tag hatten die meisten von uns noch die Illusion gehegt, alles würde gut werden. Hitler musste eines Tages gehen. Nicht, weil wir es so wollten. Aber irgendwann würden die Nichtjuden, die Deutschen, nicht mehr hinnehmen, was man uns antat. Jetzt sahen wir, dass niemand uns helfen würde. Sie hatten sogar applaudiert, als die Synagogen brannten. «Deutschland ist doch ein zivilisiertes Land» - mit dieser Formel hatten wir uns jahrelang selbst beruhigt. Am Morgen des 10. November 1938 war die Zeit des Selbstbetrugs vorbei. Jetzt war uns allen klar: Hitler verschwindet nicht. Wir sind es, die gehen müssen.

An diesem Morgen ging mein Bruder nicht in die Schule. Sie war, wie sich herausstellte, ohnehin geschlossen. In zwei Tagen sollte seine Bar-Mizwa sein, doch die Synagoge, in der er zum ersten Mal aus der Tora vorlesen sollte, war nur noch eine rußgeschwärzte Ruine.

Erst später erfuhr ich, dass alle jüdischen Geschäfte schließen mussten, auch der Salon von Frau Lang-Nathanson. Ich hatte also bereits meine Arbeit verloren, ohne es zu wissen.

Tagelang hörten wir nichts von meinem Vater. War er unter den Männern, die man verhaftet und nach Sachsenhausen gebracht hatte? Plötzlich war für uns in Wilmersdorf die Berliner Mitte unendlich weit weg. Wir hatten kein Telefon. Wir wagten uns nicht aus dem Haus.

Fast eine Woche war vergangen, als es eines Nachmittags klingelte. Vorsichtig schlich ich durch den Gang zur Tür. Ich wagte nicht zu öffnen. Da klopfte es, laut und energisch, und ich hörte die Stimme meines Vaters.

«Ich bin es! Kommt herunter.»

Unten auf der Straße stand er und rauchte, hastig und mit tiefen Atemzügen, wie immer. Sein Anzug war zerknittert, aber das war auch alles, was mir an ihm verändert schien. Er nickte Ralph und mir zu, als wir aus dem Haus traten.

Wenig später saßen wir zusammen am großen Wohnzimmertisch in Großmutter Bettis Wohnung.

«Ich habe mich versteckt», sagte mein Vater. «Aber das Geschäft ist weg.»

«Weg?», fragte ich.

«Noch ist zwar alles da», sagte er. «Bis in den zweiten Stock sind sie nicht gekommen. Aber es gehört nicht mehr mir. Das Geschäft wird arisiert.»

Arisiert – ein neues Wort, bis zu diesem Moment hatten wir es noch nie gehört.

«Als ich zurückkam, lag ein Brief im Kasten. Ein Mann namens Lücke, Nichtjude. Ihm gehört jetzt die Firma, einfach so. Mal sehen, wie lange sie mich noch brauchen.»

In den folgenden Monaten war mein Vater damit beschäftigt, das Geschäft abzuwickeln und in die Hände des neuen Besitzers zu geben. Einmal die Woche holte er uns bei Mandowskys ab und brachte uns zu Großmutter Betti, wo wir zu Abend aßen. Eines Abends, es war schon im April 1939, holte er beim Essen etwas aus seiner Jackentasche und warf es auf den Tisch. Es war ein Reisepass.

«Den haben sie mir gegeben.»

Ich nahm den Pass und schlug ihn auf. Es war ein ganz normaler Pass, allerdings mit einem «J» darin: «Jude».

«Ich muss fahren», sagte er. «Mit Herrn Lücke. Nach Schweden, nach Dänemark und nach Holland, zu meinen Kunden im Ausland. Ich soll ihn dort einführen, damit das Geschäft weitergeht. Sie wollen die Devisen.»

Da lag er, der Pass. Keiner von uns war in den letzten Jahren der Möglichkeit, das Land zu verlassen, so nahe gekommen. Ausgerechnet mein Vater, der nie hatte fortgehen wollen.

Niemand sagte ein Wort. Wir sprachen es nicht aus, aber wir alle wussten, dass diese Reise eine Chance war. Eine Chance, zu gehen und nie wiederzukommen. Wir wussten nicht, ob mein Vater sie nutzen würde.

Als es Zeit war, uns nach Hause zu bringen, folgten wir ihm wie immer hinunter zum Wagen. Vor der Pension Mandowsky hielt er an und stieg mit uns aus.

«Macht es gut», sagte er.

«Ja», sagte ich. Wir umarmten uns, verabschiedeten uns knapp. Ich versuchte, mir meine Gefühle nicht anmerken zu lassen. Ich wusste nicht einmal, was ich für Gefühle hatte, ob ich überhaupt welche hatte. Am liebsten hätte ich es herausgeschrien: «Aufhören! Es ist alles zu viel!» Aber ich konnte nicht schreien. Ich war wie erstarrt.

Ich habe meinen Vater nie wieder gesehen.

Noch einmal kehrte er von seiner letzten «Geschäftsreise» nach Deutschland zurück. Bei uns meldete er sich nicht mehr. Wenige Tage später fuhr er in den Westen Deutschlands und überquerte die Grenze nach Belgien. Doch das erfuhren wir erst später.

Wir merkten nur, dass er nicht wiederkam. Allmählich begriffen wir, dass er nie wiederkommen würde.

Dann trafen die ersten Nachrichten von ihm ein. Es waren schmucklose Postkarten, die wir in großen Abständen im Briefkasten der Pension Mandowsky fanden: «Mit geht es gut. Ich bin in Belgien.» Kein Wort davon, dass er uns zu sich holen wollte. Wir wussten, dass es ohnehin nicht möglich war. Aber insgeheim hofften wir auf diesen Satz: «Wartet auf mich – ich komme euch holen.»

Mein Vater war fort. Das Schlimmste aber wagte ich kaum zu denken: Er hatte uns verlassen, um sich selbst zu retten.

Es war geradezu absurd: In den USA, in Hannibal, Missouri, lebten wohlhabende Verwandte von ihm. Hätte er sich vor Jahren überwunden und an sie geschrieben, wären sie womöglich bereit gewesen, uns ein Affidavit zu geben. Damals hatte mein Vater diese Möglichkeit verworfen. Er wollte seine Mutter und seine behinderten Geschwister nicht in Berlin zurücklassen. Jetzt hatte er genau das getan.

Offenbar hoffte er, dass er in Belgien vor den Nazis sicher war. Wenig später, im September 1939, brach der Krieg aus. Bald gab es in Europa kaum noch einen Platz, an dem man vor den Nazis sicher sein konnte.

## Kapitel 3
## «Was willst du in Schanghai?»: Die letzte Tür schlägt zu

Die Pension Mandowsky wurde geschlossen. Mandowskys hatten eine Möglichkeit gefunden, nach Australien auszuwandern. Wir zogen mit all unseren Möbeln zu meiner Großmutter Adele. Großvater Wilhelm war Ende 1938 gestorben, und Adele lebte jetzt allein mit unserer Cousine Anni in der Neuen Grünstraße.

Seit Januar 1939 waren alle Juden verpflichtet, den zusätzlichen Namen «Sara» oder «Israel» in ihre Ausweispapiere eintragen zu lassen. Diese Änderung mussten wir selbst beantragen und eine Gebühr dafür zahlen. Die Bürokratie der Nazis regelte unsere Enteignung akkurat. Bilder, Gold, Silber und Schmuck wurden konfisziert, doch wir erhielten eine kleine Entschädigung dafür, lächerlich wenig, aber gerade genug, damit ein Anschein von Ordnung gewahrt blieb.

Den letzten jüdischen Ärzten, Apothekern und Rechtsanwälten entzog man ihre Zulassungen. Die letzten jüdischen Künstler verschwanden aus dem öffentlichen Kulturleben.

Wenn wir krank waren, konnten wir nur einen jüdischen Arzt aufsuchen oder das Jüdische Krankenhaus. Jüdische Reisebüros organisierten nur noch die Ausreise von jüdischen Emigranten. Es entstand eine jüdische Parallelwelt, die völlig getrennt von der nichtjüdischen Gesellschaft um sie herum existierte. Wir hatten kaum noch mit Nichtjuden zu tun und die Nichtjuden kaum noch mit uns.

Wir durften nicht fort aus diesem Land, aber man ließ uns auch nicht hier leben. All das machte uns nur noch hungriger nach Ablenkung, nach ein bisschen Musik, einem Abend im Kino. Doch wir durften nicht mehr in normale Theater. Wir konnten keine Kinos oder Opernhäuser mehr besuchen. Unsere Radioapparate hatte man konfisziert.

Schon 1933 war der Jüdische Kulturbund entstanden. Die von den offiziellen Bühnen verschwundenen Schauspieler, Sänger und Musiker, Bühnen- und Kostümbildner hatten sich zusammengeschlossen, um für die Berliner Juden Theater- und Opernaufführungen, Konzerte und Lesungen zu organisieren. Vor 1938 hatten auch in anderen Städten ähnliche Verbände existiert. Doch nach der «Reichskristallnacht» gab es nur noch den Berliner Kulturbund, der ständig unter der Beobachtung und Zensur der Gestapo stand.

Noch vor seiner Abreise hatte mir mein Vater erzählt, dass der Kulturbund für den Spätsommer 1939 eine Operettenaufführung plante: die «Gräfin Mariza». Es wurden Statisten gesucht, und mein Vater hatte mir dort eine Stelle verschafft, nachdem der Salon von Rosa Lang-Nathanson auch 1938 hatte schließen müssen. Es war das Letzte, was mein Vater für mich tat, bevor er Berlin für immer verließ. Einige Wochen später ging ich ins Büro des Kulturbundes und stellte mich vor. An diesem Tag begann ein ganz neues Leben. Es war ein unwirkliches, ein zweigeteiltes Leben, denn wenn ich zu den Proben ins Kulturbundtheater ging, kam es mir so vor, als beträte ich eine andere Welt.

Ich stand auf der Bühne! Ich war nur Statistin und hatte keine einzige Zeile zu sprechen, aber es war eine richtige Bühne, und ich fühlte dasselbe Lampenfieber wie die Schauspieler vorn an der Rampe, als die «Gräfin Mariza» endlich Premiere hatte. Dasselbe Scheinwerferlicht blendete meine Augen, sodass ich mich bemühen musste, nicht zu blinzeln, und ich hörte denselben Applaus wie sie. Dieser Moment war immer der schönste und der schlimmste: wenn der Applaus begann und der Vorhang fiel. Genau wie die Leute im Zuschauerraum hatte ich die Welt draußen für einige Stunden vergessen. Doch nach dem letzten Vorhang war alles vorbei.

Solange ich im Theater war, fühlte ich mich sicher. In dieser Zeit gelang es mir, alles, was draußen geschah, auszublenden. Ich verbrachte so viel Zeit wie möglich im Kulturbund. Erst wenn es abends spät wurde, fiel mir ein, dass ich schnell nach Hause musste, bevor die Ausgangssperre für Juden in Kraft trat.

Ich war bald achtzehn Jahre alt und gehörte zur ersten Generation von jüdischen Jugendlichen, für die es kaum noch Vergnügungen gab – zumindest keine, die in der Öffentlichkeit stattfinden durften. Nachts herrschte Ausgangssperre. Beinahe täglich gab es neue Einschränkungen: Badeanstalten und Parks und öffentliche Plätze waren schon länger «für Juden verboten». Wir durften nicht zum Tanzen gehen und nicht ins Schwimmbad. Eine ganze Generation konnte ihre Jugend nicht ausleben.

Im September fiel der allerletzte Vorhang. Die «Gräfin Mariza» ging zu Ende. Der Krieg hatte begonnen.

Für uns bedeutete dieser Krieg vor allem, dass unser Theater geschlossen wurde. Der kleine Saal, den man uns zuwies, war nicht groß genug für Opernaufführungen mit Orchester. Von nun an durfte es nur noch Theaterstücke, Vorträge, Kammermusikkonzerte und Kinovorführungen geben.

Während die Wehrmacht in Polen einmarschierte, probten wir «Der Widerspenstigen Zähmung». Die kleineren Rollen wurden verteilt, als ich gerade irgendwo im hinteren Teil des Raumes stand. Plötzlich hörte ich meinen Namen.

«Margot!»

«Ja?» Ich drängte mich nach vorn.

«Du hast schöne Beine», sagte der Regisseur. «Du spielst den Pagen!»

So bekam ich meine erste richtige Rolle, und das hatte ich vor allem dem Umstand zu verdanken, dass meine Beine in engen Hosen gut aussahen.

Wir wurden immer weniger: die Schauspieler, die Bühnentechniker und das Publikum. Mit den Menschen verschwand auch allmählich der Grund, warum wir existierten. Es verging kaum ein Tag ohne Abschied. Das Geld wurde knapp, denn der Kulturbund wurde aus Mitgliedsbeiträgen finanziert, und die Mitglieder verabschiedeten sich nach und nach in die Emigration.

Anfang 1940 verließ uns auch die Kostümschneiderin. Zu dieser Zeit hatten wir schon nicht mehr die Mittel, für jede Inszenierung neue Kostüme herzustellen, und bekamen auch keine Stoffe mehr. Also mussten die Kostüme aus dem Fundus immer wieder umgearbeitet und neu angepasst werden.

Die Kostümbildnerin, Hanna Litten, wusste, dass ich gelernte Schneiderin war, und so kam ich zu meiner zweiten Stelle beim Kulturbund. Tagsüber saß ich im Fundus zwischen Bergen von alten Kostümen an der Nähmaschine. Ich nähte, änderte, passte an. Was nicht fertig wurde, nahm ich mit nach Hause.

In dieser Zeit musste ich oft in das Verwaltungsbüro des Kulturbunds gehen und um Geld bitten, wenn ich eine Rolle Nähgarn oder eine Dose Stecknadeln brauchte. Der Chef der Verwaltung, Adolf Friedländer, kontrollierte jeden Groschen, der ausgegeben wurde. Ich mochte Herrn Friedländer nicht besonders. Er war Anfang dreißig, aber er kam mir viel älter vor. Er war dünn, fast mager, und trug eine Brille. Seine Anzüge hatten die schärfsten Bügelfalten, die ich je gesehen hatte, und jedes seiner feinen, mausblonden, mit Brillantine geglätteten Haare lag diszipliniert an seinem schmalen Kopf an. Ich hielt ihn für arrogant und hochnäsig, weil er es offenbar für unter seiner Würde hielt, mit mir mehr Worte zu wechseln, als unbedingt nötig war.

Während ich meine Zeit zwischen Theater und Nähmaschine aufteilte und völlig in dieser Welt versank, versuchte meine Mutter fieberhaft, doch noch eine Möglichkeit zur Auswanderung für uns finden.

Inzwischen hatten wir einen Brief von Tante Jetti aus Brasilien bekommen. Sie hatte tatsächlich die Einreisepapiere beigelegt.

Meine Mutter beantragte sofort beim Polizeipräsidium die Führungszeugnisse, die man zum Auswandern brauchte – diese mussten dann noch ins Portugiesische übersetzt werden. Danach bestellte sie bei einer Transportfirma die Packer – sie erschienen zusammen mit Zollbeamten, die zu kontrollieren hatten, dass wir keinen Schmuck verstauten oder sonstige Dinge, die man abgeben musste. Zum Schluss wurden die Kisten versiegelt und in das Lager des Spediteurs gebracht, wo sie bis zu unserer Auswanderung warten sollten.

Am nächsten Tag ging meine Mutter mit Jettis Papieren zum brasilianischen Konsulat, um unser Visum für Brasilien zu beantragen. Sie wartete mehrere Stunden, bis sie an der Reihe war und ins Büro vorgelassen wurde. Der Beamte nahm die Papiere und warf einen kurzen Blick darauf. Dann gab er sie zurück. «Das sind Fälschungen», sagte er.

«Das kann nicht sein!», rief Guschi entsetzt. «Die sind von meiner Schwester!»

Der Beamte zuckte die Schultern. «Dann ist Ihre Schwester auf einen Schwindler hereingefallen.»

Zu Hause schrieb meine Mutter an Jetti. Sie entschuldigte sich für die Mühe, die sie ihrer Schwester bereitete, und bat sie, noch einmal Papiere zu schicken, diesmal gültige Papiere. Wochen später folgte die Antwort: «Liebe Guschi», schrieb Tante Jetti, «leider kann ich nichts mehr für Euch tun. Die Papiere waren sehr teuer. Wir haben kein Geld mehr. Es tut mir leid.»

Damit war Brasilien für uns gestorben. Trotzdem gaben wir nicht auf. Regelmäßig ging ich in ein Reisebüro in der Meineckestraße, in dem man Schiffspassagen kaufen konnte. Mehrmals die Woche schaute ich dort vorbei, in der Hoffnung, dass sich irgendetwas ergab. Eines Tages erfuhr ich von einer Gelegenheit, über dieses Büro ein Visum für Mittelamerika zu bekommen, für Guatemala, San Salvador, Equador oder Honduras. Man brauchte dafür nur relativ wenig Geld, natürlich in Dollar. Wie aber sollten wir an Devisen kommen?

Stattdessen versuchte meine Mutter, die Verbindung mit einem ihrer Cousins wiederaufzunehmen, der in Holland lebte. Georg war einer der neun Hecht-Söhne, ein Bruder von Walter, Brunchen und Richard. Er war als junger Mann nach Holland gegangen und hatte dort eine reiche jüdische Dame, Tante Millie, geheiratet. So besaß er eines der besten Damenbekleidungsgeschäfte in Amsterdam.

Georg hatte bereits all seine Geschwister nach Amsterdam kommen lassen, auch Richard und Martha mit ihrem Mann Paul, die das Gut Waldfrieden besessen hatten.

Das Gut war inzwischen längst verloren. Im Herbst 1938 hatten Martha, Paul und Richard es aufgegeben, weil sie auf ihre Auswanderung nach Amerika warteten. Als die Horden in der Kristallnacht nach Waldfrieden kamen, wussten sie nicht, dass es nicht mehr in jüdischen Händen war. Sie zerschlugen die Scheiben, brachen ins Herrenhaus ein und verwüsteten alles. Das Leutehaus verschonten sie, denn dort wohnte der Verwalter. Es war derselbe, der das Gut schon zu unseren Zeiten verwaltet hatte. Allerdings war er inzwischen in die Partei eingetreten.

Pauls und Marthas ältester Sohn Hermann war bereits 1936 nach Amerika ausgewandert, zunächst mit einem Touristenvisum. Als das Visum ablief, ging er nach Kuba und von dort als legaler Einwanderer zurück in die USA. Später holte er seine Geschwister nach. Die Eltern Martha und Paul hatten zu hohe Quotennummern und mussten zurückbleiben, und so zogen sie zusammen mit den meisten anderen Hecht-Cousins nach Holland, um dort den Aufruf ihrer Quotennummer abzuwarten.

Über das Reisebüro in der Meineckestraße gelang es meiner Mutter, mit Georg in Amsterdam zu telefonieren.

«Guschi!» Er freute sich hörbar. «Wie geht es euch?»

«Danke», sagte meine Mutter, «und euch?»

«Wir leben noch», berichtete Georg aufgeräumt. «Erich ist jetzt auch hier. Er hat gerade eine Villa in Hilversum gekauft und dort eine Pension eröffnet.»

«Wie schön! Georg, ich muss dich um etwas bitten.»

Stille am anderen Ende der Leitung.

«Wir können ein Visum bekommen. Nach Guatemala. Aber uns fehlt das Geld. Dollars. Der Einzige, der uns helfen könnte, bist du.»

«Liebe Guschi», Georgs gute Laune war plötzlich verflogen, «es tut mir leid. Du weißt, ich habe hier schon die Geschwister. Sie sind alle da. Ich muss für sie sorgen.»

«Ich verstehe, aber ...»

«Ich kann dir nichts geben. Es tut mir leid.»

Guschi wartete noch eine Weile, aber ihr Cousin blieb stumm. Dann legte sie auf. Einer der wertvollen Mäntel in seinem Geschäft hätte ungefähr der Summe entsprochen, die wir gebraucht hätten, um das Visum zu bekommen.

Als Nächstes fand meine Mutter eine Gelegenheit, ein Visum für China und eine Schiffspassage nach Schanghai zu erlangen. Schanghai – nie hätten wir uns früher vorstellen können, so weit fortzugehen. Jahrelang hatten wir überhaupt nicht ans Fortgehen gedacht, vor allem, weil es für meinen Vater kein Thema war. Jetzt gehörte Schanghai zu den letzten Orten, für die es noch Visa gab.

Da mein Bruder und ich noch nicht einundzwanzig waren, brauchten wir für die Ausreise aus Deutschland eine Genehmigung meines Vaters. Noch immer trafen unregelmäßig Postkarten von ihm ein, er hatte eine feste Adresse, irgendwo in Belgien. Meine Mutter schrieb ihm einen Brief und bat ihn um seine schriftliche Zustimmung zu unserer Auswanderung.

Irgendwann kamen ein paar knappe Zeilen: «Was willst du in Schanghai?», schrieb mein Vater. «Verhungern kannst du auch in Berlin!» Seine Einwilligung gab er nicht.

Es war einer seiner letzten Briefe. Dann hörten wir nichts mehr von ihm. Das bis dahin neutrale Belgien war, genau wie Holland, inzwischen von den Deutschen besetzt. Kurz nach diesem Brief, mit dem er unsere Ausreise nach Schanghai verhinderte, wurde mein Vater verhaftet und ins Lager St-Cyprien in Frankreich gebracht. Wollte er aus Belgien fliehen? Ich habe es nie erfahren.

Ende 1940 gingen Gerüchte, dass schrittweise alle Juden innerhalb Berlins umgesiedelt werden sollten. Wir hatten bereits keine Rechte als Mieter mehr und konnten jederzeit gekündigt werden. Wer seine Wohnung verlor, wurde in sogenannte Judenhäuser einquartiert, Häuser, deren Besitzer Juden waren, die man noch nicht enteignet hatte. Wer noch eine eigene Wohnung hatte, bekam Untermieter zugewiesen. So wurden die Berliner Juden allmählich auf immer weniger Raum zusammengepfercht. Tatsächlich erhielten wir bald die Nachricht, dass meine Großmutter Adele ihre Wohnung verlassen musste, in der wir mittlerweile zu fünft lebten.

Meine Mutter, mein Bruder und ich sollten in ein Judenhaus in Berlin-Kreuzberg umsiedeln, in die Skalitzer Straße Nummer 32, zu einer Frau Meißner. Cousine Anni und Großmutter Adele bekamen jeweils ein kleines Zimmer zugewiesen, in einer anderen Gegend, weit weg von uns. Die Aussicht auf diese erste richtige Trennung von meiner Großmutter machte mich traurig. Ich liebte sie innig. Sie war neben meiner Mutter der wichtigste Mensch in meinem Leben. Zwar würden wir immer noch in derselben Stadt leben, aber in diesen Zeiten schien uns Berlin-Mitte von Kreuzberg so weit entfernt wie der Mond. Wir wussten, was uns bevorstand. Durch die Ausgangssperren durften wir uns nicht mehr frei bewegen. Jeden Tag konnte etwas Furchtbares geschehen, und wir würden nie wissen, wie es um meine Großmutter stand. Schließlich hatten wir kein Telefon mehr.

Da all unsere Sachen seit unserem gescheiterten Auswanderungsversuch noch immer bei der Spedition lagerten, fuhren wir nur mit einem Tisch, unseren Betten, einigen Stühlen, Lampen, Bildern und dem blauen Sofa, von dem wir uns nicht trennen konnten, im halbleeren Möbelwagen in die Skalitzer Straße. Ich hatte diese Gegend noch nie gesehen. Im Gegensatz zu den schönen Jugendstilgebäuden rund um den Ludwigkirchplatz kamen mir die gleichförmigen Mietshäuser trist und abweisend vor. Über unseren Köpfen ratterte die Hochbahn. Dann hielten wir vor einem gelben Haus mit der Nummer 32. Dieses Haus, glaubten wir, würde unsere letzte Station in Berlin sein.

Meine Mutter suchte, forschte, plante weiter. In ihr kleines Notizbuch trug sie all die Adressen ein, die uns nützlich sein könnten, sie sammelte sie wie Zaubersprüche, wie magische Beschwörungen, die uns vielleicht erlösen könnten, auch wenn sie noch nicht wusste, wie sie zu gebrauchen waren: Adressen von Bekannten, die bereits im Ausland lebten, Adressen und Telefonnummern von Reisebüros, in denen man Schiffspassagen kaufen konnte, Adressen von Speditionen. Wir hatten schon so viele Gelegenheiten verpasst, Brasilien, Mittelamerika, Schanghai. Als eine der letzten Auswanderungsmöglichkeiten blieb Amerika, denn noch waren die USA nicht in den Krieg eingetreten.

Eines Tages hörte meine Mutter von einem Mann, der angeblich gute Beziehungen zum amerikanischen Konsulat hatte. Sie fand seine Adresse heraus und verabredete sich mit ihm. Das Treffen sollte in unserer Wohnung in der Skalitzer Straße stattfinden.

In der Skalitzer Straße bewohnten wir zu fünft drei Zimmer. Mit unserer neuen Vermieterin, Frau Meißner, verstanden wir uns gut, obwohl wir zu ihr zwangsumgesiedelt worden waren und sie ihre Wohnung nicht freiwillig mit uns teilte.

Frau Meißner kam aus Polen und war nach dem Ersten Weltkrieg gemeinsam mit ihrem Mann und dem kleinen Sohn nach Berlin gezogen. Kurz darauf bekamen sie ein zweites Kind, ihre Tochter Cläre. Der «Polenaktion» im Oktober 1938, als die Nazis Tausende polnische Juden verhaftet und aus Deutschland ausgewiesen hatten, waren auch Herr Meißner und der Sohn zum Opfer gefallen. Man hatte die Juden in Züge verladen und über die deutsch-polnische Grenze geschafft, wo sie wochenlang in einem Barackenlager festsaßen, weil auch die Polen sie nicht wollten. Irgendwann wurde das Lager aufgelöst, und seitdem hatte Frau Meißner nichts mehr von ihrem Mann und ihrem Sohn gehört. Sie lebte mit Cläre allein. Beide planten, nach Amerika auszuwandern. Cläre, die in Berlin geboren war, hatte bereits ein Affidavit und alle nötigen Papiere. Frau Meißner selbst allerdings hatte kaum eine Chance, mit ihrer Tochter auszureisen, denn sie war Polin und ihre Quotennummer astronomisch hoch. Meine Mutter wollte unbedingt, dass auch Frau Meißner den Mann mit den Beziehungen zum amerikanischen Konsulat traf.

Großzügig, wie meine Mutter war, saßen schließlich sechs Leute in Frau Meißners Wohnzimmer und warteten auf den mysteriösen Kontaktmann: außer uns und Frau Meißner noch der Schauspieler Freddie Berliner alias Alfred Balthoff, den ich aus dem Kulturbund kannte, und Egon Marcus, unser Bühnenbilder. Beide wollten ebenfalls auswandern. Und beide hatten hohe Quotennummern.

Fast zweifelten wir daran, dass dieser Kontaktmann tatsächlich käme, dass er überhaupt existierte. Alles hörte sich zu gut an, um wahr zu sein. Doch pünktlich zur verabredeten Zeit klingelte es. Ich ging öffnen. Vor mir stand ein unscheinbarer Mann Anfang vierzig in einem ordentlich gebügelten Anzug und mit einem freundlichen, offenen Gesicht. Er wirkte so vertrauenerweckend, dass ich sofort Hoffnung schöpfte.

«Margot Bendheim.» Ich gab ihm die Hand. Er nahm sie und sah mich aufmerksam an. Dann führte ich ihn ins Wohnzimmer. Er setzte sich zu uns an den Tisch.

«Erzählen Sie mal!»

Für meine Mutter, meinen Bruder und mich sah es am schlechtesten aus, denn wir hatten kein Affidavit.

«Ich habe eines», sagte Egon Marcus. «Aber meine Quotennummer ist viel zu hoch.»

Der Mann lächelte zufrieden.

«Na, dann ist es doch ganz einfach: Margot soll Egon heiraten!»

Egon und ich schauten uns an. Egon war schwul, das wussten alle. Ich und Egon Marcus? So hatte ich mir meine Verlobung nicht vorgestellt.

«Ihr könnt euch ja in Amerika gleich wieder scheiden lassen», sagte der Mann. «Aber so kann Egon Margots Familie mit auf sein Affidavit setzen. Und wegen der Quotennummer lässt sich schon irgendetwas drehen.»

Der Mann sah für uns alle eine Möglichkeit, auch für Frau Meißner und Freddie Berliner.

«Ich kenne Leute im amerikanischen Konsulat in Stuttgart», sagte er. «Wenn ich mit denen rede, ist das kein Problem. Eine kleine Entschädigung für ihre Mühe, das ist alles.»

Es hing vom Geld ab, das war klar.

«Natürlich», sagte meine Mutter. «Wir haben alles dabei.»

Jeder von uns gab dem Mann Geld, damit er unsere Ausreise arrangierte.

Gleich nachdem er gegangen war, begannen wir mit den Vorbereitungen. Mir fehlten noch einige Papiere für die Hochzeit mit Egon Marcus, doch die waren schnell besorgt.

Schließlich gingen Egon und ich zum Standesamt, um das Aufgebot zu bestellen.

Wir saßen vor dem Standesbeamten und sahen ihm zu, wie er in unseren Papieren blätterte. Schließlich schaute er auf. «Sie sind achtzehn?», fragte er mich.

«Gerade neunzehn.»

«Noch minderjährig.» Er fächerte die Papiere auf dem Schreibtisch auf. «Wo ist die Einwilligung Ihres Vaters? Haben Sie eine?»

Daran hatte ich nicht gedacht. Ich schüttelte den Kopf.

«Lassen Sie einfach Ihren Vater eine Einwilligung unterschreiben und kommen Sie damit wieder», sagte der Beamte etwas freundlicher. «Kein Grund, sich aufzuregen», sagte er. «Das wird schon. Reden Sie mal nett mit Ihrem alten Herrn.»

«Danke», sagte ich und stand auf.

Wir verließen das Standesamt und gingen nach Hause. Wir würden also nicht heiraten. Ich wusste, meine Mutter würde keinen zweiten Brief schreiben. Sie würde meinen Vater kein zweites Mal um etwas bitten, nachdem er unsere Schanghai-Pläne mit zwei kurzen, auf eine Postkarte gekritzelten Sätzen zerstört hatte.

«Es hat keinen Sinn», sagte meine Mutter, als ich ihr alles erzählte.

Wir wussten nicht, dass mein Vater ohnehin schon nicht mehr in Belgien war. Ein Brief an ihn wäre nie angekommen.

Jetzt musste meine Mutter versuchen, unseren Kontaktmann zu erreichen. Unter seiner Berliner Adresse war er nicht mehr zu finden. Allmählich wurden wir unruhig. Wir alle hatten ihm Geld gegeben, und nun hörten wir nichts mehr von ihm.

Wir saßen alle am Esstisch, auch Frau Meißner und Cläre.

«Hat er nicht gesagt, seine Kontakte sind in Stuttgart?», fragte meine Mutter. «Beim amerikanischen Konsulat?»

«Wir müssen nach Stuttgart», sagte Frau Meißner. «Am besten fahren Margot und Cläre.»

Was sich so einfach anhörte, war im Winter 1940/41 eine gefährliche Reise. Juden durften ihren Wohnort nicht verlassen. Wenn uns jemand im Zug nach unseren Ausweisen fragte, konnte das die Verhaftung bedeuten. Außerdem kannten wir niemanden in Stuttgart. Wir konnten nur hoffen, dass man uns im amerikanischen Konsulat helfen würde.

Zwei junge jüdische Mädchen, mitten im Krieg allein auf dem Weg quer durch Deutschland. Ich war neunzehn Jahre alt, Cläre Meißner kaum älter. Frühmorgens stiegen wir in den Zug. Die Fahrt dauerte viele Stunden. Jedes Mal, wenn jemand unsere Abteiltür aufriss, zuckten wir zusammen, aber immer war es nur ein Fahrgast, der zustieg, oder der Fahrkartenkontrolleur.

Am späten Nachmittag trafen wir in Stuttgart ein und fragten uns zum Konsulat durch. Glücklicherweise war es noch geöffnet.

Im Sekretariat hatte man den Namen unseres Kontaktmannes nie gehört. Die Sekretärin schickte uns weiter zu einem Konsularbeamten.

«Kenne ich nicht», sagte der Beamte. «Hier arbeitet er jedenfalls nicht.»

«Er ist mit jemandem hier befreundet», sagte ich.

«Sie können alle fragen.»

Er stand auf und brachte uns ins Büro nebenan. Offensichtlich hatte er Mitleid mit uns. Cläre und ich waren müde von der Zugfahrt und blass vor Angst und Hunger. Wir hatten den ganzen Tag kaum etwas gegessen.

Vorsichtig fragten wir auch andere Mitarbeiter. Niemand kannte den Mann. Niemand hatte je von ihm gehört.

Völlig entmutigt fuhren wir zurück zum Bahnhof und stiegen in den Nachtzug nach Berlin. Erst am frühen Morgen waren wir wieder zu Hause. Meine Mutter und Frau Meißner saßen hellwach nebeneinander auf dem Sofa. Sie waren die ganze Nacht aufgeblieben und hatten auf uns gewartet.

Meine Mutter machte sich Vorwürfe. «Sie haben ihm alle Geld gegeben», sagte sie. «Ihr letztes Geld! Freddie und Egon. Und ich habe ihn den beiden vorgestellt!»

Sie begann zu weinen. Zum ersten Mal seit langem sah ich meine Mutter wirklich verzweifelt. Ihr eigenes Unglück konnte sie ertragen, aber nicht, dass sie für das Unglück anderer verantwortlich war. Einen Augenblick später hatte sie sich schon wieder zusammengerissen. «Es ist meine Schuld», sagte sie. «Ich fahre selbst nach Stuttgart. Ich muss das wieder in Ordnung bringen.»

Am übernächsten Tag um vier Uhr morgens verließ meine Mutter das Haus. Ich war aufgestanden, um ihr Frühstück zu machen und sie zur Tür zu bringen.

«Bis morgen», sagte sie. «Geh früh schlafen. Warte nicht auf mich.»

Ich blieb allein mit meinem Bruder in der Wohnung von Frau Meißner zurück. Gegen zehn Uhr ging ich wie immer in den Kulturbund und verbrachte dort den ganzen Tag.

Abends kam ich nach Hause und bereitete das Abendessen, zusammen mit Frau Meißner. Dann warteten wir. Wir waren viel zu unruhig, um uns früh schlafen zu legen. Gegen Mitternacht schickte ich Ralph ins Bett. Auch Frau Meißner und Cläre waren allmählich müde und verabschiedeten sich. Ich blieb als Einzige auf und legte mich auf unser blaues Sofa, das im Wohnzimmer stand. Alle paar Minuten schaute ich zur Uhr. Ich war zu nervös, um zu schlafen, gleichzeitig kämpfte ich gegen die Müdigkeit an.

Irgendwann am Morgen schlief ich ein. Als ich aufwachte, war es bereits hell. Ich sprang auf und lief ins Schlafzimmer. Sicher lag meine Mutter in ihrem Bett und schlief. Gewiss war sie sehr früh gekommen und hatte mich nicht wecken wollen.

Doch das Bett war leer. In dem anderen Bett lag Ralph. Er war gerade aufgewacht und schaute mich mit seinen verschlafenen, kurzsichtigen Augen an. Er war schon vierzehn, aber in diesem Moment sah er aus wie ein kleiner Junge.

«Wo ist sie?», fragte er. «Ist sie schon da?»

«Nein», sagte ich. «Aber sie kommt bestimmt heute Abend. Dass sie noch nicht da ist, ist ein gutes Zeichen. Bestimmt hat sie den Mann getroffen und deshalb den Zug verpasst.»

In der folgenden Nacht lag ich wieder auf dem blauen Sofa und wartete. In der Nacht darauf schlief ich bei Ralph, der sich in den Schlaf weinte. Wir warteten einen Tag, zwei Tage, eine Woche. Guschi kam nicht wieder.

Mein Bruder Ralph brach zusammen. Er hatte noch keinen Tag in seinem Leben ohne unsere Mutter verbracht. Ich versuchte ihn zu trösten, aber ich wusste nicht mehr, was ich ihm sagen sollte. Er hatte gespürt, dass etwas passiert war. Und ich war selbst zu verzweifelt, um mehr zu tun, als stundenlang neben ihm zu liegen und sein Haar zu streicheln. Schließlich bekam er vor lauter Aufregung hohes Fieber. Sein Körper flüchtete sich in eine Krankheit. Vielleicht war es besser so.

Ich musste nun für uns beide sorgen. Abends kam ich vom Kulturbund nach Hause, beladen mit riesigen Paketen, in denen die Kostüme zum Umschneidern waren. Nächtelang saß ich an der Maschine und nähte, und am Morgen trug ich die Kostüme zurück ins Theater. Ich musste einkaufen und kochen, meinen Bruder pflegen und trösten. Dabei fühlte ich mich selbst so allein und verlassen.

Wochenlang hörten wir nichts von unserer Mutter.

Eines Tages lag ein Brief im Briefkasten. Er war von der Geheimen Staatspolizei. Ich riss den Umschlag noch im Treppenhaus auf. Das Schreiben war an mich adressiert. Es war eine Vorladung in die Gestapo-Zentrale in der Prinz-Albrecht-Straße.

Oben in der Wohnung zeigte ich Frau Meißner die Vorladung. «Ich muss zur Gestapo!», sagte ich. Sie reagierte nicht. Sie saß am Küchentisch, regungslos. Erst jetzt sah ich, dass vor ihr auf der Tischplatte ein Blatt Papier lag. Es war der gleiche Brief wie der, den ich bekommen hatte.

Durch das riesige eiserne Gittertor trat ich in den Innenhof des Gestapo-Hauptquartiers. Ich hatte Angst. Gleichzeitig hatte die Hoffnung, dass ich irgendetwas über meine Mutter erfahren, sie vielleicht sogar sehen würde.

Mit einem lauten Knall fiel das Tor hinter mir zu. Es war, als ob in diesem Moment die Welt jenseits dieses Tores versank. Wo war meine Mutter? Hatte man sie in Stuttgart verhaftet und nach Berlin gebracht? Vielleicht war sie jetzt in diesem Gebäude, irgendwo, hinter einem dieser Fenster, in einem Verhörraum oder einer Zelle.

Ich passierte ein weiteres Gitter. Dahinter saß ein SS-Mann. Ich wurde angewiesen, mich in einem Zimmer mit einer bestimmten Nummer zu melden.

Dass auch Frau Meißner eine Vorladung bekommen hatte, wusste ich. Doch ich war nicht darauf vorbereitet, so viele Menschen in diesem Zimmer versammelt zu sehen. Einige davon kannte ich. Auch Egon Marcus und Freddie Berliner waren da.

Irgendwann begannen sie, einzelne Namen aufzurufen.

Einer nach dem anderen verließ den Raum. Keiner der Aufgerufenen kam zurück. Ich versuchte mir vorzustellen, was mit all diesen Leuten geschah. Ich sagte mir, dass sie das Gestapogebäude sicher längst durch eine andere Tür verlassen hatten, aber es kam mir vor, als ob sie alle einfach verschwänden und niemals zurückkehrten. Das ganze Gebäude hatte etwas Unwirkliches an sich. Ein Haus, das all die Menschen, die hineingingen, aufsaugte und auszulöschen schien.

«Egon Marcus!»

Auch Egon wurde zum Verhör gerufen. Eine halbe Stunde später kam Freddie Berliner an die Reihe. Dann Frau Meißner. Die ganze Zeit sprachen wir kein Wort, verabschiedeten uns nur mit einem Blick. Ich dachte an meinen Bruder, der krank zu Hause lag und sich Sorgen machte. Ich dachte an meine Mutter und daran, was die Gestapo ihr vorwerfen konnte. Offenbar hatten alle Leute in diesem Raum irgendetwas mit unserem Stuttgarter Kontaktmann zu tun.

Viele Stunden vergingen. Es war warm im Zimmer, alle Fenster waren geschlossen, und die stickige Luft machte mich unendlich müde. Ich achtete kaum noch auf das, was um mich herum geschah. Irgendwann schaute ich auf und sah, dass wir nur noch zu zweit waren, ich und ein älterer Mann. Er wurde aufgerufen, und ich blieb allein zurück. Ich starrte apathisch vor mich hin. An den kahlen, blassgrün gestrichenen Wänden des Warteraums war nichts, woran sich mein Blick festhalten konnte.

«Margot Bendheim!»

Es war fast eine Erlösung. Ein Uniformierter führte mich durch lange Gänge in ein anderes Zimmer. Es war ein Verhörraum. In der Mitte stand ein Tisch, an den ich mich setzen musste. Ein paar Minuten später betrat ein Gestapooffizier das Zimmer und nahm mir gegenüber Platz.

Der Offizier begann mich auszufragen.

«Wo wohnen Sie?»

«Skalitzer Straße 32.»

«Wo ist Ihre Mutter?»

«Ich weiß es nicht.»

«Wo bewahren Sie Ihren Familienschmuck auf?»

«Wir haben keinen Schmuck mehr.»

«Waren Sie schon einmal in Stuttgart?»

«Ja.»

«Im amerikanischen Konsulat?»

Ich nickte.

Dann nannte er viele Namen, auch den des Kontaktmannes.

«Wissen Sie, wer das ist?»

«Ja.»

Ich wusste nicht, ob dies die richtige Entscheidung war. Ich wusste nicht, was meine Mutter bereits gesagt hatte.

Viele Fragen wiederholten sich, ich musste aufpassen, dass ich immer die gleichen Antworten gab und nichts sagte, was uns alle gefährden konnte. Allmählich konnte ich aus seinen Fragen schließen, was mit meiner Mutter geschehen war. Der Mann, der angeblich so gute Kontakte zum Konsulat hatte, war ein Betrüger. Jemand hatte ihn denunziert. Man verhaftete ihn, brachte ihn zur Gestapo. Da der Mann meine Mutter im Verdacht hatte, ihn verraten zu haben, begann er, einen Teil der Schuld auf sie abzuwälzen. Er beschuldigte sie, Wertsachen ins Ausland verschoben zu haben. Unsere Kisten, die schon lange fertiggepackt und verplombt für unsere Ausreise nach Brasilien bei der Spedition lagerten, enthielten angeblich Schmuck und Geld.

«Was ist in diesen Kisten?», fragte der Gestapo-Mann.

Ich überlegte fieberhaft. Ich konnte mir nicht vorstellen, dass meine Mutter tatsächlich etwas hineingeschmuggelt hatte. Der Inhalt war geprüft und versiegelt worden. Es war unwahrscheinlich, dass den Zollbeamten etwas entgangen war. Sie achteten penibel darauf, dass jüdische Wertsachen das Land nicht verließen. Wenn sie es nun aber doch geschafft hatte? Vielleicht hatte sie mir nichts davon gesagt, um mich zu schützen. Hatte sie bereits etwas gestanden, von dem ich nichts wusste? Ich fasste einen Entschluss.

«Machen Sie die Kisten doch auf und sehen Sie nach!» Ich versuchte, gleichgültig zu klingen. «Sie stehen alle bei der Spedition. Machen Sie sie auf!»

Der Gestapo-Mann schwieg. Offenbar fielen ihm keine Fragen mehr ein, oder er wollte mich mit seinem Schweigen einschüchtern. Er ließ mich einfach so sitzen, ohne dass irgendetwas geschah. Ich sah mich im Verhörraum um. Hatten die anderen auch hier gesessen? Wohin waren sie danach gebracht worden? Aus dem Raum führten mehrere Türen. Ich versuchte mir vorzustellen, durch welche dieser Türen sie gegangen waren, Egon Marcus, Frau Meißner und Freddie Berliner. Der Gestapo-Mann schwieg noch immer.

Schließlich sah er mich an. Ich versuchte seinem Blick nicht auszuweichen.

«Sie können gehen!», sagte er.

«Was ist mit meiner Mutter?», fragte ich. «Ist sie hier? Kann ich sie sehen?»

Der Gestapo-Mann verschränkte die Arme. «Natürlich nicht!»

Ich stand auf und verließ den Raum. Auf dem Flur nahm mich ein anderer Beamter in Empfang. Ich fürchtete, dass er mich nach links den Flur hinunterführen würde, tiefer hinein in das Gebäude, dass er mich vielleicht in eine Zelle sperren würde, genau wie meine Mutter. Auch wenn der Gestapooffizier es nicht gesagt hatte, wusste ich doch, dass sie hier war. Ich fühlte es.

Der Beamte führte mich nach rechts, in die Richtung, aus der ich gekommen war.

Wieder fiel das Gitter hinter mir zu, doch diesmal stand ich auf der anderen Seite des Tores. Als ich auf die Straße trat, meinte ich, zum ersten Mal in meinem Leben den Himmel zu sehen.

Mein Bruder wartete auf mich. Am Vormittag hatte ich das Haus verlassen, und jetzt war es Abend. Frau Meißner war schon seit Stunden zurück. Ralph öffnete mir die Tür. Er hatte wieder geweint. Gegen Abend hatte er alle Hoffnung aufgegeben. Er war sicher, dass ich nie wiederkäme, genau wie unsere Mutter.

In den nächsten Tagen lebten wir nach dem immer gleichen Rhythmus. Wir waren wie betäubt. Ich arbeitete weiter für den Kulturbund und versorgte meinen Bruder.

Noch immer keine Nachricht. Im Winter war sie fortgegangen, und jetzt war es schon Frühling. Das Pessachfest stand kurz bevor.

Am ersten Pessachabend dachte ich an all die anderen Pessachabende, die wir bei meinen Großeltern gefeiert hatten. Mein Großvater brachte immer jemanden aus dem Tempel mit zum Essen, Leute, die fremd in Berlin waren oder keine Familie hatten. Mein Großvater las aus der Haggada vor, die Geschichte des Auszugs der Juden aus Ägypten.

An diesem Pessachabend saßen mein Bruder und ich nur mit Frau Meißner zusammen am Tisch. Cläre Meißner war bereits fort. Sie war nach Portugal gereist und hatte dort das letzte Schiff erreicht, das Richtung Amerika fuhr.

Plötzlich klingelte es an der Tür. Einen Moment lang saßen wir einfach nur da und warteten. Wir konnten uns nicht vorstellen, wer am Pessachabend bei uns klingeln sollte. Dann klingelte es noch einmal. Ich ging zur Tür und öffnete. Da stand meine Mutter, allein und sehr blass, im dunklen Treppenhaus. Sie trug ihren alten Wintermantel, in dem sie vor mehr als zwei Monaten fortgegangen war.

Es war wie ein Geschenk von Gott.

Meine Mutter erwähnte mit keinem Wort, was sie in der Gestapohaft erlebt hatte. Sie erzählte nicht, wie die Gestapo sie aufgespürt, was sie im Gefängnis erlebt hatte. Es war, als ob sie uns schützen wollte vor all dem Schlimmen, das draußen vor sich ging. So hatten wir es in unserer Familie schon immer gehalten: Solange man nicht darüber sprach, existierte das Böse nicht.

Was auch immer in Stuttgart und in der Gestapozentrale geschehen war – auch dieser Versuch, das Land zu verlassen, war gescheitert. Waren wir vom Unglück verfolgt? Vielleicht war es unser Schicksal, dass wir hier bleiben mussten. All unsere Pläne schienen auf fast geheimnisvolle Weise zum Scheitern verurteilt.

Zuerst hatten wir auf die Gefahr nicht reagiert. Wir hatten uns nicht von unserem Alltag, unserem Leben, unserem Besitz trennen können. Als wir endlich begriffen, dass wir das Land verlassen mussten, hatten die Nazis schon angefangen, uns alles zu nehmen. Jetzt wollten wir gehen, auch mit leeren Händen. Doch jetzt schlossen sich die Grenzen vor uns. Es war, als ob sich alle vor uns fürchteten, obwohl wir es doch waren, die um unser Leben fürchten mussten. Die deutschen Juden wollte niemand haben. Wir waren eine Bedrohung. Sogar die mächtigen USA hatten Angst um ihren sozialen Frieden, und unsere eigenen Verwandten, die bereits in Sicherheit lebten, wollten ihren bescheidenen Wohlstand nicht mit uns teilen. Wir aber wollten nichts anderes von ihnen, als die Möglichkeit zu überleben.

Für mich ging eine Zeit zu Ende, in der ich trotz all der Sorgen um meine Mutter für etwas gelebt hatte. Nun wurde ich zur Zwangsarbeit einberufen und musste meine Stelle beim Kulturbund aufgeben.

Wir alle spürten, dass es den Kulturbund nicht mehr lange geben würde. Wir wurden immer weniger. Die einen mussten zur Zwangsarbeit, die anderen wanderten aus. Für die, die auswanderten, bedeutete die Emigration auch den Abschied von der deutschen Kultur und Sprache. Vor allem für die Sänger und Schauspieler war das ein großer Einschnitt. Wie viele von ihnen würden ihre Karriere in den USA oder Südamerika oder Schanghai fortsetzen können?

Zurück blieben vor allem Menschen ohne gute Kontakte und einflussreiche Freunde oder Verwandte.

Dazu gehörte auch die Familie Goldschlag. Frau Goldschlag war Sängerin und hatte ein paar Konzerte beim Kulturbund gegeben. Ihre Tochter war etwa im selben Alter wie ich: Stella. Ich hatte Stella einige Male beim Kulturbund getroffen. Sie war ein Jahr jünger als ich und hatte ein Jahr nach mir die Modezeichenschule Feige und Straßburger besucht.

Ich kannte sie nur flüchtig, auch wenn wir uns immer wieder über den Weg liefen. Äußerlich unterschieden wir uns sehr. Ich war klein, hatte dunkle Augen und fast schwarze Haare, Stella war groß, blond, mit einem breiten, offenen Gesicht und strahlend blauen, weit auseinanderstehenden Augen. Eine Arierin wie aus dem Lehrbuch, dachte jeder, der sie sah. Es nützte ihr nichts. Noch nicht.

Die Goldschlags waren in einer ähnlichen Lage wie wir. Auch sie hatten immer wieder auszuwandern versucht, und immer waren sie gescheitert. Nachdem der Kulturbund geschlossen war, verlor ich Stella aus den Augen. Noch einmal sollte ich ihr begegnen, drei Jahre später.

Im Frühjahr hatte man begonnen, nach und nach alle Juden zur Zwangsarbeit zu verpflichten. Ich wurde in eine Fabrik der Deuta-Werke geschickt, in der Oranienstraße in Kreuzberg. Wir mussten Metallteile für die Rüstungsindustrie zusammenbauen und bearbeiten. Was genau wir herstellten, wussten wir nicht. Es war eine harte, eintönige Arbeit. Wir jüdischen Zwangsarbeiter waren nur für die Nachtschicht eingeteilt. Die bezahlten Arbeiter kamen tagsüber, wir sahen sie kaum. Der Schichtwechsel wurde so organisiert, dass die Juden den Nichtjuden nie begegneten. Es gab uns einmal mehr das Gefühl, in einer anderen Welt zu leben, in einer dunkleren Welt.

Der wenige Schlaf tagsüber, die vielen Stunden, die ich mit monotonen Handgriffen verbrachte, machten mich müde. Wenigstens lag die Fabrik nahe der Skalitzer Straße, so konnte ich abends zu Fuß zur Arbeit gehen. Wegen der Ausgangssperre brauchte ich eine Sondergenehmigung, um mich auf der Straße zu bewegen.

Mein Bruder Ralph war inzwischen sechzehn Jahre alt. In anderen Zeiten wäre er sicher aufs Gymnasium gegangen und hätte sich allmählich auf das Abitur vorbereitet. Doch jetzt war er ein «Rüstungsjude», der jeden Tag zehn Stunden an der Maschine stand und Teile für Elektromotoren zurechtschliff – im Elmo-Werk, einem Rüstungswerk von Siemens. Dort traf er Stella Goldschlag wieder, die in derselben Fabrikhalle arbeitete wie er.

Ralphs Schicht war tagsüber und meine nachts, deshalb sahen wir uns kaum. Jeden Tag fuhr Ralph mit der U-Bahn hinaus in Richtung Siemensstadt. Anfangs durften wir die U-Bahn benutzen, doch schon ein paar Wochen später waren die öffentlichen Verkehrsmittel für Juden verboten, und so konnte Ralph nur mit einer Sondergenehmigung zur Arbeit fahren.

Meine Mutter versorgte den Haushalt, so gut es ging. Auch sie hatte mit unzähligen Beschränkungen und Verboten zu kämpfen. Einkaufen durfte sie nur zwischen vier und fünf Uhr nachmittags. Es war Krieg, deshalb gab es ohnehin nicht mehr viel, und was es gab, war am späten Nachmittag meist schon nicht mehr zu bekommen. Unsere Rationen waren zudem kleiner als die der Nichtjuden. Wir hatten immer Hunger, und ich schaffte es manchmal nur mit Mühe, mich die ganze Nachtschicht hindurch auf den Beinen zu halten.

Am 20. Januar 1942 wurde auf der Wannsee-Konferenz über die Organisation der Judendeportationen entschieden. Diese Konferenz fand nur wenige Kilometer von uns entfernt statt, doch wir ahnten nichts davon. Wir wussten nicht, dass unsere Vernichtung bereits beschlossen war. Schon von November 1941 an waren mehrere Transporte mit Berliner Juden über den Bahnhof Grunewald in Richtung Osten abgefertigt worden. All diese Transporte gingen nach Riga.

Der «Osten»: die Himmelsrichtung, die wir bald zu fürchten lernten. Spätestens seit der «Reichskristallnacht» wussten wir, dass es Konzentrationslager gab. Sachsenhausen, im Norden von Berlin, Buchenwald, Dachau – das alles waren die Namen, die man schon gehört hatte. Doch diese Lager lagen im Deutschen Reich, wir konnten uns vorstellen, dass es möglich war, von dort zurückzukehren. Wir glaubten, dass die Juden dort Zwangsarbeit erwartete, aber nicht unbedingt der Tod. Wir kannten den Namen Auschwitz noch nicht. Für uns war es «der Osten». Mit diesem Begriff verbanden wir die große Ungewissheit, den namenlosen Schrecken.

Die Organisation des Massenmordes wurde auf der Wannsee-Konferenz beschlossen, doch die Vernichtung selbst hatte bereits begonnen. Egon Marcus, den Bühnenbildner aus dem Kulturbund, den ich hätte heiraten sollen, um auf seiner Quotennummer auswandern zu können, war mit einem der ersten Transporte nach Riga verschleppt worden. Erst nach dem Krieg erfuhr ich, was dort mit ihm geschehen war: Die Menschen aus den ersten Sonderzügen wurden nach der Ankunft sofort erschossen. Spätere Transporte kamen ins Rigaer Ghetto oder in andere Konzentrationslager – auch nach Auschwitz, von dessen Existenz wir Anfang 1942 noch nichts wussten. Hätte ich Egon geheiratet, wäre ich mit ihm auf diesem Transport gewesen. Damals war unsere Hochzeit daran gescheitert, dass uns noch einige Dokumente fehlten. Dieses Missgeschick hatte mein Leben gerettet.

Eines Tages stand plötzlich Freddie Berliner vor unserer Tür. Seit dem Tag im Gestapohauptquartier hatte ich ihn nicht mehr gesehen. Der Kulturbund war Ende 1941 aufgelöst worden. Einige Leute konnten noch eine Zeitlang bei der Jüdischen Gemeinde weiterbeschäftigt werden, auch Freddie, der ein sehr bekannter Schauspieler war. Unter dem Namen Alfred Balthoff hatte er in Wien und Berlin auf der Bühne gestanden, doch unter den Nationalsozialisten durften Juden keine Künstlernamen mehr verwenden, und so kannten wir ihn zu Kulturbundzeiten als Alfred Israel Berliner.

Nun stand Freddie da und sagte: «Könnt ihr mich verstecken?»

«Was ist passiert?», fragte meine Mutter.

«Die SS ist in der Gemeinde. Sie verhaften wahllos Leute.»

«Und du?»

«Ich?», fragte Freddie mit seiner hohen Stimme und fiel automatisch ins Wienerische. «Ich hab ganz ruhig Hut und Mantel genommen und bin an ihnen vorbei. Und jetzt bin ich hier.»

Freddies Routine als Schauspieler hatte ihn gerettet. Niemand hatte ihn aufgehalten, als er jovial grüßend aus dem Haus gegangen war, durch die Trupps von SS-Männern hindurch.

Meine Mutter ließ ihn mehrere Tage bei uns bleiben. Die ganze Zeit über hatte ich Angst, dass die SS auftauchen würde. Jeder wusste, dass wir mit Freddie befreundet waren. Doch meine Mutter schien sich keine Sorgen zu machen.

Freddie wollte nicht mehr in seine Wohnung zurück. Denn dort erwartete ihn sicherlich die SS, deshalb bat er Freunde, seine Vermieterin zu verständigen. Sie ließ daraufhin einige seiner Sachen an einen verabredeten, geheimen Ort bringen.

Nach ein paar Tagen ging Freddie fort, in den Untergrund. Das war also auch eine Möglichkeit: Untertauchen, Untergrund, Illegalität. War es auch eine Möglichkeit für uns?

Nachdem Freddie Berliner das Büro der Jüdischen Gemeinde verlassen hatte, existierte er offiziell nicht mehr. Das kam uns sehr gewagt und aussichtslos vor. Aber ich musste immer wieder daran denken in den nächsten Monaten – an den Moment, da Freddie unser Haus verließ.

Ich selbst habe ihn danach nicht mehr gesehen. Aber Freddie Berliner hat überlebt. Nach dem Krieg blieb er in Berlin, wurde Filmschauspieler und Synchronsprecher. Seine eigenartige hohe, brüchige Stimme lieh er unter anderem Charlie Chaplin, Peter Lorre und Alec Guinness.

Während wir immer mehr Nachrichten über Abholungen und Verhaftungen hörten, war ich zum zweiten Mal in meinem Leben verliebt.

Meine Mutter hatte sich schon vor längerer Zeit die Galle entfernen lassen. Als ich sie im jüdischen Krankenhaus besuchte, wo sie operiert werden sollte, kam ich gerade in dem Moment, als der Anästhesist sie über die Operationsrisiken aufklärte. Bald merkte ich, dass der Anästhesist mehr mit mir als mit meiner Mutter sprach. Die Operation verlief gut, und in den Tagen danach besuchte ich meine Mutter, sooft es ging. Stets schaute dann wie zufällig der Anästhesist ins Zimmer. Allmählich kamen wir uns näher. Er war ein ruhiger, zurückhaltender Mann, ganz anders als Philipp Lewin. Ich war nicht so unglücklich verliebt wie beim ersten Mal. Ich hatte ihn einfach sehr gern.

Wenn wir uns trafen, fühlte ich mich sicher. Sehr oft konnten wir uns allerdings nicht sehen, denn ich ging jeden Abend in die Deuta-Werke zur Zwangsarbeit, und er arbeitete Tag und Nacht im Krankenhaus. Über sein Leben wusste ich wenig, außer dass er mit seinem älteren Bruder und seiner Mutter zusammenlebte.

Irgendwann meldete er sich nicht mehr bei mir. Ich machte mir Sorgen. Nachdem ich fast eine Woche auf eine Nachricht oder einen Besuch von ihm gewartet hatte, ging ich morgens nach der Arbeit zum Krankenhaus. Schließlich traf ich jemanden, der wusste, was geschehen war: Die Familie hatte den Bescheid bekommen, dass der ältere Bruder und die Mutter sich zum Transport in den Osten melden sollten. Der jüngere Sohn dagegen stand nicht auf der Liste, ihn hatten sie ins Jüdische Krankenhaus in der Iranischen Straße versetzt, wo man dringend Ärzte suchte. Gebraucht zu werden – das war die einzige Lebensversicherung in diesen Zeiten. Mein Freund aber konnte sich nicht vorstellen, seine Familie ziehen zu lassen und selbst in Berlin zurückzubleiben. Als Anästhesist hatte er Zugang zu starken Narkosemitteln. Bevor Bruder und Mutter abgeholt werden konnten, spritzte er beiden eine tödliche Dosis. Dann nahm er sich selbst das Leben.

Ich ging nach Hause. Aus Liebeskummer um Philipp Lewin hatte ich damals tagelang geweint. Es war nur wenige Jahre her, aber sie kamen mir wie Jahrzehnte vor. Jetzt hatte ich kaum noch Kraft, unglücklich zu sein. Immer lebten wir in der Erwartung, dass etwas Furchtbares geschah, es überraschte uns kaum mehr.

Dann kam die Nachricht vom Tod meiner Großmutter Adele. Wir konnten uns nur noch selten sehen, denn sie wohnte weit weg. Wenn wir sie besuchten, mussten wir durch halb Berlin zu Fuß gehen, denn U-Bahn und Straßenbahn durften wir nicht mehr benutzen.

Jetzt war sie gestorben, ohne dass wir noch einmal bei ihr gewesen waren. Es gab keine richtige Beerdigung. Doch Großmutter Adele starb eines natürlichen Todes, was schon nicht mehr selbstverständlich war. Nicht nur Männer und junge Leute wurden deportiert, auch die alten Leute wurden verschleppt - viele davon ins Ghetto Theresienstadt.

Auch um meine Großmutter konnte ich nicht weinen. Ich musste verdrängen, musste all meine Kräfte zusammennehmen für den nächsten Tag, die nächste Stunde.

Der Kontakt mit meiner anderen Großmutter Betti war abgerissen, nachdem mein Vater gegangen war. Von ihm erhielten wir in diesen Tagen noch eine Postkarte. Seine Flucht nach Belgien war umsonst gewesen. Er schrieb uns aus dem Lager Gurs in Frankreich. Es war das letzte Mal, dass wir von ihm hörten.

Meine Mutter suchte inzwischen nach einem neuen Weg, uns vor der Deportation in Sicherheit zu bringen. Freddies Entscheidung für ein Leben im Untergrund hatte Eindruck auf sie gemacht. Sie begann sich umzuhören, wer uns im Notfall verstecken könnte, und fand schließlich in der ehemaligen christlichen Angestellten von Großvater Wilhelm jemanden, der bereit war, uns aufzunehmen. Es war die Frau, die jahrelang im Geschäft meines Großvaters in der Neuen Grünstraße an der Knopfmaschine gesessen hatte. Meine Mutter deponierte bei ihr einige Koffer mit Wäsche und Kleidung und zog schließlich zur Probe mit Ralph dorthin. Ich fand eine Unterkunft bei der Familie, deren Sohn mit Ralph befreundet war. Doch schon nach einer Woche waren meine Mutter und Ralph wieder in der Skalitzer Straße 32. Meine Mutter beschuldigte die Frau, bei der sie untergekommen war, Strümpfe und andere Dinge aus unseren Koffern gestohlen zu haben. Bei einer Diebin wollte sie nicht bleiben. Den Gedanken ans Untertauchen allerdings hatte sie noch nicht endgültig aufgegeben.

Kurz vor Weihnachten 1942 bekamen wir eine allerletzte Möglichkeit, uns zu retten. Meine Cousine Hilda und ihr Mann schrieben uns einen Brief, aus Bielitz in Oberschlesien. Hilda war die Schwester von Erich und Anni, die nach dem Tod ihrer Eltern eine Zeitlang bei uns und bei Großmutter Adele gewohnt hatten.

Hilda, ihr Mann und ihre kleine Tochter Reni waren seit einiger Zeit in einem Polizeilager interniert, in Bistrei, ganz in der Nähe von Bielitz. Es war ein Außenlager von Auschwitz mit etwa einhundert Insassen. Die Wachmannschaft bestand vor allem aus gewöhnlichen Polizisten. Der Chef des Lagers war ein Polizeileutnant namens Glugosch.

Zu den Aufgaben der Polizei gehörte es, die Wohnungen und den Besitz von deportierten oder inhaftierten Juden in Bielitz und Umgebung aufzulösen. Hildas Mann Erwin war ein geschickter Handwerker, deshalb half er bei den Wohnungsauflösungen, reparierte kaputte Gegenstände, öffnete Safes und arbeitete als Automechaniker. Erwin war oft außerhalb des Lagers unterwegs und überall beliebt. Viele Leute kannten ihn noch von früher, als er ein eigenes Geschäft in Bielitz geführt hatte.

Ein Aufseher im Lager, Kolleck hieß er, mochte Erwin besonders. Dieser Wachtmeister gab auch Hilda Arbeit. Hilda war Schneiderin. Jetzt nähte sie für Kolleck und die gesamte Wachmannschaft.

Nach einiger Zeit verschaffte der Oberwachtmeister ihnen ein kleines separates Zimmer im Lager, in dem sie zusammenleben konnten und etwas Privatsphäre hatten. So armselig das Zimmer auch sein mochte, unter diesen Umständen war es geradezu ein Luxus. Die kleine Reni bei sich zu haben war ihnen allerdings offiziell nicht erlaubt. Also nahmen sie ihr Kind heimlich zu sich, und der Wachtmeister schien es zumindest stillschweigend zu dulden. Immer wenn Herr Kolleck ins Zimmer kam, um etwas mit Erwin und Hilda zu besprechen, wurde Reni unter dem Bett versteckt. Als ob Reni wüsste, was auf dem Spiel stand, blieb sie ruhig liegen und gab keinen Laut von sich.

«Kommt nach Bistrei», schrieben Erwin und Hilda in ihrem Brief. Sie schlugen vor, dass wir uns freiwillig ins Lager aufnehmen lassen sollten. Solange Oberwachtmeister Kolleck dort war und der Lagerchef Erwins Sonderstellung duldete, würden wir dort einigermaßen sicher sein.

Erwin und Hilda hatten schon einige ihrer Freunde und Verwandten dort untergebracht, auch Hildas Bruder Erich, der früher bei uns gelebt hatte. Bisher schien es dort verhältnismäßig sicher zu sein, während uns in Berlin jeden Tag die Abholung drohte. Dennoch – es war ein Lager. Niemand wusste, ob es nicht doch eines Tages aufgelöst würde. Dann wären sie wieder von der Deportation bedroht.

Es war eine Entscheidung, die wir nicht rückgängig machen konnten. In Berlin lebten wir zwar eingeschränkt, aber noch in relativer Freiheit. Allerdings konnte diese Freiheit jeden Tag zu Ende sein. In Bistrei waren wir geschützt, doch gleichzeitig eingesperrt und bewacht. Was uns dort genau erwartete, wussten wir nicht, wir wussten nicht einmal, wie wir überhaupt dorthin gelangen sollten. Um Berlin zu verlassen, brauchten wir eine Sondergenehmigung, die wir nie bekommen würden. Illegal mit dem Zug zu fahren war gefährlich: Die Züge wurden kontrolliert, und ohne Papiere würden wir wahrscheinlich verhaftet, noch bevor wir Oberschlesien erreichten.

Am Weihnachtsabend bekamen wir unerwarteten Besuch. Plötzlich stand Erwin mitten im Wohnzimmer – und neben ihm ein Polizeiwachtmeister in Uniform! Wir trauten unseren Augen kaum. Seit Jahren mussten wir alles fürchten, was Uniform trug, und jetzt stand ein leibhaftiger Polizist in unserer Wohnung und machte keine Anstalten, uns festzunehmen.

Der Polizist wusste von Erwins Plänen. Er war von Oberwachtmeister Kolleck geschickt worden, um uns zu holen. Den ganzen Weg von Bistrei mit dem Zug waren sie gekommen, unter dem offiziellen Vorwand, etwas in Berlin besorgen zu müssen. Sie hatten sich die Weihnachtszeit ausgesucht, weil sie auf spärlichere Kontrollen in den Zügen hofften. Mit dem Wachtmeister als Begleitung würde auf der Rückreise niemand nach unseren Papieren fragen.

«Packt eure Sachen», sagte Erwin. «Wir können euch mitnehmen.»

Meine Mutter schaute irritiert von einem zum anderen. «Wir haben doch nichts vorbereitet», sagte sie. «Es ist noch so viel hier. Wir müssen jemanden finden, der das alles für uns aufbewahrt.» Sie zögerte. «Falls wir es überleben.»

Guschi wusste, es ging um unser Leben. Berlin verlassen – wie lange hatten wir auf diesen Augenblick gewartet. Aber jetzt überkamen sie Zweifel. Sie dachte noch immer ans Untertauchen – auch, wenn sie den ersten Versuch abgebrochen hatte. Jetzt ging ihr alles zu schnell.

Wir saßen am Wohnzimmertisch, Guschi, Ralph und ich, Erwin und der Wachtmeister. Wir mussten eine Entscheidung treffen. Es gab zwei Möglichkeiten, doch beide Wege führten ins Ungewisse. Und beide waren gefährlich.

Meine Mutter hielt sich an der Tischkante fest und sah uns nicht an, keinen von uns. «Wir kommen nach», sagte sie schließlich. «Wir brauchen nur ein paar Wochen. Wir bringen all unsere Sachen unter, und dann kommen wir nach.»

Sie sprach leise und unsicher, anders als sonst. Meinte sie es ernst? Wollte sie nur Zeit gewinnen, weil sie noch nicht bereit war, Berlin zu verlassen? Oder hatte sie sich bereits für ein Leben im Untergrund entschieden und wollte Erwin nicht vor den Kopf stoßen? Damals konnte keiner von uns sagen, ob es die richtige Entscheidung war, zu bleiben.

Wenige Stunden später waren Erwin und der Polizist wieder auf dem Weg zurück nach Oberschlesien. Ohne uns.

All unsere Verwandten, die in diesem Polizeilager waren, haben überlebt.

Wir brachten unsere Möbel zu unserer Tante Anna, der einzigen christlichen Verwandten, die wir hatten. Anna war die geschiedene Frau eines der neun Hecht-Cousins. Schon Mitte der dreißiger Jahre hatte sie sich von ihrem Mann getrennt. Den Grund wussten wir nicht genau, aber wir vermuteten, dass Anna zu denen gehörte, die sich noch rechtzeitig von ihren jüdischen Ehepartnern trennten, bevor es gefährlich wurde.

Nun mussten wir ausgerechnet sie um Hilfe bitten. Sie war die einzige Nichtjüdin, die wir kannten.

So kamen all unsere Sachen zu Tante Anna. Wir hofften, dass sie sie aufbewahren würde, bis wir wiederkämen. Wir rechneten fest damit, dass es ein Zurück geben würde. Die Zeiten waren schlimm, aber eines Tages würden sie vorbei sein.

Und dann würden sie auf uns warten, unsere Möbel, unser Geschirr, die Fotos, das blaue Sofa. Das alles würde auf uns warten. Bis wir wiederkämen. Wir alle drei.

## Kapitel 4
## Der Stern in der Tasche: In den Untergrund

Viele Menschen waren schon aus unserem Leben verschwunden, aber jetzt nahmen wir Abschied vom Leben selbst, von unserem alten Leben. Stück für Stück, Koffer für Koffer trennten wir uns von unseren Möbeln, dem Geschirr, den Kleidern. Annas Sohn Egbert, der bei einer Autofirma arbeitete, kam mit einem Wagen und zwei Helfern und holte unsere Sachen ab, um sie für uns aufzubewahren.

Meine Mutter war mittlerweile fest entschlossen, Berlin zu verlassen und nach Bistrei zu fahren.

Es war Januar 1943. Seit vier Monaten trugen wir den Stern. Zehn Pfennig hatte er gekostet, der gelbe Stern aus grobem Stoff mit der schwarzen Aufschrift «Jude». Wir hatten seinen Empfang quittieren müssen. Laut Vorschrift sollte der Stern «pfleglich» behandelt und gut sichtbar an der Kleidung befestigt werden. Trotzdem nähte ich meinen Stern etwas unterhalb der Brust auf meinen Mantel, gerade so tief, dass ich ihn mit meiner Handtasche verdecken konnte.

Wir begannen, unsere Abreise zu planen. Am 20. Januar, abends, sollte es so weit sein. In der Nacht davor sollte ich wie gewohnt zur Arbeit gehen, von der Wohnung am Moritzplatz aus, in der ich immer noch bei den Freunden meines Bruders wohnte. Am Morgen würde ich bei der Post ein Telegramm nach Bistrei aufgeben, um Erwin und Hilda unser Kommen anzukündigen. Damit meine Flucht am Abend in der Fabrik nicht gleich auffiel, würde ich mich von einem Arzt für ein paar Trage krankschreiben lassen. Unser letztes Treffen sollte dann bei Frau Meißner stattfinden. Noch einmal mussten meine Mutter, Ralph und ich uns besprechen, denn da wir ohne Papiere reisten, war es besser, sich auf verschiedene Bahnhöfe zu verteilen und einzeln in den Zug nach Oberschlesien zu steigen. Als größere Gruppe zu reisen wäre zu auffällig gewesen. Niemand sollte uns zusammen sehen.

Wann genau wir Frau Meißner treffen würden, wusste ich nicht. Wir hatten seit zwei Tagen nichts voneinander gehört.

Ich wusste nur, dass mein Bruder unsere Koffer am Morgen mit einem Handwagen zum Bahnhof bringen würde und meine Mutter noch verschiedene Dinge zu erledigen hatte. Gegen Mittag müssten sie also beide wieder in der Skalitzer Straße sein. Dann wollte ich sie treffen.

Am frühen Morgen des 20. Januar war meine Nachtschicht in der Deuta-Fabrik zu Ende. Ich ging zur Post und gab wie verabredet das Telegramm nach Bistrei auf. In der Wohnung am Moritzplatz schlief ich ein paar Stunden, bis etwa gegen elf Uhr, und verließ dann wieder das Haus, um mir die Krankschreibung zu holen. Beim Arzt musste ich fast eine Stunde warten. Ich erzählte ihm etwas von einer Magengrippe und bekam tatsächlich einen Krankenschein, mit dem ich zurück zu den Deuta-Werken lief. Ich warf ihn in den Hausbriefkasten. Inzwischen war es fast zwei Uhr. Jetzt musste ich nur noch bei Frau Meißner vorbeischauen, um zu sehen, ob meine Mutter und Ralph bereits dort waren.

Bisher war alles glattgelaufen. Ich hatte alles erledigt, wie im Fieber, ohne darüber nachzudenken, was ich tat. Obwohl es kalt war und ich mich noch immer müde fühlte, glühte mein Gesicht. Es war alles so unwirklich. Die Welt um mich herum war wie in Nebel gehüllt. Ich hatte das Gefühl, dass alle Geräusche gedämpft waren. Langsam lief ich die Skalitzer Straße hinunter. Bisher hatte ich Berlin nur verlassen, wenn wir Ausflüge unternahmen oder auf Sommerreise gingen. Nun sollte ich alles zurücklassen, die Stadt, in der ich geboren war, meine Kindheit verbracht, mich zum ersten Mal verliebt und einen Beruf gelernt hatte. Meine Zukunft hatte ich mir immer hier vorgestellt. Jetzt ging ich vielleicht zum letzten Mal durch diese Straßen, die ich so gut kannte.

Da war dieser Mann, der vor mir herging. Der Mann, der genau vor der Nummer 32 stehenblieb und dann im Haus verschwand. Irgendetwas trieb mich dazu, nicht weiterzugehen, sondern ihm zu folgen. Ich nahm meine Handtasche in beide Arme und hielt sie vor die Brust, damit man meinen Stern nicht sah. Der Mann hatte das Vorderhaus betreten und begonnen, die Treppen hinaufzusteigen, das hörte ich an seinen Schritten. Ein paar Sekunden lang waren nur unsere Schritte zu hören, ruhig und gleichmäßig, fast im Gleichklang. Unwillkürlich passte ich mich seinem Tempo an, als könnte ihn ein anderer Rhythmus misstrauisch machen. Dann waren es nur noch meine Schritte. Schon auf halber Treppe sah ich, dass er vor unserer Wohnung stehengeblieben war. Ich lief an ihm vorbei, so nah, dass ich den Geruch seines Mantels wahrnehmen konnte. Er roch nach Regen und Zigaretten.

In der dritten Etage blieb ich stehen. Es musste so aussehen, als besuchte ich jemanden. Wer in der rechten Wohnung der dritten Etage wohnte, wusste ich nicht einmal. Die Nachbarin links hatte ich ein paarmal gesehen, sie war Nichtjüdin, aber sie grüßte immer, wenn wir uns im Treppenhaus trafen, obwohl ich den Stern trug. Ich nahm all meinen Mut zusammen und klingelte.

Von der Nachbarin erfuhr ich, was geschehen war. Ich erfuhr vom lauten Klopfen, dem Lärm, dem Türenschlagen. Sie waren gekommen und hatten meinen Bruder und Frau Meißner abgeholt. Die Nachbarin beschrieb auch das Paar, das sie bei ihnen gesehen hatte. Es musste meine Cousine Anni gewesen sein, zusammen mit ihrem Mann. Sie hatten erst vor kurzem geheiratet. Wir hatten ausgemacht, dass Anni und ihr Mann nachkommen würden, falls uns die Flucht nach Bistrei gelänge. Offenbar wollten sie uns noch einmal besuchen und sich von uns verabschieden. Nun waren auch sie fort, verschleppt von der Gestapo, zusammen mit meinem Bruder und Frau Meißner.

Meine Mutter. Sie war gekommen, als alles wieder still gewesen war und die Wohnung versiegelt. Nun wartete sie auf mich, nur wenige Häuser weiter. Meine Mutter war in Sicherheit! Sie hatte Glück gehabt. Und mein Bruder?

Ralph war noch nie in seinem Leben ganz allein gewesen. In den zwei Monaten, als unsere Mutter im Gestapogefängnis war, war er völlig zusammengebrochen. Jetzt saß er selbst im Gefängnis. Meine Mutter war stark, ich konnte mir vorstellen, wie sie ihre Haft ertragen hatte. Aber Ralph? Wenn wenigstens Anni bei ihm wäre. Dann wäre der Gedanke leichter zu ertragen.

Die Nachbarin schwieg, sie ließ mich ruhig sitzen, sagte nichts davon, dass ich gehen sollte. Stumm saßen wir da, jede auf ihrem Stuhl. Ich konnte mich nicht rühren. Ich musste warten, bis der Mann vor unserer Tür gegangen war. Ich war wie betäubt. Mein Bruder war fort, mein kleiner Bruder, der niemandem je etwas getan hatte. Mein Bruder, der so wunderbar Geige spielte. Ich sah ihn vor mir, wie er die Geige unter das Kinn klemmte, ernst und konzentriert. Denselben Gesichtsausdruck hatte er, wenn er boxte. Niemand würde denken, dass Ralph ein guter Boxer wäre, so, wie er aussah, mit seiner Brille und seinem klugen, aufmerksamen Blick. Er liebte die Schule, das Lernen, ganz anders als ich. Er wollte eine höhere Schule besuchen, studieren. Doch darum ging es jetzt nicht mehr. All unsere Pläne waren in sich zusammengefallen. Ralph war fort, und ich wusste nicht einmal, ob wir uns je wiedersehen würden.

Als es allmählich dunkel wurde, verabschiedete ich mich. Langsam stieg ich die Treppen hinunter. Der Mann war fort. Die Tür war versiegelt.

Kaum fünf Minuten später stand ich in der Wohnung, in

der meine Mutter warten sollte. Egon Marcus hatte hier vor seiner Deportation gewohnt.

Jemand drückte mir etwas in die Hand. Ihre Handtasche. Ich fühlte das weiche, abgegriffene Leder. Sie war nicht mehr da. Ich konnte kaum glauben, dass sie nicht mehr da war, so sehr war diese Tasche ein Teil von ihr. Ich öffnete den Verschluss. Das Adressbuch, in das meine Mutter alle wichtigen Adressen eingetragen hatte, als sie sich um unsere Auswanderung bemühte. Die Bernsteinkette. Das war alles. Ich suchte nach einem Brief von ihr, einer Nachricht. Nichts.

Die Nachricht, die meine Mutter mir schickte, stand nicht auf einem Zettel:

«Versuche, dein Leben zu machen.»

Ich verließ die Wohnung, trat auf die Straße und lief los, wohin, das war mir gleichgültig. Warum hatte meine Mutter nicht auf mich gewartet? Sie hatte sich für meinen Bruder entschieden. Wenn sie auf mich gewartet hätte, wäre ich mit ihr gegangen. Wollte sie mich nicht? Oder hoffte sie, dass ich die Entscheidung, mit ihr zu gehen, ganz allein träfe, aus freiem Willen, wie sie es getan hatte? Hoffte sie, ich würde mich ebenfalls stellen?

«Versuche, dein Leben zu machen.» Das Adressbuch konnte mir im Untergrund nützlich sein. War es das, was sie wollte? Versuche, dein Leben zu machen – vielleicht bedeutete das: Versuche, dich zu verstecken, versuche, zu überleben. Vielleicht stieß sie mich von sich fort, damit ich die Stärke fand, ihr nicht zu folgen und allein unterzutauchen.

Jede Entscheidung, die ich treffen konnte, war schrecklich. Ob ich mich der Gestapo stellte oder allein in den Untergrund ging – ich wusste nicht, womit ich meine Mutter mehr verriet: indem ich sie im Stich ließ oder indem ich ihr Vermächtnis nicht erfüllte, das hieß – überlebe!

Die Schuldgefühle kamen sofort. Woran waren wir diesmal gescheitert? Wenige Stunden später hätten wir im Zug nach Bistrei sitzen können. Dass ausgerechnet an diesem Tag die Gestapo kam, konnte ein Zufall sein. Vielleicht waren wir aber auch verraten worden. Am Morgen war Ralph noch mit unseren Koffern zum Bahnhof gefahren – hatte dort jemand die Gestapo informiert? Mein Telegramm – war es abgefangen worden?

Ich war als Einzige davongekommen. Bedeutete dies, dass ich schuldig war?

Ich trennte den Judenstern von meinem Mantel ab, steckte ihn in die Tasche und lief durch die Straßen, ohne Ziel. Je länger ich lief, desto klarer wurde mir, dass ich nicht zur Gestapo gehen würde. Es war Abend. Allmählich wurde es bitterkalt. Es gab keinen Ort, an den ich mich flüchten konnte. Alle Menschen, die ich kannte, waren selbst von der Abholung bedroht. Ich musste die Nacht überstehen, damit ich klarer denken konnte. Ich brauchte noch diese Nacht. Aber ich hatte kein Bett zum Schlafen. Mein Gehirn arbeitete langsam, alles fühlte sich taub an, klang gedämpft, unwirklich. Automatisch setzte ich einen Fuß vor den anderen. Ich überlegte, wie es wäre, mich auf eine Bank zu setzen und auf den Morgen zu warten. Doch das hieß in dieser bitteren Kälte, dass ich den Morgen vielleicht nicht mehr erleben würde.

Plötzlich fand ich mich vor einem Haus wieder, in dem Freunde von mir wohnten, Siggie Hirsch und seine Schwester. Siggie war Requisiteur beim Kulturbund gewesen. Ganz unbewusst hatte ich sein Haus angesteuert. Jetzt klingelte ich an seiner Wohnungstür. Siggie öffnete.

«Margot!», rief er, als er mich sah. «Was ist passiert?»

«Sie haben sie abgeholt», sagte ich. Und in diesem Moment kam die Wut. Als ich es aussprach, war ich nicht mehr traurig oder apathisch, oder voller Schuldgefühle, sondern unendlich wütend. Weinen konnte ich nicht.

Siggies Schwester umarmte mich und hielt mich fest. Sie

dachte wohl, ich würde zusammenbrechen, dabei hätte ich am liebsten irgendetwas zerstört, um mich geschlagen, geschrien. Aber ich durfte nicht schreien. Es war, als ahnte ich schon, dass ich von jetzt an leise sein musste, unauffällig, dass mich jedes offen gezeigte Gefühl verraten konnte.

«Wir helfen dir», sagte Siggie. Bisher hatte mir noch niemand Hilfe angeboten. Und ich hatte auch nicht darum gebeten. «Wir finden einen Weg», sagte Siggie.

Diesen Satz hätte ich gern von meiner Mutter gehört. Aber es war gut, dass ihn überhaupt jemand sagte.

Ich wollte leben. Ich musste an mich selbst denken. Plötzlich wusste ich, dass ich auf keinen Fall nach Oberschlesien gehen würde, in ein Lager, ohne zu wissen, was mich dort erwartete. Ich wollte in Berlin bleiben. Ich war jetzt fest entschlossen unterzutauchen.

Ich schlief kaum in dieser Nacht. Es war ein Zustand zwischen Schlafen und Wachen. Als es Morgen wurde, war ich hellwach. Alles, was in den letzten Tagen geschehen war, stand mir plötzlich klar vor Augen. Ich musste handeln. Und ich musste bald das Haus meiner Freunde verlassen. Die Abholungen fanden immer morgens gegen sechs Uhr statt, inzwischen täglich, und niemand wusste, wer an diesem Tag auf der Liste stand.

Siggie Hirsch und seine Schwester verließen die Wohnung. Sie gingen in die Fabrik, zur Zwangsarbeit. Wir verabschieden uns: «Bis heute Abend.» In dieser Zeit bekam dieser Satz ganz andere Bedeutung: Bis heute Abend – hoffentlich!

Ich vertrieb mir den frühen Morgen, irgendwo, auf den Straßen. Die Leute waren auf dem Weg zur Arbeit. Alle wirkten so geschäftig. Sie hatten einen Ort, an dem sie erwartet wurden. Zu wem konnte ich gehen? Wer konnte mir helfen? Ich kannte nur Juden. Doch plötzlich fiel es mir ein: Tante Anna! Anna, die unsere Möbel aufbewahrte. Ihre Tochter Marion war nur einen Monat älter als ich. Vielleicht würde sie mich verstehen.

Ich kannte Tante Anna nicht besonders gut. Eine schmale blonde Frau mit einem schmalen Mund, die nicht viel redete. Alles an ihr war schmal und knapp. Sie war in unserer Familie immer fremd geblieben, vielleicht nicht nur weil sie Christin, sondern auch weil sie keine Deutsche war. Tante Anna kam aus der Schweiz. Doch genau das konnte mir jetzt nützen. Als Schweizer Staatsbürgerin hatte sie weniger zu fürchten, wenn sie mir half. Vielleicht konnte sie mich verstecken.

Ich zitterte am ganzen Körper, als ich an ihrer Tür klingelte. Tante Anna öffnete. Als sie mich sah, brachte sie vor Überraschung kein Wort heraus und vergaß, mich hereinzubitten. So blieben wir einfach in der Tür stehen. «Du bist in Berlin?», fragte sie dann.

Ich nickte.

«Ich dachte, ihr seid längst fort. In Schlesien.»

«Sie haben sie abgeholt», sagte ich, «meine Mutter und Ralph.»

Anna zuckte zusammen. Sie horchte kurz ins Treppenhaus hinein.

«Komm rein!», sagte sie dann.

Ich erzählte ihr, was geschehen war, in allen Einzelheiten, ohne Pause. Je klarer ich alles aussprach, desto deutlicher wurde mir, in welcher Not ich war. Ich hatte nur diese eine Chance. Ich wollte, dass Tante Anna mich verstand. Aber es war nicht zu erkennen, ob sie bewegt war oder traurig, während ich sprach. Vielleicht hoffte ich auf so etwas wie Mütterlichkeit. Sie hörte mich zu Ende an, ohne mich zu unterbrechen.

«Und?» Tante Annas Gesicht blieb regungslos. «Was hast du dir gedacht? Was soll ich für dich tun?»

Das war die Frage, auf die ich gewartet hatte.

«Ich möchte untertauchen.»

Sie schüttelte leicht den Kopf, missbilligend, als hätte ich etwas sehr Albernes gesagt.

«Und warum bist du dann hier?», fragte sie.

Ich verstand ihre Frage nicht. «Ich habe sonst niemanden.»

«Wie soll ich dir denn helfen?»

«Ich brauche ein Versteck.»

«Wenn du nicht bereit bist, deiner Mutter zu helfen», sagte Anna, «kann ich dir auch nicht helfen.»

Ich verstand nicht, was sie damit meinte. «Sie ist bei der Gestapo», sagte ich. «Ich kann nichts für sie tun. Wie soll ich ihr denn helfen?»

«Indem du mit ihr gehst.»

Ich senkte den Kopf, als hätte Tante Anna mir einen Schlag versetzt. Ich hatte Trost erwartet, Mitleid. Die ganze Zeit hatte ich gegen meine Schuldgefühle angekämpft. Jetzt sprach meine Tante genau das aus, was ich nicht denken wollte: Du hast deine Mutter im Stich gelassen. Du hast zugelassen, dass sie allein zur Gestapo ging. Du hattest nicht den Mut, dasselbe zu tun wie sie.

Ich stand auf. Erst jetzt merkte ich, dass ich die ganze Zeit auf unserem blauen Sofa gesessen hatte. Anna hatte es in ihr Wohnzimmer gestellt, gleich nachdem sie es bei uns abgeholt hatte. Es sah aus, als habe es schon immer hier gestanden.

Ich schaute Tante Anna nicht mehr an. Ich wollte ihr Gesicht nicht mehr sehen. Ich verließ die Wohnung ohne ein weiteres Wort.

Ich ging zurück zu Siggie Hirsch und seiner Schwester. Sie waren tatsächlich zu Hause. Ein Tag war gewonnen, aber morgen würden wir wieder Abschied nehmen, vielleicht bis zum Abend, vielleicht für immer. Stundenlang saßen wir zusammen und redeten. «Wir finden etwas für dich», sagte Siggie. «Ich kenne jemanden in der Fabrik, der Adressen hat. Von Leuten, die helfen können.»

«Was ist mit euch?»

«Wir sind zu zweit, das ist schwieriger», sagte Siggie. «Wir haben noch Zeit. Bei dir muss es schnell gehen. Hier ist es zu gefährlich.»

Sehr spät gingen wir ins Bett. Ich war so erschöpft, dass ich sofort einschlief.

Als ich frühmorgens aufwache, nach einem tiefen, traumlosen Schlaf, fühle ich, dass sich etwas verändert hat. Plötzlich weiß ich, dass ich alles hinter mir lassen muss. Ich erwarte kein Mitleid mehr, keinen Trost.

In der Kommandantenstraße, nicht weit von dort, wo früher der Kulturbund war, gehe ich zum Friseur und lasse mir mein Haar färben. Als ich hinterher in den Spiegel schaue, bin ich mir fremd. Das ist gut so, ich will, dass mich niemand erkennt. Ich will den anderen und mir selbst fremd sein.

Abends gehe ich zurück zur Wohnung. Siggie und seine Schwester sind zu Hause. Noch einmal Glück gehabt.

Beim Essen steckt mir Siggie ein zusammengefaltetes Stück Papier zu.

«Das ist die Adresse», sagt er. «Merk sie dir und wirf den Zettel weg!»

Am nächsten Morgen verabschieden wir uns wieder einmal. Wir ahnen, dass es das letzte Mal ist.

Einige Wochen später, ich bin bereits im Untergrund, werden Siggie und seine Schwester bei der «Fabrikaktion» verhaftet, als Tausende Juden von bewaffneter SS und Gestapo aus den Fabriken auf offene Lastwagen getrieben werden. In diesen Tagen Anfang März durchkämmen Polizisten die Stadt und verhaften wahllos Menschen, die einen Judenstern tragen.

Nur wenige können sich verstecken. Siggie Hirsch und seine Schwester sind nicht darunter. Sie kommen direkt nach Auschwitz.

Ich klingle an einer fremden Tür, irgendwo im Westen Berlins. Mein erstes Versteck. Bei einem Halbjuden, der mit einer Christin verheiratet ist, so hat es mir Siggie am Abend vorher erzählt. Mehr weiß ich nicht über ihn.

Die Tür öffnet sich. Mein Helfer wirkt älter, als ich ihn mir vorgestellt habe. Er ist etwa Ende vierzig, mit einer Halbglatze und müden Augen. In der Wohnung riecht es muffig, nach alten Kleidern, kaltem Essen und - nach Tier.

Er führt mich durch die Wohnung. Die erste Tür links öffnet er nicht. «Hier wohne ich.» Stattdessen betreten wir ein Durchgangszimmer, das «Berliner Zimmer». Es ist groß, düster und sparsam möbliert, ein Tisch, ein paar planlos im Raum verteilte Stühle, eine alte Kommode. Eine Zimmerecke ist durch einen fadenscheinigen grünen Vorhang abgeteilt, der mit Gardinenringen an einer Schnur befestigt ist. Der Mann streift den Vorhang zur Seite. Da steht ein schmales Bett, eher eine Liege, mit einem Kissen und einer Wolldecke darauf. «Hier schlafen Sie!»

Es gibt noch zwei weitere Zimmer in der Wohnung. «Hier wohnen die Untermieter», sagt er. «Ein alleinstehender Mann und ein älterer Herr mit seinem Sohn. Im Moment sind alle bei der Arbeit. Tagsüber sind Sie hier meistens allein.»

«Danke», sage ich. «Kann ich irgendetwas tun?»

«Die Wohnung sauber halten», sagt der Mann. «Nur das Nötigste. Ab und zu die Zimmer putzen. Und die Küche.» Er führt mich in die Küche. Hier riecht es nach alten Essensresten und abgestandenem Spülwasser. Das Frühstücksgeschirr steht noch auf dem Tisch, zwischen Haufen von benutzten Tellern, Tassen und Besteck. In der Spüle stapeln sich verkrustete Töpfe und Pfannen, auf dem Boden liegen Brotrinden und Apfelreste.

Mein Helfer macht Abendbrot, er teilt sein Essen mit mir, aber ich nehme mein Brot mit in den kleinen Verschlag, setze mich auf mein Bett und esse. Dann gehe ich schlafen. Als ich unter die Wolldecke krieche, ist er wieder da, der animalische Geruch, den ich am Anfang wahrgenommen habe: Die Decke riecht nach Hund. Ich versuche, flach zu atmen, und schlafe bald ein.

Am nächsten Morgen treffe ich den älteren Herrn und seinen Sohn in der Küche beim Frühstück. Die beiden grüßen mich kauend mit einem Kopfnicken. Der Tellerberg auf dem Tisch ist gewachsen, sie haben einfach wieder neues Geschirr dazugestellt. Ich habe keine Lust, mich zu ihnen zu setzen. Ich bringe ohnehin nichts herunter bei diesem Geruch. Ich beschließe, erst einmal sauber zu machen.

Im Bad finde ich einen Eimer, etwas Seife und einen alten Fetzen Stoff.

Zuerst nehme ich mir das Zimmer der beiden Männer vor. Als ich die Tür öffne, schlägt mir betäubender Gestank entgegen. Überall liegen Sachen verstreut. Eine verkrustete Waschschüssel, ein Nachttopf. Ein Eimer steht in der Ecke, notdürftig mit einem alten Tablett zugedeckt. In den nächsten Tagen wird mir klar, dass die beiden sich nicht nur das einzige Bett im Raum teilen, sondern auch die Waschschüssel und den Nachttopf. Der Inhalt von beiden Schüsseln wird dann in den Eimer geschüttet. Die Wohnung hat ein Bad, doch das scheinen sie nur zu betreten, um den Eimer zu leeren.

Bevor ich entscheiden kann, womit ich anfange, mit dem Bett, der Waschschüssel oder dem mit schmutzigen Kleidern übersäten Boden, nehme ich plötzlich aus dem Augenwinkel eine Bewegung wahr. Ich schrecke zurück. In der gegenüberliegenden Ecke des Raumes rührt sich etwas, im Halbdunkel, wo das Bett steht. Was auch immer es ist, es atmet. Auf dem Bett liegt jemand. Ein Kopf hebt sich aus den zerknüllten Laken. Es ist ein Hund. Ein riesiger Hund, der auf einem Haufen schmutziger Bettwäsche liegt.

In den nächsten Wochen lerne ich die Gesellschaft dieses Hundes mehr zu schätzen als die meiner Mitbewohner. Immer wenn ich zum Saubermachen das Zimmer betrete, wedelt er freundlich mit dem Schwanz.

Morgens, wenn alle die Wohnung verlassen haben, gehe ich in die Küche und versuche, den Geschirrberg vom Vortag mit Wasser und Spülseife abzutragen. Jeden Tag kämpfe ich gegen den Schmutz an, der sich mit fast magischer Geschwindigkeit in der Wohnung ansammelt.

Trotz allem: Ich habe einen Schlafplatz, ich habe zu essen, also keinen Grund, mich selbst zu bedauern. Im Gegenteil: Ich bin froh, hier zu sein. Auch wenn es mich ekelt, ich wünsche mir nur, dass alles so bleibt, wie es ist.

Als Untergetauchte habe ich keine Lebensmittelkarten. Ich lebe von den Marken meines Helfers und von dem wenigen, das er auf dem Schwarzmarkt einkauft. Dafür bin ich ihm dankbar. Wir sprechen kaum miteinander. Ich bin den ganzen Tag in der Wohnung, gehe nie hinaus, habe keinen Gesprächsstoff. Es ist kein richtiges Leben, es ist ein Zwischenleben, in dem jeden Tag das Gleiche geschieht. Alles was ich habe, sind meine Erinnerungen, und die will ich nicht preisgeben. Mein Helfer wiederum erzählt nichts von sich, auch nicht, wo seine Frau ist, die Christin, mit der er angeblich verheiratet ist. Wir beide wollen es so. Je weniger wir wissen, desto besser.

Manchmal, wenn ich tagsüber allein in der stillen großen Wohnung bin, denke ich an den 20. Januar. Sind Mutti und Ralph noch in Berlin? Was ist aus Anni und ihrem Mann geworden, aus Frau Meißner?

Über zwei Wochen sind seitdem vergangen. Es ist, als sei es gestern gewesen. Die Zeit steht still. Denkt meine Mutter an mich? Wäre sie einverstanden mit meiner Entscheidung? «Versuche, dein Leben zu machen.» Ihre Botschaft beherrscht meine Gedanken, wenn ich putze, abwasche, wenn ich abends im Bett liege. Und noch ein anderer Satz ist immer da, schiebt sich vor den meiner Mutter, lauert mir auf, wenn ich gerade nicht daran denke: «Du musst mit ihr gehen!»

Die Tage verstreichen, die Wochen. Den Besitzer der Wohnung sehe ich selten. Morgens verlässt er das Haus und kommt spätabends von seiner Arbeit zurück.

Ich hoffe, dass dies mein Versteck bleibt bis zum Schluss. Ich muss darauf hoffen, wenn ich überleben will: Auf das Ende des Krieges, auf Hitlers Ende. Und was geschieht dann? Ich mache mir keine Gedanken darüber. Ich will es nur erleben.

Ab und zu bringt mein Helfer eine Zeitung nach Hause. Vorsichtig erzählt er, was draußen geschieht. «Alle sind für Hitler», sagt er. «Alle.» 1943 scheint noch niemand an ihm zu zweifeln. Es gibt wenig Hoffnung, dass Deutschland bald besiegt wird.

Als es eines Nachmittags klingelt, denke ich mir nichts dabei. Ich liege auf dem Bett in meinem Verschlag. Einer der Untermieter ist ebenfalls zu Hause. Ich höre, wie er die Tür öffnet. Ich höre fremde Stimmen, dann ist es still. Ich stehe auf, schiebe den Vorhang beiseite und laufe zur Tür, um nachzusehen.

Im Flur stehen zwei Männer, die ich nicht kenne. Der Untermieter ist verschwunden. Die Männer tragen Zivilkleidung, aber ich ahne sofort, was sie wollen. Die Wohnungstür steht offen. Ich weiß nicht, in welche Richtung ich gehen soll, zurück in die Wohnung oder hinaus. So bleibe ich einfach stehen. Ich kann mich ohnehin nicht rühren. Die Angst kriecht in mir hoch, aber ich gerate nicht in Panik, sondern falle in eine Art Trance, wie damals am 20. Januar, als ich an dem Gestapomann auf der Treppe vorbeilief. Einer der Männer streift mich mit einem flüchtigen Blick. Er fragt nach meinem Helfer: «Der wohnt doch hier?»

«Ja», sagte ich. Für mich scheint sich der Mann nicht zu interessieren.

«Wo ist sein Zimmer?»

Ich zeige darauf. Sie reißen die Tür auf und gehen hinein.

Ich rühre mich noch immer nicht. Die Wohnungstür steht weit offen, nichts hindert mich daran zu fliehen. Ich höre, wie die Männer im Zimmer Schubladen herausziehen und Schranktüren öffnen. Leinen zerreißt: Einer nimmt offenbar das Bett auseinander, der andere durchsucht den Schreibtisch, die Schreibmaschine fällt scheppernd zu Boden. Ich höre sie leise reden. Ich kann mich noch immer nicht bewegen.

Sie kommen aus dem Zimmer. Ich sehe, wie der eine etwas in seine Tasche stopft. Der andere versiegelt die Zimmertür.

«War das alles?», brüllt er mich dann an. Miteinander sprechen sie leise, doch mich behandeln sie, als sei ich taub. «Hat er noch andere Zimmer?» Meine Antwort wartet er gar nicht erst ab. Wieder beginnt der Lärm. Sie laufen durch die Wohnung, öffnen alle Türen. Dann stürmen sie wieder an mir vorbei, ohne ein weiteres Wort, und verschwinden. Sofort ist es still in der Wohnung. Bedrohlich still. Ich stehe noch immer da. Sie haben nicht einmal nach meinem Namen gefragt.

Hier kann ich nicht bleiben. Schnell raffe ich meine Sachen zusammen. Der Schmuck, den ich in den Untergrund mitnehmen konnte, weil ich ihn immer in meiner Tasche trug, liegt im Schrank des Wohnungsbesitzers, er bewahrt ihn für mich auf. Jetzt ist sein Zimmer versiegelt. Ich überlege kurz, ob ich das Siegel aufbrechen soll, dann entscheide ich mich dagegen. Nur die Bernsteinkette ist in meinem Verschlag, im Koffer unter meinem Bett, zusammen mit dem Adressbuch.

Ich habe Angst, dass die Gestapo das Treppenhaus bewacht, deshalb wage ich nicht, die Vordertreppe zu benutzen. Wie viele Berliner Wohnungen hat auch diese eine Hintertür, die aus der Küche in einen Dienstmädchenaufgang führt. Über die Hintertreppe schleiche ich mich hinunter in den Hof.

Ich laufe weit zu meinem nächsten Versteck. Die Adresse habe ich von meinem Helfer bekommen, lange bevor die Gestapo kam. Eine Notfalladresse, die ich auswendig lernen musste. «Falls mir etwas passiert.»

Die Wohnung liegt in Charlottenburg, im nordwestlichen Teil, fast an der Grenze zu Spandau. Ich fahre ein Stück mit der U-Bahn. Den Stern trage ich nicht mehr, deshalb brauche ich nicht zu fürchten, dass mich jemand aufhält. Ich hoffe nur, dass es keine Kontrolle gibt. Zum ersten Mal seit Wochen habe ich die Wohnung verlassen, atme frische Luft, bin unter Menschen. Das Quietschen der Räder auf den Gleisen, die Gesichter und Gerüche der Leute, all das kommt mir zu laut, zu stark, zu nah vor. Ich bin leise Geräusche gewohnt. Leise Gespräche. Das Klappern von Geschirr. Das Zwitschern der Vögel auf dem Baum vor dem Fenster.

Das letzte Stück gehe ich zu Fuß. Die Straßen sind breit, in der Ferne sehe ich eine Fabrik, ein großes Gebäude aus rotem Backstein. «Siemens» steht auf einem Schild. Hier in der Nähe hat mein Bruder gearbeitet.

Ich biege nach rechts ab. Eine Wohngegend. Hier stehen Reihenhäuser, moderne Wohnkomplexe mit Innenhöfen und Gärten, in denen die ersten Primeln blühen. Frauen mit vollen Einkaufsnetzen gehen die Bürgersteige entlang. Ein Kind hängt kopfüber an einer Teppichstange. Als ich vorbeilaufe, zieht es sich mit den Armen hoch, schwingt sich oben auf die Stange und schaut mir nach.

Es ist März. Ein ganz gewöhnlicher, sonniger, kühler Märznachmittag.

Ich muss mich zu der Adresse durchfragen. Dieser Teil der Stadt ist mir fremd. Ich kenne überhaupt sehr wenig von Berlin. Kaum war ich alt genug, um mich selbständig in der Stadt zu bewegen, gab es schon so viele Beschränkungen, dass ich es nicht mehr durfte.

Meine neue Helferin ist offenbar gar nicht überrascht, mich zu sehen. «Ich zeige dir dein Zimmer», sagt sie sofort. «Ich darf doch du sagen?» Sie ist Mitte dreißig. Ihre braunen Haare sind sorgfältig in glänzende Wellen gelegt. Sie trägt einen hübschen Rock und einen Wollpullover und lächelt mich an. «Wohnen Sie allein?», frage ich. Ich traue mich nicht, sie zu duzen, sie kommt mir so erwachsen vor.

«Ja», sagt sie. Sie führt mich durch den Flur in ein kleines Zimmer, in dem ein Bett steht, ein Schrank, eine Spiegelkommode, ein Stuhl und ein kleiner Schreibtisch. Auf dem Bett liegt eine saubere Tagesdecke, davor ein kleiner Teppich. «Das ist das Gästezimmer», sagt die Frau. Ein richtiges Zimmer, für mich allein. Ich kann es kaum glauben.

«Morgens gegen halb acht gehe ich zur Arbeit», sagt sie. «In der Küche findest du alles, was du brauchst. Nimm dir ein Handtuch aus dem Schrank.»

«Soll ich etwas tun? Aufräumen? Putzen?»

«Wie du willst», sagt sie. «Ich bin abends wieder da. Öffne niemandem die Tür.»

Auch hier bin ich tagsüber allein. Es gibt nicht viel zu tun. Die Wohnung ist sauber, ordentlich und still, draußen auf der Straße fährt nur selten ein Auto vorbei. Morgens gehen die Kinder zur Schule und die Männer zur Schicht bei Siemens. Ich beschäftige mich mit mir selbst. Alles was ich tue, ob ich mir die Hände wasche, den Küchentisch abwische oder eine Scheibe Brot esse, geschieht langsam und konzentriert. Ich will nichts Falsches tun, nichts zerstören. Ich will den Tag mit etwas füllen.

Nachts kommen die Flieger. Wegen der Siemens-Fabriken ist diese Gegend besonders gefährdet, erklärt mir meine Helferin. Es sind die ersten Fliegerangriffe, die ich aus der Nähe erlebe. Die Sirenen heulen, dann sind sie da, die Flugzeuge. Im Bett warte ich auf sie, schlaflos, weil mich meine immer gleichen Gedankenschleifen wach halten. Ich ziehe mir die Decke über den Kopf und halte still, bis es vorbei ist. Ich kann nicht in den Luftschutzkeller gehen. Niemand darf wissen, dass ich hier bin, niemand darf wissen, dass ich überhaupt existiere.

Die Frau, die mich versteckt, ist immer allein. Abends essen wir zusammen, dann verschwinden wir in unseren Zimmern. Manchmal höre ich, wie sie spät noch ausgeht, meist gegen neun. Dann bleibt sie fort bis nach Mitternacht.

Eines Abends verlässt meine Helferin wieder einmal das Haus. Kurz darauf dreht sich der Schlüssel wieder im Schloss, früher als sonst. Ich bin in meinem Zimmer. Ich höre Stimmen. Nicht nur die meiner Helferin, auch die Stimme eines Mannes. Beide flüstern, sie laufen durch den Flur. Es scheppert blechern, offenbar ist jemand über den Schirmständer gestolpert. Meine Helferin lacht gedämpft.

Ich beschließe, in meinem Zimmer zu bleiben. Wer immer dieser Mann ist, ich will ihm lieber nicht begegnen. Vielleicht weiß er, dass ich hier bin, vielleicht auch nicht. Leise ziehe ich mich aus und gehe ins Bett. Als ich das Licht gelöscht habe, ist es durch die Verdunklung sofort stockfinster. Ich rolle mich unter meiner Decke zusammen, ziehe sie über den Kopf, damit ich nicht hören muss, was im Nebenzimmer passiert. Ein fremder Mann in der Wohnung – das macht mir mehr Angst als Sirenen und Fliegerangriffe.

Plötzlich klopft es an meiner Tür. Ich bin kurz eingeschlafen, aber auf das Klopfen hin schrecke ich sofort hoch. Ich sehe, wie sich die Tür langsam einen Spaltbreit öffnet. Ein schmaler Lichtstreifen kriecht über die Bodendielen und den Teppich, bis er den äußersten Bettpfosten erreicht. Schließlich fällt er auf meine Decke. «Schläfst du schon?», flüstert meine Helferin.

«Nein», flüstere ich.

«Steh auf», sagt sie, «und komm mit. Ich zeig dir was.» Gehorsam stehe ich auf. Zusammen laufen wir über den Flur. Das helle Deckenlicht blendet mich, ich muss blinzeln. Ich bin noch ganz benommen.

An der Tür zu ihrem Zimmer zögere ich. «Komm», sagt sie noch einmal. Sie fasst nach meiner Hand und lächelt. Jetzt erst bemerke ich, dass sie nichts als ein Nachthemd trägt. Sie lässt meine Hand erst wieder los, als wir vor ihrem Bett stehen. Dann setzt sie sich auf die Bettkante.

In ihrem Bett liegt ein Mann. Er hat sich in die Kissen zurückgelehnt und ein Bein angewinkelt. Ich sehe, dass seine Brust nackt ist.

«Mach es dir bequem», sagt meine Helferin sanft.

Ich bin hellwach. Bisher hat sie nie etwas von mir verlangt. Das also soll die Bezahlung sein für ihre Hilfe. Meine Gegenleistung.

Ich stehe vor dem Bett und weiß, dass ich mich entscheiden muss. Bleiben oder gehen. Wenn ich bleiben will, muss ich Dinge tun, die mir bis vor kurzem niemals in den Sinn gekommen wären. Bin ich schon so weit, dass ich diesen Preis bezahlen will?

«Wie heißt du denn?», fragt der Mann und setzt sich auf. Ich drehe mich um, laufe in mein Zimmer zurück und schließe die Tür hinter mir. Ich muss fort, noch in dieser Nacht.

Allmählich begreife ich: Meine Helfer werden immer irgendeine Gegenleistung erwarten, Arbeit, Geld – oder mehr. Ich weiß, dass ich hübsch bin. Aber ich habe noch nie darüber nachgedacht, wie ich auf meine Helfer wirke: ein junges Mädchen, das ganz in ihrer Hand ist, das ihnen niemals widerspricht. Plötzlich sehe ich mich durch ihre Augen. Sie sind viel älter und erfahrener als ich. Ich habe schon ein paar Freundschaften mit Männern gehabt, aber immer ist alles ganz harmlos geblieben. Schon in meinem ersten Versteck hatte ich mich bei dem Gedanken, mit fremden Männern zusammenleben zu müssen, unwohl gefühlt. Doch von einer Frau hatte ich so etwas nicht erwartet.

Als ich meinen Mantel vom Garderobenhaken nehme, steht sie plötzlich vor mir. Inzwischen hat sie sich einen Morgenrock übergezogen. Sie sieht mir zu, wie ich meinen Mantel zuknöpfe. Dann stehe ich da, mit meinem Köfferchen in der Hand. «Ich gehe jetzt», sage ich. Statt einer Antwort hält sie mir einen Zettel hin. Ich nehme ihn. Eine neue Adresse.

Unten auf der dunklen Straße kauere ich mich in einen Hauseingang und warte, bis es Morgen wird. Dann fange ich an zu laufen. Ich kenne die Straße, die auf dem Zettel steht. Sie liegt ebenfalls in Charlottenburg. Ich merke mir den Namen und die Hausnummer. Dann reiße ich den Zettel in kleine Fetzen und werfe sie in den Rinnstein.

Ein Mann öffnet mir die Tür. Er ist schon älter, bestimmt Anfang sechzig. Irgendwo aus der Wohnung kommt eine Frauenstimme: «Wer ist da?» Der Mann bittet mich mit einem knappen Nicken herein und schließt die Tür hinter mir.

«Hier können Sie nicht bleiben», sagt er zur Begrüßung.

Eine ältere Frau läuft durch den Flur auf mich zu. Ich nenne den Namen meiner Helferin. «Sie lässt Sie grüßen!» Es klingt unangemessen, irgendwie fehl am Platz, aber ich weiß nicht, was ich sonst sagen soll. Ich bin mir sicher, dass sie mich gleich wieder wegschicken werden.

«Ach», sagt die Frau, «ja, dann kommen Sie erst mal rein.»

Beide sind überrascht, scheinen aber nicht ganz unvorbereitet. Haben sie schon häufiger Untergetauchte aufgenommen? Vielleicht haben sie damit gerechnet, dass man ihnen früher oder später jemanden schicken würde.

Der Mann ist jüdisch, seine Frau Christin – eine sogenannte privilegierte Mischehe. Er ist etwa sechzig Jahre alt und Zahnarzt. Seit den Berufsverboten darf er nicht mehr praktizieren. Das erzählt er mir, als wir am Küchentisch sitzen und einen Malzkaffee trinken.

Ich verbringe den ganzen Tag bei ihnen. Ich habe beschlossen, so lange dazubleiben, bis sie mich auffordern zu gehen. Das Haus ist groß, ich versuche, mich möglichst unauffällig zu bewegen und den beiden aus dem Weg zu gehen. Ich nehme mir ein Buch aus einem Bücherregal im Flur, setze mich in die Küche und lese.

Allmählich wird es Abend. Bisher haben sie mich noch nicht weggeschickt. Niemand sagt mir ins Gesicht, dass ich gehen muss. Irgendwann deckt die Frau den Abendbrottisch. Auch für mich stellt sie einen Teller hin. Ich esse schweigend und warte, was geschieht. Es ist fast acht Uhr. Je später es wird, desto mehr Hoffnung habe ich, dass sie mich hier übernachten lassen.

Die Frau räumt das Geschirr ab und beginnt zu spülen. Ich nehme ein Handtuch und trockne die Teller. Als wir fertig sind, bindet sie ihre Schürze los und bedeutet mir, mit ihr zu kommen.

«Wir haben leider kein Gästebett.»

Sie führt mich ins Herrenzimmer. Dort steht ein breiter, dunkelroter Armsessel mit Fußschemel. Die Frau zeigt darauf. «Hier», sagt sie. «Gute Nacht!» Dann verlässt sie das Zimmer.

Die schweren Vorhänge sind zugezogen und die Fenster bereits verdunkelt. Auf einem kleinen runden Tisch neben dem Sessel brennt eine Messinglampe mit einem grünen Schirm. In einer Ecke steht ein schwerer geschnitzter Schreibtisch, auf dem Boden liegen dicke Teppiche. Es riecht nach Zigarettenrauch und Lavendel. Das Zimmer strahlt Wärme aus, Gemütlichkeit, und doch fühle ich mich unendlich allein.

Ich versuche, es mir so bequem wie möglich zu machen, lasse mich in den Sessel sinken und ziehe die Knie an. Die Lampe lasse ich brennen. In dieser Nacht will ich nicht im Dunkeln schlafen.

Plötzlich höre ich ein Geräusch, ein leises Knarren. Zuerst erschrecke ich. Dann sehe ich, dass es eine Katze ist, die die Tür aufgeschoben hat und ins Zimmer geschlichen kommt.

Die Katze ist weiß-grau gescheckt. Vor dem Sessel bleibt sie stehen und schaut mich ruhig aus bernsteingelben Augen an. Eine Weile streicht sie um die Sesselbeine, dann springt sie hoch auf meinem Schoß, dreht sich ein paarmal um sich selbst und rollt sich zusammen.

So sitzen wir die ganze Nacht. Ich streichele das glatte, warme Fell der Katze, und die Katze schnurrt ein wenig. Bis zum Morgen leistet sie mir Gesellschaft. Ihre Wärme auf meinem Schoß gibt mir Ruhe. Zum ersten Mal, seit ich im Untergrund bin, fühle ich so etwas wie Trost.

Ich bleibe eine weitere Nacht, und noch eine, und immer schläft die Katze auf meinem Schoß.

Eines Morgens erklärt mir der Doktor, dass ich nun gehen muss. Wieder bekomme ich eine Adresse. «Eine einfache Frau», sagt er, «aber hilfsbereit und gut.»

Ich nehme meinen Koffer und verabschiede mich. «Leben Sie wohl», sagt die Frau des Doktors. Dann schließt sich auch diese Tür hinter mir.

## Kapitel 5
## «Eine kleine, hübsche Nase»: Monate der Angst

Lange Zeit schon laufe ich durch fremde Straßen, durch einen unbekannten Bezirk. Es ist eine Arbeitergegend. Keine U-Bahn, keine Straßenbahn fährt bis hierher. Die Häuser sind grau, die Straßen schmutzig und schwach beleuchtet. Noch immer ist Winter, es wird früh dunkel, die Kälte dringt durch meinen Mantel. Endlich finde ich die Straße, die Hausnummer, die ich suche, und betrete das Treppenhaus. In der Stiege brennen nur wenige Lampen in einem grünlichen Licht. Es riecht nach Kohl und Armut.

An einer Tür entdecke ich den Namen, den ich suche. Dahinter ist es still. Ich drücke auf die Klingel, ein schriller Ton, so unerwartet laut, dass ich erschrecke. Ich warte. Niemand öffnet. Es ist bereits Abend, ich will nicht auf einer Parkbank oder in einem Hauseingang übernachten, also bleibe ich, wo ich bin. Kaum habe ich mich auf den Treppenabsatz gesetzt, geht auch schon das Licht aus. Ich stehe auf und drücke auf den Lichtschalter, summend flackert das Licht auf, dann verlöscht es wieder. Es ist eiskalt, ich friere, bin müde und hungrig. Ich bin nicht sicher, ob ich bei dieser Frau etwas zu essen bekommen werde – wenn sie überhaupt heute noch auftaucht. Die Zeit vergeht unendlich langsam.

Endlich Schritte im Treppenhaus, ein Mann und eine Frau steigen die Treppe herauf und bleiben genau vor der Tür stehen, an der ich vergeblich geklingelt habe. Die Frau zieht einen Schlüssel aus der Tasche und schließt auf.

Sie beachtet mich nicht, obwohl ich direkt hinter ihr auf der Treppenstufe sitze.

«Guten Abend!» Ich stehe auf. «Ich bin Margot.»

Sie nimmt die Hand, die ich ihr hinstrecke. Sie fragt nicht weiter nach, scheint vorbereitet zu sein auf mein Kommen. Von den beiden erfahre ich nicht, wie sie heißen, ob sie verheiratet sind. Ich will es auch nicht wissen.

Zusammen betreten wir die Wohnung. Gleich neben der Wohnungstür liegt die Küche. Darin steht ein Bett. «Hier schlafen wir», sagt die Frau. Dann öffnet sie eine weitere Tür. «Das ist dein Zimmer.» Es ist stockdunkel, noch kann ich nichts erkennen. Dann knipst die Frau eine winzige Lampe an, die in einer Ecke auf dem Fußboden steht. Kachelofen, Tisch und Stuhl, mehr Mobiliar gibt es nicht. Und ein Bett. Es ist schmal, sieht durchgelegen und wackelig aus, aber es ist ein richtiges Bett! Ich bin todmüde, will nichts als schlafen. Hungrig bin ich auch, doch das ist mir jetzt egal. Die Frau bietet mir ohnehin nichts zu essen an.

«Zur Toilette musst du durch die Küche», sagt sie noch, und auch das stört mich nicht. Ich will nur schlafen.

Die Tür fällt ins Schloss, und ich bin allein. Schnell ziehe ich mich aus. Es ist kalt im Zimmer, der Kachelofen ist nicht geheizt. Ich krieche unter die Decke und warte auf den Schlaf.

Auch jenseits der Wand, in der Küche, ist es ruhig. Aber nach einiger Zeit beginnen die Geräusche. Ich will sie nicht hören, ziehe mir die Decke über den Kopf, aber an Einschlafen ist nicht mehr zu denken. Trotzdem bin ich froh, in einem richtigen Bett zu liegen. Ich versuche, nicht an die beiden in der Küche zu denken und irgendwie in den Schlaf zu finden. Doch kaum beginne ich wegzudämmern, schrecke ich schon wieder hoch. Etwas krabbelt über meinen Körper. Ich will einschlafen um jeden Preis, ich drehe und wende mich, ohne die Augen zu öffnen, doch das Krabbeln und Jucken nimmt kein Ende. Schließlich stehe ich auf und ziehe mich wieder an, Strümpfe, Hosen, Pullover, auch den Wintermantel. Ich setze mich auf den Stuhl. Das Licht wage ich nicht anzuschalten.

Die ganze Nacht verbringe ich auf dem Stuhl, eingehüllt in meinen Mantel, und denke mit Sehnsucht zurück an die vergangenen Nächte, als ich in einem warmen Zimmer auf einem weichen Sessel saß, in Gesellschaft der freundlichen Katze.

Nach einigen Stunden stehe ich auf und gehe zum Fenster. Vielleicht ist es schon Morgen, ich habe jedes Zeitgefühl verloren. Vorsichtig lüfte ich den Pappkarton ein wenig, mit dem die Scheibe verdunkelt ist. Totenstille herrscht auf der Straße. Wahrscheinlich ist es erst kurz nach Mitternacht, und ich habe noch viele Stunden zu warten, bis es dämmert.

Irgendwann schimmert fahles Wintermorgenlicht durch die feinen Ritzen in der Verdunklung. Ich stehe auf. Jetzt kann ich endlich die Verdunklung beiseiteschieben.

Als das Tageslicht ins Zimmer fällt, sehe ich es: Das ganze Bettzeug ist gesprenkelt mit roten Flecken, Blut von getötetem Ungeziefer. Auch die Wand ist übersät mit kleinen Blutspritzern von den Tieren, die offenbar mein Vorgänger zerquetscht hat - Wanzen. Später werde ich ihnen wieder begegnen.

Offenbar bin ich nicht die Erste, die in diesem Bettzeug geschlafen hat. Das Kissen ist in der Mitte gelb verfärbt, der Rand der Bettdecke schmutzig und fadenscheinig. Ich habe schon gelernt, dass ich für mein Überleben im Versteck vieles in Kauf nehmen muss. Aber plötzlich ist mir klar: Hier halte ich es nicht aus. Gleichgültig, wie dumm und leichtsinnig es ist, ich muss fort. Es ekelt mich vor dieser Wohnung. Ich versuche, meine Entscheidung vor mir selbst zu rechtfertigen: Wer weiß, wie lange mich diese Frau überhaupt bei sich dulden wird. Vielleicht hat sie gar nicht die Mittel, mich längere Zeit zu ernähren.

Noch am Morgen verschwinde ich.

Eine Tür fällt zu, eine andere tut sich auf. Ein Leben ist zu Ende, ein neues fängt an. Ich bin bereit, in dieses neue Leben einzutauchen. Der Weg dorthin verschwindet im Nichts. Meine Schritte löschen sich aus, noch während ich gehe.

Was sind das für Leute, zu denen ich komme? Ich habe sie noch nie gesehen, und doch werden sie in den nächsten Tagen, Wochen, Monaten der Mittelpunkt meines Lebens sein – vielleicht die Menschen, die mich retten.

Ich lebe für den Augenblick, die nächsten Stunden, den nächsten Tag. Jeder Abschied ist ein Abschied für immer. Die Helfer, die ich verlasse, werde ich nie wieder sehen. Ich muss ihre Namen vergessen, ihre Adressen. Je weniger ich weiß, desto weniger kann ich verraten.

Was sind das für Leute? Ich kenne sie nicht, verstehe sie nicht, weiß nicht, was sie dazu treibt, mir zu helfen. Was wollen sie von mir? Was will ich von ihnen?

Ich zweifele nicht an meinen Helfern. Sie sind alle gegen Hitler eingestellt, das weiß ich. Aber sie sind nur Menschen, keine Helden.

Ich bin wieder im Westen, in einer der Seitenstraßen des Kurfürstendamms. Lange war ich nicht mehr hier. Damals war es Herbst, das Pflaster glänzte von Regen. Jetzt ist es Frühling. Die breiten Bürgersteige, die Bäume, die fast hinauf bis zum dritten Stock der Mietshäuser reichen, die Balkons mit den schmiedeeisernen Geländern – all das kenne ich gut. Vor acht Jahren haben wir hier gewohnt, meine Mutter, Ralph und ich. Für einen Moment kommt es mir vor, als führte ich ein ganz normales Leben, genau wie all die Leute um mich herum.

Die Wohnung, in der ich mich melden soll, liegt im Hochparterre. Ich habe die Adresse von meiner letzten Helferin. Es sei die Wohnung einer alleinstehenden Frau, das hat sie noch gesagt, bevor ich ging. Deshalb bin ich erstaunt, als mir von einem Mann geöffnet wird, der mich lässig hereinwinkt. Ich betrete einen langen, dunklen Korridor. Links führt eine Tür in die Küche und gegenüber eine andere in ein großes Zimmer mit Balkon. Weitere Zimmer gehen links und rechts vom Flur ab, die Türen sind geschlossen.

Ich betrete das Balkonzimmer. Im ersten Moment bin ich verwirrt. Das Zimmer ist voller Menschen. Einige sitzen an einem großen Tisch und spielen Karten.

Eine Frau steht auf, als sie mich sieht. Sie ist etwa Ende vierzig. Gemeinsam gehen wir in den Korridor, damit uns die anderen nicht hören können. «Keine Angst», sagt sie. «Benimm dich einfach ganz normal. Niemand weiß, wer du bist, und selbst wenn sie es ahnen sollten, scheren sie sich nicht darum.» Sie hat ein breites, etwas schiefes Gesicht und kleine wache Augen. «Das Gästezimmer ist ganz hinten links.»

Nach ein paar Tagen begreife ich die Regeln in meinem neuen Versteck. Meine Helferin bekommt viel Besuch. Mit ihren Gästen sitzt sie immer im Balkonzimmer, das auf den Hinterhof hinausgeht. Um den großen Tisch stehen ein Sofa und viele Stühle und Sessel. Es wird Karten gespielt und viel geraucht.

Ich versuche, nicht aufzufallen, aber um mich scheint sich ohnehin niemand zu kümmern. Alle nehmen einfach hin, dass ich da bin. Ich brauche einige Zeit, um mich daran zu gewöhnen, dass ich jeden Tag den Blicken all dieser Menschen ausgesetzt bin, nach den vielen Wochen in stillen, einsamen Wohnungen, unter Leuten, die kaum mit mir sprachen. Doch jeden Tag fühle ich mich sicherer.

Mittlerweile glaube ich zu wissen, warum meine Helferin das Risiko eingeht, mich zu verstecken.

Oft kommt ein Mann zu Besuch, mit dem sie sehr vertraut wirkt. Er kommt nur, wenn sonst niemand da ist, und dann flüstern sie miteinander. In meiner Gegenwart sprechen sie nie über Politik, aber ich bin sicher, dass sie beide im Widerstand waren. Das ist wohl der Grund, warum sie mich versteckt. Vielleicht bin ich nicht die Erste, aber ich habe den Eindruck, dass es ein sehr lockeres Netz ist, das mich bisher immer wieder aufgefangen hat. Offensichtlich kursieren unter Leuten, die gegen Hitler eingestellt sind, Adressen von vertrauenswürdigen Menschen, die bereit sind, untergetauchten Juden zu helfen. Aber die Entscheidungen meiner Helfer, mich aufzunehmen, sind eher spontan. Oft haben sie selbst Angst oder sind gefährdet, so wie mein erster Helfer oder das christlich-jüdische Ehepaar, bei dem ich einige Nächte verbracht habe. Alle anderen, die mich verstecken, sind Nichtjuden. Ich vertraue ihnen, weil sie mir helfen.

Immer häufiger sucht der Mann, mit dem meine Helferin so oft flüstert, meine Nähe. Es wird mir allmählich unheimlich.

«Weiß er etwas?»

«Er weiß alles», sagt meine Helferin leichthin.

«Alles?»

«Ich habe keine Geheimnisse vor ihm.»

Von diesem Tag an sitzen wir oft zusammen im großen Balkonzimmer und unterhalten uns. Wir sprechen über Unverfängliches, manchmal auch über den Krieg. Die Fliegerangriffe sind heftiger geworden. Fast täglich gibt es Alarm. «Berlin ist nicht mehr sicher», sagt der Mann. «In ein paar Wochen ziehe ich mit meiner Familie aufs Land.»

Ich fühle mich befangen in seiner Gegenwart. Warum interessiert er sich für mich? Will er etwas von mir? Trotzdem vertraue ich ihm, denn er weiß, wer ich bin, ich muss mich nicht verstellen, nicht darauf achten, ob ich mich verraten könnte.

Eines Tages erzähle ich ihm alles, was geschehen ist seit dem Tag, als die Gestapo meine Mutter und meinen Bruder verhaftet hat, von meinen wechselnden Verstecken.

«Hier bist du sicher», beruhigt er mich.

«Ich fühle mich auch sicher. Nur auf der Straße nicht. Ich habe immer Angst, dass man es sieht. Dass ich jüdisch bin.»

«Du siehst nicht besonders jüdisch aus.»

«Ich habe immer Angst, dass jemand es mir ansieht. Meine Nase zum Beispiel ...»

«Was ist mit deiner Nase?»

«Sieht sie nicht jüdisch aus? Ich finde sie verdächtig. Sie ist ziemlich lang.»

Er schaut mich lange von der Seite an. Sein Blick ist mir unangenehm. Es tut mir bereits leid, dass ich ihn auf dieses Thema gebracht habe.

«Eine hübsche Nase», sagt er. «Aber wenn du meinst, dass sie zu jüdisch ist – dagegen kann man etwas tun!»

Ich verstehe nicht.

«Ich kenne da jemanden», sagt er. «Einen Arzt. Er hat bei Dr. Joseph studiert. Dem Nasen-Joseph. Er würde es machen, du musst dich nur entscheiden.»

Ich muss nicht lange nachdenken. Ich bin sofort bereit dazu. Eine Operation: Das ist etwas anderes als gefärbte Haare und ein abgetrennter Judenstern. Ein paar Schnitte, und ich bin nicht mehr die Margot, die ich früher war.

«Aber ich habe kein Geld», sage ich.

«Das ist nicht nötig.» Der Mann steht auf. «Ich spreche mit ihm.»

Als er das nächste Mal zu Besuch kommt, gibt er mir die Adresse eines Arztes.

«Ich habe noch etwas für dich.» Er drückt mir etwas in die Hand, einen winzigen, kühlen Gegenstand, der sich kantig anfühlt.

Es ist ein Kettenanhänger, ein kleines silbernes Kreuz.

«Von meiner Tochter», sagt er. «Trag es immer über dem Pullover. Die Leute sehen es und kommen gar nicht darauf, dass du keine Christin bist.»

Da ich keine passende Kette dazu habe, häkele ich eine schmale Kordel aus Garn, an der ich mir das Kreuz um den Hals hänge.

Von nun an schützt mich das Kreuz wie ein Talisman, wenn ich mich in der Öffentlichkeit bewege.

Der Arzt praktiziert in einem Mietshaus aus der Gründerzeit, ebenfalls im Berliner Westen. Neben der Eingangstür hängt ein Emailleschild: Hals-Nasen-Ohren-Heilkunde und Chirurgie.

Ich habe mich zur Operation entschlossen, ohne mir auch nur einen Moment lang vorzustellen, was dabei mit mir geschieht, welche Komplikationen es geben kann. Falls es zu Blutungen oder einer Infektion kommt, kann ich ohne Papiere nicht einmal ins Krankenhaus gehen. Das wird mir erst jetzt klar. Mit ziemlich weichen Knien steige ich die breite Holztreppe zur Praxis hinauf.

Außer dem Arzt und einer Krankenschwester ist niemand in der Praxis, das Wartezimmer ist leer. Der Arzt bittet mich höflich in den Untersuchungsraum. Er behandelt mich wie eine normale Patientin, hört Herz und Lunge ab, misst den Blutdruck und untersucht dann meine Nase. Von dem Mann, der mir die Operation vermittelt hat, weiß ich nur, dass dieser Arzt früher Assistent beim berühmten «Nasen-Joseph» gewesen war: Jacques Joseph, plastischer Chirurg und in den zwanziger Jahren Professor an der Berliner Charité. Dr. Joseph hatte eine besondere Methode der Nasenkorrektur entwickelt und nach 1918 viele ehemalige Soldaten operiert, die mit entstelltem Gesicht aus dem Krieg zurückgekehrt waren. Seine neue Technik war so erfolgreich, dass Menschen von weit her zu ihm kamen, auch Juden, die sich vom vermeintlichen Stigma einer «semitisch» aussehenden Nase befreien wollten. Eine ordentliche Professur war ihm nur unter der Bedingung angeboten worden, dass er zum Christentum konvertierte. Das lehnte Jacques Joseph ab. Schließlich wurde er dennoch zum Professor ernannt. 1933 trat das Berufsverbot für jüdische Ärzte in Kraft. Viele seiner nichtjüdischen Kollegen, Assistenzärzte und Schwestern versuchten, sich für Jacques Joseph einzusetzen – vergeblich: Ab sofort durfte er weder praktizieren noch lehren.

Der Arzt, der mich nun operieren soll, ist offenbar einer von Josephs ehemaligen nichtjüdischen Assistenten. Vielleicht sind es diese Erfahrungen, die ihn dazu bringen, Menschen wie mir ohne Gegenleistung zu helfen. Auch die Schwester, die ihm assistiert, hat früher für Dr. Joseph gearbeitet.

Nachdem er meine Nase genau untersucht hat, zeigt mir der Arzt Bilder von anderen Patienten, vor und nach der Operation.

«Würden Sie erkennen, dass diese Nasen operiert sind?», fragt er stolz.

«Nein», sage ich.

«Wir machen Ihnen eine hübsche kleine Nase», sagt er, «eine, die trotzdem zu Ihrem Gesicht passt. Sie werden denken, dass Sie schon immer mit dieser Nase herumgelaufen sind.»

Die Operation findet im privaten Sprechzimmer statt, mit Hilfe der Krankenschwester. Der Arzt spritzt mir eine örtliche Betäubung. Ich fühle die Einstiche, dann wird mein ganzes Gesicht taub. Während der Operation schließe ich die Augen, aber ich bin wach und kann alles hören, die Geräusche der Knochensäge, das Bohren. Ich spüre das Sägen und Ziehen, der Arzt ruckt an meinem Kopf herum, und ich versuche, mir nicht vorzustellen, was gerade mit mir geschieht. Irgendwann ist es vorbei, und die Schwester legt mir einen Verband an.

Ich muss sofort aufstehen, gestützt von der Schwester. Sie ruft ein Taxi und führt mich hinunter. Zusammen steigen wir ein und fahren los.

Wie durch einen Nebel nehme ich alles wahr. Allmählich lässt die Betäubung nach, und ich fühle einen brennenden Schmerz in der Nase. Ich wage nicht, den Verband zu berühren, aber meine Nase scheint sich in einen gefühllosen, unförmigen Klumpen verwandelt zu haben.

Das Taxi hält vor einem Haus, das ich nicht kenne. Mit letzter Kraft steige ich die Treppen hinauf. Eine Wohnungstür öffnet sich. Eine Frau führt mich in ein Zimmer mit einem sauberen Bett darin. Die Frau und die Krankenschwester ziehen mich aus, legen mich hin und decken mich zu wie ein kleines Kind. Ich fühle nur meine Nase und meinen Kopf, in dem jetzt ein dumpfer Schmerz pocht.

Irgendwann schlafe ich ein.

Etwa eine Woche lang kommt die Schwester jeden Tag, wechselt den Verband, versorgt mich und gibt mir zu essen. Ich habe Glück. Die Wunden verheilen gut, und nach einigen Tagen werden die Fäden gezogen. Dann nimmt die Schwester mir den Verband endgültig ab. Jetzt erinnert mich nur noch ein kleines Pflaster an die Operation. Vorsichtig betaste ich zum ersten Mal meine Nase und betrachte sie im Spiegel. Sie ist kürzer und schmaler, aber nicht zu schmal. Der lange Nasenrücken und die Spitze, die vorher leicht heruntergezogen war, sind verschwunden. Mein Gesicht sieht weicher aus als vorher. Und trotzdem ist es meine Nase. Meine neue Nase. Sie gehört zu mir, zu der, die ich jetzt bin.

Ich gehe zurück in mein Versteck. Um auch etwas für meine Helferin zu tun, räume ich jeden Tag auf, putze und bereite Tee für die Gäste. Den Mann, der mir die Nasenoperation vermittelt hat, sehe ich längere Zeit nicht.

Eines Tages haben wir besonders viel Besuch, und wie immer wird Karten gespielt. Diesmal ist auch ein älterer Herr dabei, den ich schon ein paarmal gesehen habe. Ich weiß von meiner Helferin, dass er Jude ist, aber wir reden nicht miteinander. Es ist fast, als mieden wir die Gegenwart des anderen, als könnte uns diese Begegnung gefährden.

Den ganzen Nachmittag über kommen und gehen die Gäste. Wieder einmal ertönt die Klingel, und weil alle anderen beschäftigt sind, gehe ich zur Tür. Das Licht im Korridor brennt nicht. Als ich die Tür öffne, erkenne ich die Silhou-

Im Untergrund,
mit geschenktem Kreuz,
ca. April 1943

etten zweier Männer. Zwei Männer! Ohne auch nur Atem zu holen, schließe ich die Tür wieder bis auf einen Spalt und renne zurück ins Balkonzimmer. Ich muss Zeit gewinnen. Schnell laufe ich zu meiner Helferin. «Gestapo», flüstere ich ihr ins Ohr. Sofort steht sie auf und geht in den Flur, um die Männer abzufangen.

Als Nächstes suche ich den älteren jüdischen Herrn. Er sitzt in einem Sessel in der Zimmerecke und raucht eine Zigarette.

«Kommen Sie!», flüsterte ich, «die Gestapo ist hier!» Der Mann zögert, dann folgt er mir in Richtung Balkon. Die Wohnung liegt im Hochparterre.

Fremde Stimmen dringen aus dem Korridor zu uns, sie werden lauter, kommen langsam näher. Ich stehe auf dem Balkon, klettere über die Brüstung, halte mich mit beiden Händen am Geländer fest. Dann springe ich. Meine Knie geben nach.

Ich lande sicher, schaue kurz hinauf und sehe, dass der Mann noch immer vor der Balkontür steht. Unsere Blicke treffen sich, dann wendet er sich ab. Er will mich nicht verraten. Jemand ruft ihn. Ich sehe seinen Kopf verschwinden und drücke mich in einen Seiteneingang. Ich könnte mich dicht an der Wand halten und den Hof durch die Tür verlassen, die auf die Straße hinausführt, aber ich habe Angst, dass die Gestapo dort Wache steht.

Ich bleibe, wo ich bin, und warte. Es ist bereits Mai, die Luft ist warm, und immerhin muss ich nicht frieren. Ich warte lange. Am Anfang höre ich noch laute Stimmen aus der Wohnung. Dann wird es still.

Irgendwann flüstert jemand meinen Namen.

Es ist meine Helferin. Sie lehnt sich über den Balkon, sucht den Hof nach mir ab. Ich trete aus dem Schatten des Hauseingangs. «Komm rauf!», ruft sie mit gedämpfter Stimme. «Sie sind weg!»

Wir setzen uns an den großen Tisch. Meine Helferin, sonst immer so ruhig und forsch, ist ganz bleich vor Aufregung. Ihre Hände zittern, als sie nach ihrer Teetasse greift. Der Tee ist inzwischen kalt geworden. Sie trinkt ihn trotzdem, in kleinen Schlucken.

«Sie haben nach dir gefragt», sagt sie dann. «Nach dem Mädchen, das die Tür geöffnet hat. Ich habe gesagt, dass ich es war. Sie wollten mir nicht glauben. Dann haben sie jeden Einzelnen von uns kontrolliert und dich darüber wohl vergessen. Wir alle hatten gültige Papiere, bis auf unseren Freund. Sie haben ihn mitgenommen.»

Sie hatten ein Opfer gefunden. Wieder einmal bin ich verschont geblieben. Warum? Welche Hand hatte mich geleitet? Gottes Hand? Oder die meiner Mutter?

«Was passiert jetzt mit mir?», frage ich.

«Du musst hier weg.»

Sie setzt sich ans Telefon und versucht den Mann zu erreichen, der mir die Nasenoperation vermittelt hat. Kaum eine halbe Stunde später ist er da.

Die beiden verhandeln über meinen Umzug in ein neues Versteck. Sie reden über mich, als sei ich gar nicht da.

«Es gibt nur eine Lösung», sagt der Mann. «Nächste Woche ziehen wir aufs Land, und das Mädchen nehme ich mit.»

In den nächsten Tagen lasse ich mich nicht mehr im Balkonzimmer sehen, sondern bleibe den ganzen Tag in der kleinen Kammer, in der ich auch schlafe.

Einige Male fahre ich mit meinem neuen Helfer zusammen aufs Land, noch vor dem endgültigen Umzug, um schon ein paar Sachen in das neue Haus zu bringen. Hauptsächlich scheint es ihm allerdings darum zu gehen, dass wir beide tagsüber nicht zu Hause sind. Offenbar fürchtet er die Gestapo fast so sehr wie ich.

Wir fahren mit dem Zug. Seit meiner Operation habe ich weniger Angst vor Menschenmengen. Die Narben sind gut verheilt. Mit meinem neuen Gesicht kann ich die Zugfahrten überstehen, die Blicke der Leute, die Fahrscheinkontrollen.

Geschützt durch die neue Nase und das kleine Silberkreuz, pendeln wir regelmäßig zwischen Berlin und dem kleinen Dorf in Brandenburg. Manchmal frage ich mich, warum mein Beschützer das alles für mich tut. Im Zugabteil setzt er sich dicht neben mich, sodass unsere Arme oder Oberschenkel sich berühren. Er macht mir versteckte Komplimente. Jedes Mal bin ich froh, wenn unsere gemeinsamen Ausflüge vorbei sind.

Bin ich in seiner Gegenwart wirklich sicher? Er versucht, jovial und überlegen zu wirken, aber oft sieht er sich verstohlen um und zuckt zusammen, wenn er Uniformen sieht. Manchmal kommt es mir vor, als sei er ebenso auf der Flucht wie ich. Was, wenn die Gestapo ihn verhaftet und mich bei ihm findet? Wenn wir auf dem Bahnsteig stehen und auf den Zug warten, habe ich das Gefühl, wir würden beobachtet.

Je näher der Tag des Umzugs rückt, desto öfter muss ich an all unsere Möbel denken, die noch bei Tante Anna stehen. Ich denke an das blaue Sofa, auf dem ich an jenem Tag im Januar gesessen habe wie ein ungebetener Gast. Der Gedanke lässt mich nicht los.

Einen Tag vor dem Umzug frage ich meinen Helfer, ob die

Möbelpacker nicht zu Beginn ihrer Tour bei Tante Anna vorbeifahren und unsere Möbel mitnehmen könnten.

«Hast du ihre Telefonnummer?», fragt er.

Ich hole das kleine Adressbuch meiner Mutter aus meiner Handtasche. Darin steht auch Tante Annas Nummer.

«Mach dir keine Sorgen», sagt er. «Wir holen deine Sachen.»

Dann ist der Tag gekommen. Ich verlasse früh das Haus, in der Hand den Zettel mit der Adresse, unter der mein Helfer mit seiner Familie wohnt. Ich habe seine Frau und seine Tochter noch nie gesehen. Wie werden sie darauf reagieren, dass eine wildfremde Frau von nun an bei ihnen wohnen wird?

Als ich in die Straße einbiege, sehe ich schon von weitem, dass die Packer noch bei der Arbeit sind. Tatsächlich: Da stehen unsere Möbel zwischen all den fremden Sachen auf der Ladefläche des Lastwagens! Ich erkenne das blaue Sofa, den großen Koffer mit den Messingbeschlägen, die kleine Kommode aus dem Schlafzimmer meiner Mutter. Ich freue mich so, all das wiederzusehen, dass ich erst später bemerke, dass eine Frau nervös neben dem Möbelwagen auf und ab läuft. Sie muss die Frau meines Helfers sein. Von ihm selbst ist nichts zu sehen. Ich gehe zu ihr, bleibe direkt vor ihr stehen. Ihr Gesicht ist rot und geschwollen. Offensichtlich hat sie geweint. «Ich bin Margot», sage ich.

Sie nickt. Dann schluchzt sie kurz auf. «Sie haben ihn heute Morgen abgeholt.»

«Abgeholt?»

«Sie haben geklingelt. Ich dachte, es sind die Packer. Sie haben ihn verhaftet.»

Alles in mir krampft sich zusammen, mein Magen, mein Herz. Ich habe Angst. Die Frau tut mir leid, aber wie kann ich sie trösten?

«Er kommt wieder», sage ich, «bestimmt. Er findet einen Weg.»

Sie schaut mich an, verzweifelt, aber entschlossen.

«Wir machen alles so, wie er es geplant hat», sagt sie. «Wir fahren trotzdem. Fahr aufs Land, hat er gesagt, und nimm das Mädchen mit.»

Sie fängt wieder an zu weinen. Ich wage nicht, sie in den Arm zu nehmen. Mir kommt ein schrecklicher Gedanke: Ist es meine Schuld? Vielleicht wäre das alles nicht geschehen, wenn ich unsere Möbel nicht bei Tante Anna hätte abholen lassen. Noch am Abend vorher hatte mein Helfer mit ihr telefoniert. Hat sie uns denunziert?

Ich kann es nicht rückgängig machen. Es ist zu spät. Wir drei sind allein auf uns gestellt, die Frau, die Tochter und ich. Sie lassen keinen Zweifel daran, dass ich bei ihnen bleiben kann. Er hat es so gewollt, das zählt. Sie lassen mich nicht zurück.

Zusammen ziehen wir aufs Land. Das Haus ist unscheinbar grau verputzt, mit einem halb verwilderten Garten dahinter. Es liegt etwas abseits des Dorfes an einem Fluss, und der leicht abschüssige Garten reicht direkt bis ans Ufer. Um dort hinzugelangen, müssen wir von der Bahnstation hinunter zum Fluss laufen, wo uns ein Schiffer übersetzt. Die Fähre ist ein Stocherkahn: Statt zu rudern, steht der Schiffer aufrecht im Heck und stakt den Kahn vorwärts, indem er einen langen hölzernen Stab immer wieder in den schlammigen Grund rammt und sich dagegen stemmt. Es ist eine langsame, ruhige Reise über das fast unbewegte Wasser.

Ich bin direkt unter dem Dach untergebracht, in einem Zimmer mit schrägen Wänden. Die Umzugsleute haben unsere restlichen Möbel und Koffer hinaufgeschleppt. Es sieht aus wie in einem Warenlager, aber ich bin froh, alles bei mir zu haben, nicht nur die Bernsteinkette und das Adressbuch. Die Erinnerungen an unser früheres Leben kehren zurück. Ich kann sie sogar anfassen, daran riechen. Nachts schlafe ich auf dem blauen Sofa. Wenn ich das Gesicht in die Polster drücke, ist mir, als könnte ich die Gerüche jeder einzelnen Wohnung unterscheiden, in der es einmal gestanden hat. Ich schließe die Augen und sehe alles vor mir.

Ich habe auch ein Foto von Philipp Lewin dabei. Als ich untertauchte, steckte es noch in meinem Portemonnaie, wo ich es nach meinem großen Liebeskummer einfach vergessen hatte. Jetzt hole ich es hervor und schiebe es in eine Ritze zwischen den Polstern des Sofas. Manchmal fühle ich mit zwei Fingern danach, ziehe es heraus und schaue es an. Damals war ich ein ganz normales Mädchen, das unglücklich verliebt war, sich zum ersten Mal betrank und in dem Gefühl, unendlich zu leiden, fast zerfloss.

Jetzt will ich nur noch überleben.

Ich lebe nur für mich, nur für den nächsten Tag, helfe im Haus und im Garten. Ich spreche fast nur mit der Tochter meiner neuen Helferin. Die Frau selbst ist immer freundlich zu mir, aber sie wirkt bedrückt. Inzwischen haben wir den Garten vom Unkraut befreit und Erbsen, Karotten und Salat gepflanzt. Es ist Sommer, der Sommer 1943. An der Hauswand blühen die Malven. Wenn jemand über unseren Zaun sehen würde, könnte er drei ganz gewöhnliche Frauen bei der Gartenarbeit beobachten. Die Tochter redet den ganzen Tag. Sie ist siebzehn Jahre alt, ein hübsches Mädchen mit langen blonden Zöpfen, die mich behandelt wie eine ältere Freundin oder Schwester. Meine Helferin und ich arbeiten schweigend nebeneinander. Sie gibt mir nicht das Gefühl, eine Last für sie zu sein, aber sie macht sich Sorgen um ihren Mann, das sehe ich. Und ich weiß nicht, wie ich sie trösten kann.

Von ihrem Mann kommt keine Nachricht. Vielleicht hatte mich damals mein Gefühl nicht getrogen, dass wir beobachtet würden. Je länger ich hier wohne, desto mehr wächst die Angst. Ist dies das richtige Versteck für mich? Bei der Gestapo wird er bestimmt verhört. Irgendwann wird er mich vielleicht verraten.

Bisher habe ich Glück gehabt. Diesmal will ich mich darauf nicht verlassen. Auch wenn es bedeutet, dass ich alles zurücklassen muss, alles, was mir noch von meiner Familie geblieben ist. Sie waren mir so wichtig, die Möbel, die Lampen, die Bilder. Jetzt habe ich Angst, dass mir das alles zum Ballast wird. Damals hat es meine Mutter davon abgehalten, uns rechtzeitig zu retten. Diesen Fehler will ich nicht wiederholen.

Meine Helferin will mich nicht gehen lassen. «Ich habe es ihm versprochen! Warte noch ein bisschen. Bis er wieder da ist.»

Was soll ich ihr sagen? Dass ich daran zweifle, dass er überhaupt wiederkommt?

«Ich brauche ein neues Versteck», sage ich.

Sie zögert.

«Vielleicht habe ich eine Adresse. Zwei Schwestern. Ich kenne sie nicht, aber ich glaube, sie wären die Richtigen.»

Am nächsten Morgen frühstückt sie in Eile, setzt ihren Hut auf und verabschiedet sich: «Bis heute Abend!»

«Wohin fährst du?», fragt die Tochter erschrocken.

«Nach Berlin.»

Ich bleibe im Haus. Ich betrete nicht einmal mehr den Garten, will nicht gesehen werden an diesem Tag, der hoffentlich mein letzter hier ist. Ein wenig fühlt es sich an, als sei ich schon fort. Am frühen Abend ist die Frau wieder da. Sie tritt in die Küche, als ich am Tisch sitze und Erbsen schäle, um mich zu beruhigen. Sie nickt mir kurz zu. «Sie wissen, dass du kommst.» Sofort gehe ich in mein Dachzimmer und packe den kleinen Koffer. Meine Kleider, ein paar Fotos, die Bernsteinkette und das Adressbuch. Alles andere lasse ich zurück.

«Was ist mit den Möbeln?», fragt mich das Mädchen.

«Bewahrt sie für mich auf», sage ich, «bis es vorbei ist.»

Als ich schon an der Tür stehe, gibt die Frau mir ein Bild ihrer Tochter. «Zur Erinnerung», sagt sie.

Ein letztes Mal den Pfad am Fluss entlang, hinunter zu

dem kleinen Steg, an dem die Fähre anlegt. Ich bin der einzige Passagier. Ich gebe dem Fährmann eine Münze, er greift nach meiner Hand, um mir beim Einsteigen zu helfen.

Die Nachmittagssonne glitzert auf der Wasseroberfläche. Alles ist still, bis auf das Kratzen von Holz auf Holz, wenn der Fährmann mit seinem Stab über die Bootswand schabt, und das leise Plätschern der Wellen am Bug. Ich sitze still, mein Köfferchen auf dem Schoß, und halte das Gesicht in die Sonne. So kann ich mir fast vorstellen, in einem Boot auf dem Scharmützelsee zu sein, an einem der langen Sommertage meiner Kindheit. Dann fällt mir ein, dass ich das Foto von Philipp Lewin zurückgelassen habe. Seltsamerweise tut es mir um dieses Foto im Augenblick am meisten leid.

Mein neues Versteck liegt wieder im Berliner Westen. Ich mag die beiden Schwestern sofort. Die ältere ist etwa Ende vierzig, sie strahlt Ruhe und Besonnenheit aus. Die jüngere ist klein und mager, mit dünnem mausbraunem Haar. Sie ist immer in Bewegung und hat ein nervöses Lachen. Die Schwestern sprechen gleich offen mit mir, über alles, auch über Hitler. Ihr Hass auf Hitler ist leidenschaftlich.

An die Wohnung habe ich nur verworrene Erinnerungen, obwohl ich sehr lange dort gewesen sein muss: ein Panoptikum aus Zimmern, die auf geheimnisvolle Weise ineinander übergehen. Das Zimmer der jüngeren Schwester ist das erste direkt neben der Eingangstür. Mit ihr teile ich das große Doppelbett. Mitten im Zimmer steht ein Tisch und an der Wand ein wuchtiger Schrank. In meiner Phantasie betritt man das Zimmer der älteren Schwester durch diesen Schrank.

Die jüngere Schwester behandelt mich sofort wie eine gute Freundin. Sie macht mir Komplimente.

«Du hast schönes Haar», sagt sie eines Abends vor dem Zubettgehen. «Soll ich es dir kämmen?»

Während sie mir die Haare zur Seite kämmt, streicht sie

mit der Hand über meinen Nacken, ganz zart. Ich spüre die Spitzen ihre kalten, zitternden Finger, als ob eine Feder mich streifte oder ein vorbeischwimmender Fisch. Irgendwann legt sie den Kamm zur Seite. Schweigend gehen wir zu Bett, und sie löscht sofort das Licht. Ich liege auf dem Rücken, mit offenen Augen, und höre auf ihren Atem. Erst ist er flach und leicht, dann wird er ruhig und gleichmäßig, aber ich werde den Gedanken nicht los, dass sie nur so tut, als schliefe sie.

Ihre Annäherungsversuche werden immer unmissverständlicher. Jedes Mal weise ich sie zurück. Aber ich habe Angst, sie vor den Kopf zu stoßen. Schließlich bin ich ihr und ihrer Schwester Dankbarkeit schuldig. Es gefällt mir bei ihnen, und ich will unbedingt hierbleiben. Die nächsten Tage lebe ich in Ungewissheit. Werden sie mich fortschicken? Die jüngere Schwester ist fröhlich wie immer, sie weicht nicht einmal meinem Blick aus. Irgendwann gibt es keine Komplimente, keine Andeutungen mehr. Sie hat verstanden. Nachts teilen wir das Bett miteinander, ohne dass sie mich berührt.

Nach einer Weile erfahre ich mehr über die Schwestern. Sie haben noch weitere Geschwister und eine Nichte etwa in meinem Alter. Sie wohnt außerhalb Berlins, ist verheiratet und hat ein Kind. Um mich im Notfall ausweisen zu können, darf ich ihren Geburtsschein benutzen. Es ist ein Dokument ohne Foto, bei einer Kontrolle würde es mir nicht viel nützen. Aber zumindest habe ich eine neue Identität, die ich benutzen kann. Mich als eine Person auszugeben, die wirklich existiert, gibt mir mehr Sicherheit, als mir Namen auszudenken. Meine Helferinnen gehen damit ein großes Risiko ein: Wenn mich die Gestapo mit diesen Papieren in der Tasche verhaften würde, wäre auch ihre Familie in Gefahr.

Die Schwestern teilen alles mit mir. Wir haben wenig, aber gerade genug zu essen. Die Kartenrationen werden immer kleiner, aber ich bleibe selten hungrig. Womit die Schwestern ihren Lebensunterhalt verdienen, weiß ich nicht. Oft verlassen sie die Wohnung, um Freunde, ihre andere Schwester oder die Nichte zu besuchen. Manchmal erzählen sie mir, wohin sie gehen, manchmal nicht. Wenn sie es nicht tun, nehmen sie oft ein halbes Brot mit, ein Glas Marmelade, etwas Tee oder einen Henkelmann mit Suppe.

Eines Tages komme ich dazu, als die jüngere Schwester im Flur steht und sich ihre Handschuhe anzieht. Sie ist im Begriff, die Wohnung zu verlassen. Kurz vorher hat sie Brot und Margarine in eine Einkaufstasche gewickelt und in ihre Handtasche gesteckt. Zum ersten Mal wage ich zu fragen: «Wohin gehst du?»

Sie schaut mir offen ins Gesicht und lächelt.

«Du bist nicht die Einzige.»

«Ein Jude?»

«Ein Mann. Schon älter. Mehr kann ich dir nicht sagen.»

Ich nicke. Mehr will ich auch nicht wissen.

Ich frage mich, wie sie es schaffen, auch ihn noch mit ihren knappen Lebensmittelrationen zu versorgen. Wahrscheinlich bekommen sie Unterstützung von ihren Geschwistern. Vielleicht kaufen sie Lebensmittel vom Schwarzmarkt dazu.

Es ist der Spätherbst 1943. Die Bombenangriffe werden häufiger und machen mir schreckliche Angst, weil ich nicht wie die anderen in den Luftschutzkeller gehen kann. Wenn die Flieger kommen, gehe ich ins Bett oder setze mich aufs Sofa und verkrieche mich unter einer Decke, als ob sie mich vor den Bomben schützen könnte. Ich sitze zusammengekauert, während die Bomben fallen, und warte. Noch bleibt unsere direkte Nachbarschaft meist verschont, aber ich höre die Geräusche, die fernen Detonationen, die Sirenen, Brandgeruch steigt mir in die Nase. Ich fühle mich, als wäre ich der einzige Mensch in der ganzen Stadt, der nicht vor den Fliegern unter die Erde flüchtet. Gleichzeitig kann ich die Flieger unmöglich hassen, denn die Luftangriffe sind ein Zeichen, dass die Nazis nicht unangreifbar sind. Je schlimmer dieser Krieg wird, desto wahrscheinlicher, dass ich ihn überleben werde.

Ich bin wieder einmal allein in der Wohnung, als es an der Tür klingelt: ein harmloses, alltägliches Geräusch, das mir mehr Angst macht als das Heulen der Sirenen bei Fliegeralarm. Immer wieder die Entscheidung: Öffnen oder nicht? Das Türklingeln kann alles bedeuten: die Ankunft eines vertrauten Menschen, die Verhaftung.

Ich öffne. Zwei Männer stehen im Treppenhaus. Schon wieder zwei Männer.

Ich reiße mich zusammen: «Ja, bitte?» Ich hoffe, dass meine Stimme freundlich und unschuldig klingt.

Ohne zu grüßen, treten die Männer ein. Sie fragen nach den Schwestern.

«Sie sind nicht hier», sage ich.

«Und wer sind Sie?»

«Die Nichte.»

Dann nennen sie einen Namen: «Kennen Sie den Herrn?»

«Nein.» Ich kenne ihn nicht, ich vermute, dass dies der Name des Mannes ist, den die Schwestern ebenfalls verstecken.

«Wo sind Ihre Tanten?»

«Sie besuchen Verwandte. Außerhalb der Stadt.»

«Also auch Ihre Verwandte.»

«Nicht direkt.»

«Haben Ihre Tanten viele Freunde? Kennen Sie sie?»

«Nein», sage ich, «ich wohne nicht in Berlin.»

«Was machen Sie dann hier?» Ich suche nach einer Antwort, nicht zu simpel, aber auch nicht zu abenteuerlich.

«Ich wollte etwas besorgen», sage ich. «Meine Tanten haben mich in die Wohnung gelassen, damit ich mich ausruhen kann.»

«Wie heißen Sie?»

Das ist einfach. Ich nenne den Namen der Nichte.

«Geburtsdatum?»

Totenstille. Bisher hatte ich auf alles eine Antwort, doch plötzlich ist nur noch Leere in meinem Kopf. Alles ist weg. Mein Gehirn funktioniert nicht mehr. Das Geburtsdatum der Nichte. Eigentlich weiß ich es, ich habe hundertmal auf die Geburtsurkunde gestarrt, habe mir das Datum eingeprägt. Doch jetzt ist da nichts mehr. Ich schweige schon viel zu lange. Innerlich schreie ich um Hilfe. Zu wem, zum lieben Gott? Ich weiß, wenn ich jetzt nichts sage, ist es vorbei. Die Urkunde liegt im Zimmer der jüngeren Schwester, auf dem Tisch, unter anderen Papieren, ich habe sie mir noch gestern angeschaut. Jetzt würde ich alles geben, um auch nur einen Blick darauf werfen zu können.

«Na, na», sagt einer der Männer, diesmal fast freundlich, «Sie brauchen doch nicht nervös zu sein!»

Ich schaue ihn an. Er hat ein ganz gewöhnliches Männergesicht, ein Beamtengesicht. Es ist fast absurd, dass ich ihn fürchten muss.

Plötzlich weiß ich es wieder. Ich nenne das Datum.

«Ja, dann», sagt er, «auf Wiedersehen.»

Die Männer drehen sich um und gehen. Ich schließe die Tür hinter ihnen.

Erst jetzt kommt die Angst. Sie kriecht in alle Glieder. Ich bin wieder davongekommen. Wenn sie Verdacht geschöpft hätten, wäre nicht nur ich verhaftet worden, sondern auch die Schwestern, vielleicht auch ihre Nichte, die doch ein kleines Kind hat. Der Mann, den sie verstecken, wäre auf sich allein gestellt. Die Schwestern hätten ihm kein Essen mehr gebracht, und irgendwann hätte er sein Versteck verlassen müssen.

Als ich darüber nachdenke, was alles hätte geschehen können, werde ich plötzlich ruhig. Ich weiß, was ich tun muss. Ich packe meinen Koffer. Zum Schluss stecke ich die Geburtsurkunde der Nichte in meine Tasche. Den Schwestern hinterlasse ich eine kurze Nachricht. Wieder verschwinde ich über die Hintertreppe. Diesmal weiß ich nicht, wohin ich gehen soll. Diesmal habe ich keine neue Adresse.

## Kapitel 6
## Der Nazi und die Schweinehälften: Versteckt bei Camplairs

Wohin gehe ich? Ziellos laufe ich durch die Straßen. Es ist schon Spätherbst und kühl. Ein Dreivierteljahr ist vergangen, seit ich untergetaucht bin, damals, im Winter. Jetzt kommt bald ein neuer Winter.

Während ich laufe, versuche ich mich zu konzentrieren. Wer ist noch in der Stadt, wem kann ich überhaupt noch vertrauen? Ich habe gelernt, dass ich von niemandem Hilfe erwarten kann, aber auch, dass Hilfe manchmal von unerwarteter Seite kommt. Völlig fremde Leute haben für mich ihr Leben riskiert. Meine eigene Tante dagegen hat mich fortgeschickt.

Seit einem Dreivierteljahr habe ich keinen von meinen Freunden und Verwandten mehr gesehen. Alle Juden sind wahrscheinlich schon abgeholt oder von der Deportation bedroht, und die einzige Nichtjüdin, die ich kenne, ist Tante Anna.

Plötzlich kommt mir ein Gedanke. Als wir damals unseren Hausrat zu Anna bringen ließen, hatten zwei junge Männer die Möbel abgeholt, Kollegen ihres Sohnes Egbert, der beim Autohändler von Carnap & Franck am Kurfürstendamm als Verkäufer angestellt war. Vermutlich ist er es noch immer, und auch die beiden Männer, die beim Transport geholfen hatten, arbeiten vielleicht noch dort. Als sie unsere Möbel abholten, unterhielt ich mich mit ihnen. Sie sprachen es nicht aus, aber sie hatten Mitleid mit uns, das konnte ich sehen. Der eine, Herr Wehrli, war dunkelblond und trug eine Brille. Er kam aus der Schweiz. Der andere hatte dunkles Haar und sprach Deutsch mit einem weichen, schleppenden Akzent, ein Ungar.

Jetzt habe ich ein Ziel. Ich laufe den Kurfürstendamm hinunter. Schließlich stehe ich vor dem Autohaus. Es besteht aus einem Geschäft und einer Garage. Im Geschäft werden die Autos zum Verkauf angeboten, und ich habe Angst, dort Egbert in die Arme zu laufen. Nach allem, was geschehen ist, vertraue ich ihm nicht mehr.

Ich suche den Eingang zur Garage und finde ihn schließlich, etwas versteckt an der Seite des Gebäudes. Vorsichtig schiebe ich die Tür auf.

Unter einem aufgebockten Auto liegt ein Mann in Monteurskleidung. Ein anderer kramt in einer Kiste mit Schrauben und dreht sich nach mir um. Es ist Herr Wehrli. Als er mich sieht, kommt er auf mich zu und schüttelt mir die Hand. Der andere Mann kriecht unter dem Auto hervor. Ich habe Glück. Es ist der Ungar. Sie wissen sofort, wer ich bin.

«Was machen Sie denn hier?», fragt Wehrli. «Ich dachte, Sie sind längst nicht mehr in Berlin.»

«Ich bin noch hier.»

«Wo ist Ihre Mutter? Und Ihr Bruder?», fragt der Ungar.

«Sie sind abgeholt worden. Schon vor einem Jahr.»

Die beiden Männer schauen mich betreten an.

«Ich brauche einen Platz zum Schlafen», sage ich. «Bitte. Nur für eine Nacht. Ein paar Nächte.»

«Aber wo sollen wir Sie denn unterbringen?», fragt Herr Wehrli. «Was können wir denn tun?»

Ich mache ein paar Schritte zurück zur Tür, in der Hoffnung, dass sie mich aufhalten. Ich will nicht gehen. Ich weiß nicht, wohin. Deshalb setze ich alles auf eine Karte. Die beiden müssen mir einfach helfen, und wenn es bedeutet, dass ich mich ganz diesen fremden Männern ausliefern muss.

«Sonst muss ich auf einer Parkbank schlafen», sage ich. «Oder ich stelle mich gleich der Polizei.»

«Warten Sie!» Herr Wehrli nimmt seine Brille ab, wischt sie an seiner Arbeitshose sauber und setzt sie wieder auf.

«Wenn es nur für ein paar Nächte ist ... In einem der Autos können Sie schlafen. Aber passen Sie auf, dass Sie niemand sieht.»

Gegen sieben Uhr gehen Herr Wehrli und der Ungar nach Hause. Sie wünschen mir eine gute Nacht und löschen das Licht. Ich bleibe allein in dem riesigen stockdunklen Raum und versuche, es mir auf der schmalen Rückbank eines der Autos so bequem wie möglich zu machen. Die Polster sind glatt und klamm. Irgendwo habe ich eine raue Transportdecke aus Filz gefunden, in die ich mich notdürftig einwickele.

Ich wache auf, als es hell wird, lange bevor meine Helfer kommen. Es gibt eine Toilette und ein Waschbecken, die ich benutzen darf. Kaum habe ich mich gewaschen und meine Kleider ein bisschen in Ordnung gebracht, als auch schon Herr Wehrli und der Ungar die Garage betreten, früher als gewöhnlich, damit sie mich hinauslassen können, bevor die übrigen Angestellten eintreffen.

Den ganzen Tag lang laufe ich durch die Straßen rund um den Kurfürstendamm. Viele Uniformen sind zu sehen, Soldaten auf Heimaturlaub. Ich meide die Blicke der Menschen. Ich habe Angst, jemandem zu begegnen, der mich erkennt. Ich habe Angst, mich durch irgendetwas als Jüdin zu verraten, trotz meiner «arischen» Nase und des silbernen Kreuzes, das ich demonstrativ über dem Mantel trage.

Mehrere Nächte schlafe ich in der Garage. Am meisten muss ich Egbert fürchten, meinen eigenen Cousin.

Eines Morgens sagt Wehrli: «Ich glaube, er hat was gemerkt.»

«Was hat er gemerkt?», frage ich erschrocken.

«Dass hier jemand ist. Keine Ahnung, ob er vermutet, dass Sie es sind. Aber er hat einen Verdacht. Neuerdings komme ich immer als Erster und gehe als Letzter. Vielleicht hat er auch irgendetwas gesehen. Er sagt, das mit den Heimlichkeiten muss aufhören. Wir müssen Sie fortschaffen.»

«Aber wohin?»

«Ich habe mir schon etwas überlegt», sagt Wehrli. «Wir fragen Herrn Sommer. Unseren Einkäufer. Er fährt durch ganz Deutschland und kauft gebrauchte Autos. Neue gibt es ja schon lange nicht mehr.»

«Kann man ihm vertrauen?»

«Der findet für alles eine Lösung.»

«Wo ist er jetzt?»

«Seit drei Wochen ist er unterwegs. Eigentlich sollte er längst zurück sein. Aber Sie müssen sofort hier verschwinden. So lange können Sie bei mir auf dem Sofa schlafen.» Wehrli schaut verlegen zur Seite. «Ich habe allerdings nur ein kleines Zimmer bei einer Wirtin.»

Der Gedanke, allein mit einem Mann in einem Zimmer schlafen zu müssen, ist mir nicht geheuer. Doch ich habe keine Wahl.

Vorsichtig schleust mich Herr Wehrli in die Wohnung und durch den Flur in sein Zimmer. Die Wirtin darf nichts merken. Ich bewege mich nur auf Zehenspitzen.

Im Zimmer unterhalten wir uns flüsternd. Doch wenn ich die Toilette und das Waschbecken benutzen will, muss ich aus dem Zimmer gehen und über den Flur. Jedes Mal warte ich, bis sich die Wirtin zurückgezogen oder schlafen gelegt hat. Vorsichtig setze ich einen Fuß vor den anderen, immer genau in die Mitte der Dielen, nicht auf den Rand, damit der Holzboden nicht knarrt.

Das Zubettgehen zögern wir beide hinaus, solange es geht.

«Sind Sie nicht müde?», fragt Wehrli schließlich. «Sie können in meinem Bett schlafen. Ich nehme das Sofa.»

«Auf keinen Fall», sage ich. «Ich schlafe auf dem Sofa.»

Als ich mich umziehe, dreht er sich höflich zur Wand.

Einige Nächte verbringe ich bei Herrn Wehrli, immer in der Angst, die Vermieterin könnte mich entdecken. Morgens verlasse ich früh die Wohnung. Es ist zu riskant, im Zimmer zu bleiben, falls die Wirtin hereinkommt, um aufzuräumen oder zu putzen.

Eines Abends, als wir uns bei ihm treffen, sagt mir Herr Wehrli, ich solle später zu einer bestimmten Uhrzeit in die Garage kommen. «Herr Sommer ist wieder da.»

Ich bin nervös, obwohl mich Wehrli selbst zur Garage bringt. Der Verkaufsraum ist bereits geschlossen. In der großen, dunklen Werkhalle stehen zwei Männer, einer ist der Ungar, den anderen kenne ich nicht.

«Gerhard Sommer.» Er gibt mir die Hand. Ich brauche nichts zu erzählen, er weiß bereits alles von den beiden Männern.

Herr Sommer ist Anfang vierzig. Drahtig, immer in Bewegung. Er redet schnell und hört kaum zu, aber er schaut mir neugierig ins Gesicht.

«Gut», sagt er, «Sie kommen gleich mit mir.»

Wir gehen zu Fuß den Kurfürstendamm entlang, dann die Tauentzien bis zum Wittenbergplatz. Wir sind schon fast in Schöneberg. Nach einer Weile bleibt er an der Ecke zur Kalckreuthstraße stehen. Ich erkenne die Straße sofort wieder, hier bin ich ein Jahr lang jeden Tag zur Schneiderlehre in den Salon von Frau Lang-Nathanson gegangen.

Herr Sommer biegt in die Kalckreuthstraße ein. Ich bin ganz außer Atem, er macht so große Schritte, dass ich kaum mithalten kann.

Die Leute, bei denen mich Herr Sommer unterbringen will, sind weder überrascht, ihn zu sehen, noch darüber, dass er jemanden mitbringt.

«Camplair», stellen sie sich vor, «Irmgard und Hugo.» Frau Camplair hat ein sanftes Gesicht und schwarze Haare. Herr Camplair ist groß, noch größer als Herr Sommer, aber schlank und langgliedrig. In der Hand hält er eine Zigarette, seine Finger sind gelb von Nikotin, ab und zu hustet er rasselnd, wenn er spricht. Seine Stimme ist laut und tief. Ein Offizierstyp. Irmgard Camplair dagegen hat etwas Mütterliches an sich. Ich mag beide sofort.

Frau Camplair führt mich durch die Wohnung. Sie zeigt mir Wohnzimmer und Schlafzimmer. Die übrigen Türen bleiben geschlossen. Offensichtlich leben sie selbst nur zur Untermiete.

«Sie haben sicher Hunger», sagt sie. Da erst fällt mir ein, dass ich seit dem frühen Morgen nichts mehr gegessen habe. Wir gehen zurück in die Küche, und Frau Camplair beginnt, das Abendbrot zu bereiten. Sie wärmt sogar etwas Suppe auf. Ich esse schweigend, halb in Trance, während sich Camplairs mit Herrn Sommer unterhalten. Ich bin so benommen vor Müdigkeit, dass ich kaum verstehe, was sie sprechen. Ich bemühe mich nicht einmal, dem Gespräch zu folgen, denn ich bin hungrig, und vor mir steht das beste Essen, das ich seit langem gegessen habe. Irgendwann verabschiedet sich Herr Sommer, und Frau Camplair macht mir ein Bett auf dem Sofa im Wohnzimmer. Sie breitet ein weißes Laken über die Polster und bezieht eine warme Wolldecke. Dann lässt sie mich allein. Ich lege mich sofort schlafen. Das Sofa ist breit und bequem, fast wie ein richtiges Bett. Die Wäsche riecht nach Stärke und frischer Luft. Nach all den Nächten in der eiskalten Werkstatt und auf Herrn Wehrlis schmalem, hartem Sofa habe ich wieder einen Ort, an dem ich bleiben kann.

Am nächsten Morgen treffe ich Camplairs in der Küche beim Frühstück. Es riecht nach echtem Bohnenkaffee. Frau Camplair gießt mir eine Tasse ein, und ich setze mich zu Hugo Camplair an den Tisch.

«Haben Sie gut geschlafen?»

Ein ganz banaler Gruß, und doch habe ich so eine Frage schon lange nicht mehr gehört. Zum ersten Mal fühle ich mich in einem meiner Verstecke nicht wie eine Fremde, sondern wie ein Gast.

«Danke, sehr gut.»

«Ich muss Sie warnen», sagt Hugo. «Wir wohnen hier nicht allein.»

«Das habe ich mir schon gedacht.»

«Mein Schwiegervater.» Hugo klopft mit zwei Fingern seiner rechten Hand an sein Revers.

«Er trägt den Bonbon», sagt er. «Das Abzeichen.»

«Er ist in der Partei?»

«Sogar mit einer niedrigen Parteinummer», meint Hugo. «Ich sage ihm immer wieder, dass er das Ding abnehmen soll.»

«Und wenn er uns anzeigt?», frage ich.

«Der hat selbst genug Dreck am Stecken.»

In diesem Moment erscheint Irmgards Vater in der Küche, ein älterer, harmlos aussehender Herr. Er setzt sich, ohne mich eines Blickes zu würdigen.

«Bald suchen wir uns eine neue Wohnung», sagt Hugo laut zu mir. «Hier wird es allmählich zu eng.»

Einige Tage später taucht Herr Sommer wieder bei Camplairs auf und verkündet, er habe eine passende Wohnung gefunden. «Für euch alle drei. Und Gretchen könnt ihr auch zu euch holen.»

Zum ersten Mal höre ich diesen Namen.

Wir bekommen eine neue Wohnung in der Fasanenstraße, ganz in der Nähe des Kurfürstendamms. Die Straße ist mit kleinen, glatten, schwarz glänzenden Steinen gepflastert, die Häuser haben ausladende Balkone, breite Eingangstreppen mit geschnitzten Geländern und Fahrstühle mit schmiedeeisernen Gittertüren. In eines dieser Häuser ziehen wir ein, Camplairs mit ihren wenigen Möbeln und Kisten, ich mit meinem kleinen Köfferchen.

Die Wohnung in der Fasanenstraße Nummer 70 hat sechs Zimmer und ist bereits komplett eingerichtet. Sie gehört einem der Inhaber der Autofirma von Carnap und Franck, der noch ein Haus außerhalb Berlins besitzt, in dem er mit seiner Familie wohnt, und nun befürchtet, dass man ihm Ausgebombte in seine Stadtwohnung setzen könnte. Damit er sie behalten kann, hat er sich auf Herrn Sommers Rat entschlossen, Camplairs dort einzuquartieren.

Hugo Camplair stammt aus einer Hugenottenfamilie. Obwohl sie sich mir als Frau und Herr Camplair vorgestellt hatten, sind Hugo und Irmgard kein Ehepaar. Als sie heiraten wollten, hatten die Nazis bereits die Bestimmung eingeführt, dass sich Paare vor der Hochzeit einem Bluttest unterziehen müssen. Um die «Reinheit des Blutes» zu erhalten, wurde Menschen mit chronischen Krankheiten oder Erbleiden ein Heiratsverbot erteilt. Bei dieser Blutuntersuchung stellte sich heraus, dass Hugo Camplair Tuberkulose hatte. Nach den Gesetzen der Nationalsozialisten durfte er weder Kinder zeugen noch heiraten. Dennoch lebten Irmgard und Hugo von diesem Zeitpunkt an wie ein Ehepaar.

Für unseren Umzug hat dieses Arrangement einen Vorteil: Inzwischen sind durch die vielen Bombenschäden Wohnungen knapp geworden, sie werden jetzt offiziell zugeteilt. Da Hugo und Irmgard nicht verheiratet sind, hat jeder Anspruch auf ein eigenes Zimmer. Um die gesamte riesige Wohnung in der Fasanenstraße anmieten zu können – denn eine große Wohnung brauchen sie schon meinetwegen –, holen sie auch ihre Nichte zu sich, der ebenfalls ein Zimmer zusteht. Das vierte Zimmer mietet Herr Sommer. Er wohnt eigentlich im Rheinland und musste bisher immer in einer Pension absteigen. Jetzt kann er bei uns übernachten, wenn er von seinen Einkaufsreisen zurückkehrt.

Auch ich habe ein eigenes Zimmer. Das Wunderbarste aber ist, dass ich Gretchen kennenlerne. Als sie zur Tür hereinkommt, erinnert mich ihr breites Lächeln an das ihrer Tante. Aber Gretchen ist größer und kräftiger als Irmgard, sie hat hellbraune Locken und strahlt eine fast hemmungslose Fröhlichkeit aus.

Zum ersten Mal seit meinem Untertauchen bin ich wieder mit einer Gleichaltrigen zusammen. Gretchen ist zwei Jahre jünger als ich und Waise, die uneheliche Tochter von Irmgards Schwester. Ihren Vater hat sie nie gekannt, und ihre Mutter ist gestorben, als Gretchen noch sehr jung war. Nachdem sie zuvor bei anderen Verwandten gewohnt hatte, kommt sie nun zu Camplairs.

Ich habe eine Freundin! All die Monate zuvor war ich nur von älteren Leuten umgeben. Seit meinem Untertauchen musste ich mich immer wieder neu auf die Eigenheiten von Menschen einstellen, die meine Eltern oder Großeltern hätten sein können. Ich musste mich zusammenreißen, meinen Helfern gefallen, ihnen nicht widersprechen, gehorchen, schweigen.

Ich durfte mich nicht gehenlassen. Ich durfte nicht jung sein. Jetzt, mit Gretchen, bin ich freier als jemals in meiner Untergrundzeit. Noch immer muss ich mich verstecken. Aber ich habe jemanden, der mich versteht, der fühlt und denkt wie ich, schon allein, weil er jung ist wie ich.

Hin und wieder ist Irmgards Vater zu Besuch. Er bleibt nie lange, und jedes Mal macht ihm Hugo unmissverständlich klar, dass er alles, was er in dieser Wohnung sieht, wieder vergessen und mit niemandem darüber sprechen soll. «Wenn du deine Klappe hältst, halte ich meine auch.» Merkwürdigerweise scheint sich Hugo völlig sicher zu sein, dass sein Schwiegervater schweigen wird.

Eines Abends kommt Herr Sommer von einer seiner Reisen zurück und macht Station bei uns. Als ich am nächsten Morgen die Küche betrete, traue ich meinen Augen kaum: Der Küchentisch ist beladen mit Fleisch, Butter und Käse, auf der Anrichte stapeln sich Pakete mit Kaffee. Solche Berge von Essen habe ich in meinem Leben noch nicht gesehen.

Herr Sommer lacht, als er mich in der Tür stehen sieht. «Da staunst du, was?» Auf dem Küchentisch liegen Dutzende in Zeitungspapier gewickelte Fleischstücke und in der Mitte ein riesiger Laib holländischer Käse. Irmgard ist gerade damit beschäftigt, Butter mit der Küchenwaage in kleine Viertelpfund-Portionen abzuwiegen.

Hugo lehnt zufrieden an der Wand und raucht. «Heute Nachmittag mache ich die erste Runde.»

Jetzt wird mir klar: hier geht es um Schwarzmarktgeschäfte im großen Stil. Herr Sommer beschafft die Ware auf dem Land, und Hugo verkauft sie in Berlin.

Auf seinen Reisen kommt Herr Sommer oft bis nach Holland, das schon längst unter deutscher Besatzung ist, und bringt von dort nicht nur gebrauchte Autos mit, sondern auch große Mengen Fleisch, Wurst, Käse und Butter. All das bezieht er von Bauern, mit denen er sich angefreundet hat.

Offenbar gelingt es ihm, mit seinem Charme und seiner Frechheit die Menschen für sich einzunehmen. Genau wie Hugo redet er offen gegen Hitler, und es scheint ihm nicht zu schaden. Im Gegenteil: Die holländischen Bauern sind beeindruckt und verkaufen ihm bereitwillig, worum er bittet.

Gegen Mittag holt sich Irmgards Vater seinen Teil der Ware ab. Auch er profitiert von den illegalen Geschäften seines Schwiegersohns: Das ist es, womit Hugo seinen Schwiegervater im Griff hat.

Von diesem Tag an erscheint Gerhard Sommer einmal im Monat mit einer neuen Lieferung in der Fasanenstraße. Dann wird unsere Küche zur Fleischerei. Meist sind die Fleischbrocken riesig, manchmal haben wir sogar ein halbes Schwein oder eine viertel Kuh auf dem Küchentisch. Gretchen und ich stehen da, mit blutigen Schürzen, und zerteilen das Fleisch so gut es geht, hacken und schneiden, sägen und brechen mit allen Kräften. Dabei versuchen wir, nicht zu viele Geräusche zu machen, damit die Nachbarn keinen Verdacht schöpfen. Wenn die Knochen klein genug für den Topf sind, kochen wir gute Suppen daraus. Das Fleisch wiegen wir ab und verpacken es in Pakete zu jeweils einem Pfund.

Dann ziehen Gretchen und ich los, um die Ware zu den Kunden zu bringen. Manchmal kommen auch Leute zu uns, um ihre Ware abzuholen. Offenbar hat Hugo schon lange einen festen Kundenstamm.

Schwarzmarktgeschäfte sind gefährlich. Wer erwischt wird, dem droht Gefängnis oder Schlimmeres. Fast noch gefährlicher als das Verkaufen der Ware ist das Entsorgen der riesigen Knochen. Wir können sie nicht einfach in die Mülltonnen im Hof werfen. Abends wickeln Gretchen und ich sie in Zeitungspaper und laufen nach Einbruch der Dunkelheit durch die Straßen, um sie gleichmäßig auf möglichst weit voneinander entfernte Mülleimer zu verteilen.

Für mich ist dieses Geschäft doppelt riskant. Ich weiß es, aber ich will nicht darüber nachdenken. Ich bin bereit, alles zu tun, um Camplairs zu helfen. Und ich bin froh, endlich zu meinem Lebensunterhalt beitragen zu können. Für meine Arbeit bekomme ich sogar manchmal ein bisschen Geld. Zum ersten Mal seit einem Jahr besitze ich wieder eigenes Geld! Zum ersten Mal falle ich meinen Helfern nicht einfach nur zur Last.

Manchmal haben wir gemahlenen Kaffee, den Gretchen und ich in einer Tasche durch die Straßen tragen müssen. Wir verpacken ihn in mehrere Lagen Zeitungspapier und wickeln zum Schluss einen Schal darum. Trotzdem können wir nicht verhindern, dass uns jedes Mal eine Duftwolke umgibt, wenn wir losziehen. Wir halten Abstand zu den Passanten und hoffen, dass niemand Verdacht schöpft.

Was geschieht, falls sie uns erwischen? Eine illegale Jüdin zusammen mit ihren Helfern auf der Straße, die Taschen voller Schwarzmarktware – man würde uns alle zum Tode verurteilen oder deportieren. Trotzdem genieße ich den Nervenkitzel sogar ein wenig. Lange genug musste ich leise und unauffällig sein. Türenklingeln fürchtete ich, laute Geräusche im Flur, die Launen meiner Helfer. Diese Gefahr hier ist greifbarer. Und ich kann meine Angst bekämpfen, indem ich geschickt und vorsichtig bin.

Wir beliefern fast immer die gleichen Leute. Einige von ihnen lerne ich mit der Zeit besser kennen. Unter unseren Kunden sind viele Nazis, auch ein Mann, der ständig seinen dicken «Bonbon» trägt, wie Hugo es ausdrücken würde.

«Ach, Sie sind es! Kommen Sie doch rein!», sagt er.

«Wie geht es Ihrer Frau und den Kindern?», erkundige ich mich höflich.

Wir sitzen zusammen im Wohnzimmer. Von meinem Platz auf dem Sofa aus schaue ich genau auf das Hitlerbild, das über seinem Schreibtisch hängt.

«Danke, gut. Morgen fahre ich wieder raus.» Bei meinen Besuchen erzählt er mir jedes Mal von seiner Familie, die er zum Schutz vor Bombenangriffen in einem Dorf außerhalb Berlins untergebracht hat.

Die Angriffe werden immer massiver. Seit Ende November 1943 liegen große Teile Berlins in Trümmern. Inzwischen ist es schon Januar 1944, und kaum eine Nacht vergeht ohne Fliegeralarm.

Auch in der Fasanenstraße ist mir der Gang in den Luftschutzkeller verwehrt. Der Luftschutzwart kennt jeden im Haus. Er darf nicht wissen, dass ich überhaupt hier wohne. Bevor ich die Wohnung verlasse, warte ich jedes Mal an der offenen Tür, bis ich sicher bin, dass ich niemandem im Treppenhaus begegne.

Beim allerersten Alarm, den ich bei Camplairs erlebte, ging ich zusammen mit ihnen in den Keller, aber es blieb bei diesem einen Mal. Früher oder später hätten die Mieter gefragt, wer ich sei.

Als in der nächsten Nacht wieder die Sirenen heulten, begannen Irmgard und Gretchen sofort, ihre Notköfferchen und ein paar warme Kleider zusammenzusuchen. Ich sah ihnen dabei zu. Hugo Camplair stand in Hemdsärmeln daneben, rauchte wie ein Schlot und machte keine Anstalten, seine Sachen zu packen.

Irmgard und Gretchen zogen ihre Schuhe an und liefen zur Tür. Ich hörte, wie sie zusammen mit den anderen Mietern die Treppen hinunterklapperten.

Hugo blies Rauch aus. Ein Stück Asche fiel auf den Boden.

«Und Sie?», fragte ich. «Gehen Sie nicht runter?»

«Im Keller kriege ich Beklemmungen», sagte er. «Zu schlechte Luft. Ich bleibe hier, auch wenn es kracht. Dann merkt wenigstens keiner, wenn ich BBC höre.»

Von diesem Tag an verbringen Hugo und ich die Bombennächte gemeinsam am Radio.

Wir hören die Einschläge, die Detonationen. Die Bomben zerstören Berlin. Sie bedrohen das Leben aller Menschen hier, auch mein Leben, obwohl es mich offiziell nicht mehr gibt. Niemand, der mich kennt, weiß, wo ich bin. Wenn ich sterbe, wird es niemand erfahren. Jede dieser Bomben bringt uns dem Kriegsende ein Stückchen näher. Aber um welchen Preis?

Eines Abends, als Gretchen und ich auf dem Weg nach Hause sind, heult der Alarm plötzlich los, noch bevor wir unser Haus erreichen. Wir sind nur wenige Meter davon entfernt, aber wir hören schon den Lärm der Flugzeuge und wissen, dass keine Zeit bleibt, auch nur ein paar Schritte weiter zu gehen. In letzter Sekunde drücken wir uns in einen Hauseingang. Die Bomben fallen, wir hören, wie sie durch die Luft zischen, hören die Einschläge, so nah, wie wir es selten erlebt haben. Feuerwehrsirenen kommen näher, dann ein schrecklicher Einschlag, alles bebt und zittert, Scheiben klirren. Wir hoffen, dass es nicht die Nummer 70 ist. Wir sind ganz allein, kein Mensch ist auf der Straße. So stehen Gretchen und ich lange Zeit und klammern uns aneinander. Überall ist Rauch, er dringt in unsere Lungen, und es ist stockfinster. Durch die Verdunklungen dringt kein Licht nach draußen, die Straßenbeleuchtung ist ausgeschaltet. Das einzige Licht stammt vom Feuerschein der brennenden Häuser.

Irgendwann ist es vorbei.

Als wir endlich wagen, uns zu rühren, und aus dem Hauseingang heraustreten, sehen wir, dass unser Haus noch steht. Aber ganz in der Nähe ist eine Bombe eingeschlagen. Das Haus ist völlig zerstört.

Ein neues Jahr hat begonnen, 1944. Inzwischen habe ich das Gefühl, dass es gut wäre, mir noch eine zweite Unterkunft zu organisieren. Ich fürchte, dass man mich bei Camplairs zu oft sieht, dass irgendwann jemand im Haus Verdacht schöpft. Ich muss einen Ort finden, wohin ich ab und zu verschwinden kann.

Eines Tages beliefere ich wieder den Nazi, mit dem ich mich immer über seine Familie auf dem Land unterhalten habe.

Er freut sich, mich zu sehen. «Wie geht es Ihnen?»

«Ach», sage ich. «Ich schlafe keine Nacht mehr.»

«Sie sehen ein bisschen blass aus. Immer dieser Alarm. Sie müssen mal richtig ausschlafen.»

Ich nutze die Gelegenheit. «Wissen Sie nicht etwas für mich?», frage ich. «Ein Zimmer auf dem Land? Ich könnte ein paar Tage Ruhe gebrauchen.»

Er schaut mich mitleidig an und nickt. «Ich höre mich um. Gleich am Wochenende.»

Wenig später beziehe ich ein Zimmer zur Untermiete in einem kleinen brandenburgischen Dorf. Das Zimmer ist winzig. Es liegt direkt unter dem Dach, nur ein Bett und ein kleines eisernes Öfchen stehen darin.

Durch den Schwarzhandel habe ich eigenes Geld und kann

meine Miete zahlen. Doch es fehlt mir an allem, was nicht für Geld zu haben ist. Ich bin immer froh, wenn ich ein bisschen Holz auftreiben kann, um das Zimmer zu heizen. Da ich keine Lebensmittelkarten habe, kann ich mir nicht einfach etwas zu essen kaufen. Ich muss einen Weg finden, mir etwas zu beschaffen, ohne dass die Leute im Dorf merken, dass ich keine Marken habe. Denn wer keine Marken hat, der darf nicht existieren.

Durch meine Vermieter höre ich, dass die Nachbarn dringend jemanden suchen, der ihre Flickarbeiten übernehmen und einige Kleider ändern kann. Bald habe ich mehr Aufträge, als ich annehmen kann. Als Gegenleistung für meine Arbeit bekomme ich ein wenig Geld, aber viel willkommener sind mir Lebensmittel oder ein warmes Mittagessen.

Ich bleibe jeweils ein paar Tage oder eine Woche auf dem Land, dann fahre ich nach Berlin zurück. In dem kleinen Dorf darf ich mich nicht ständig aufhalten. Ich muss die Rolle der erschöpften jungen Frau aus der Stadt spielen, die Schutz vor den Bombenangriffen sucht.

Das Zugfahren wird immer gefährlicher. Immer öfter patroulliert Militärpolizei durch die Züge und sucht nach Deserteuren. Auch Frauen im arbeitsfähigen Alter werden kontrolliert. In den Fabriken wird jede Arbeitskraft gebraucht.

Eines Tages spricht mich während einer dieser Fahrten aufs Land ein junger Soldat an.

«Wohin fahren Sie?»

Ich nenne den Namen des Ortes, in dem ich mein Zimmer habe.

«Meine Eltern wohnen ganz in der Nähe», sagt er. «Ich bin auf Urlaub. Wir könnten uns treffen. Was meinen Sie? Ein bisschen spazieren gehen?»

Wir unterhalten uns eine Weile. Ich erzähle ihm meine Geschichte, die von der übermüdeten Berlinerin, die sich vor den Bombenangiffen in Sicherheit bringen will. Offenbar gefalle ich ihm. Er will sich verabreden, für den nächsten Tag, in meinem Dorf, unten am Fluss.

Am nächsten Tag spazieren wir am Fluss entlang. Ein Soldat und ein junges Mädchen: ein ganz gewöhnlicher Anblick in diesen Tagen. Schließlich lädt er mich ein, ihn für einige Tage zu besuchen. «Ich möchte Sie meinen Eltern vorstellen.»

Ich sage zu, ich weiß selbst nicht genau, warum. Vielleicht kann mir dieser Soldat nützlich sein. Es ist seltsam, denen nahe zu sein, die ich eigentlich fürchten müsste. Paradoxerweise kann ich mich bei ihnen fast sicherer fühlen als bei meinen Helfern. Bei ihnen wird mich niemand suchen.

Ich fahre mit dem jungen Soldaten in das Nachbardorf. Seine Eltern laden mich zum Essen ein. Sie freuen sich, dass ihr Sohn ein Mädchen gefunden hat. Gemeinsam sitzen wir am Tisch, ein Wehrmachtssoldat, seine Eltern – und ich, eine untergetauchte Jüdin.

Nach dem Essen mache ich Anstalten zu gehen. «Kommt gar nicht in Frage», sagt die Mutter, «mitten in der Nacht! Und wenn es Fliegeralarm gibt? Sie bleiben hier. Ich richte Ihnen ein Bett im Herrenzimmer.»

In dieser Nacht schlafe ich so tief und fest wie lange nicht mehr.

Noch einen ganzen Tag und eine Nacht bleibe ich bei ihnen. Die Eltern des Soldaten behandeln mich schon fast wie ihre Schwiegertochter. Offenbar war die Einladung des Soldaten nicht ganz uneigennützig. Hofft er, dass ich mich mit ihm verlobe, dass ich ihn heiraten werde? Dann bekäme er seinen Urlaub um einige Zeit verlängert und müsste nicht so bald zurück an die Front.

Wir sind uns ähnlicher, als es auf den ersten Blick scheint. Wir beide sind auf der Flucht. Es geht um unser Leben. Ich verstecke mich bei ihm vor der Gestapo. Er braucht mich, um dem Krieg zu entgehen. Wir verbringen diese Tage zusammen, spazieren am Fluss entlang, sitzen im Wohnzimmer, hören Radio und unterhalten uns, ich helfe seiner Mutter ein wenig bei der Hausarbeit.

Doch irgendwann fühle ich, dass es Zeit ist, zu gehen. Ich verabschiede mich und mache mich auf zum Bahnhof, steige in den Zug nach Berlin. Den Soldaten sehe ich nie wieder.

Es ist April. Fast fünfzehn Monate lebe ich schon im Untergrund. Es gibt ein Foto aus dieser Zeit, dass mich zusammen mit Gretchen und Irmgard Camplair auf dem Kurfürstendamm zeigt. Wahrscheinlich hat Hugo es geschossen. Wir haben uns untergehakt und lachen in die Kamera, im Hintergrund die Glasvitrinen, die an die Vorkriegszeit erinnern, als die Schaufenster noch voller schöner Kleider waren. Irgendwo der Rücken eines Uniformierten. Wir blinzeln gegen die Vorfrühlingssonne an, tragen Mäntel, Handtaschen und einige Kleidungsstücke über den Armen. Wir lachen, aber unsere Gesichter sind bleich und erschöpft. Wahrscheinlich kommen wir gerade aus dem Bunker am Zoologischen Garten, nach einer Bombennacht.

Mittlerweile suchen wir oft in diesem Bunker Schutz. Für mich ist es in einem öffentlichen Luftschutzraum längst nicht so gefährlich wie in einem privaten Keller, wo sich alle kennen. Der Bunker liegt direkt am Bahnhof Zoo, ein riesiges, unterirdisches Gewölbe, in dem sich die Leute meist schon früh am Tag eine Schlafstelle für die Nacht suchen. Einige Frauen mit Kindern haben sich dauerhaft dort eingerichtet, sie kommen morgens mit Decken, Hausrat und Essen und bleiben, bis der nächste Angriff vorbei ist. Manchmal gehen sie gar nicht wieder fort. Jetzt gibt es auch tagsüber oft Alarm. Nur selten haben wir nach einem großen Angriff ein paar Stunden Ruhe. Dann geht es wieder von neuem los.

An einem dieser Frühlingstage Ende April 1944 ist wieder ein schwerer Fliegerangriff angekündigt. Noch heulen die Sirenen nicht, also haben wir genug Zeit, den Bunker zu er-

Mit Irmgard und Gretchen Camplair auf dem Kurfürstendamm, vermutlich auf dem Rückweg vom öffentlichen Bunker am Zoo, ca. November 1943

reichen. Von der Fasanenstraße laufen wir nur etwa fünfzehn Minuten. Gretchen, Irmgard und deren Schwager, ein Bruder von Hugo, der für ein paar Tage zu Besuch ist, sind bei mir. Wie immer haben wir einige Taschen mit persönlichen Dingen und Kleidern dabei. Ich trage sogar drei kleine Stücke Pelz bei mir, den wir später auf dem Schwarzmarkt verkaufen wollen. Ich habe sie mir um den Hals gelegt, damit niemand Verdacht schöpft.

Wir schaffen es gerade noch rechtzeitig. Als die ersten Bomben fallen, sind wir schon im überfüllten Bunker. Diesmal dauert es nicht lange. Als Entwarnung gegeben wird, machen wir uns wieder auf, nach Hause. Es ist mitten am Tag, wir haben noch viel zu tun.

Wir haben fast das Ende der Joachimstaler Straße erreicht, als uns zwei junge Männer entgegenkommen. Sie gehen langsam und machen keine Anstalten, auszuweichen. Einer von ihnen ist mir gleich aufgefallen, weil er so gut aussieht, dunkel, groß, mit schwarzen, lebendigen Augen. Ich kann nicht anders, ich muss ihn ansehen. In diesem Moment bleiben die beiden Männer direkt vor uns stehen und verstellen uns den Weg. «Ihre Papiere bitte», sagt der Gutaussehende. Sie wirken nicht wie Gestapobeamte, aber sie verhalten sich ganz professionell, lassen uns nicht aus den Augen, während sie darauf warten, dass wir unsere Ausweise hervorholen. Zuerst konzentrieren sie sich auf Hugos Bruder. Der kramt lange in seiner Aktentasche. Die beiden Männer beobachten ihn. Was soll ich tun, weglaufen? Dies wäre der richtige Moment. Die Männer sind abgelenkt, beachten mich nicht, sprechen mit Hugos Bruder, der noch immer in seiner Tasche wühlt. Ich zögere, und dann ist die Chance vertan. Hugos Bruder findet die nötigen Papiere und zeigt sie vor. Die beiden Männer begutachten sie misstrauisch. Als sie fertig sind, wenden sie sich Irmgard und Gretchen zu. Auch sie können sich ausweisen.

Dann bin ich an der Reihe. Ich ziehe meinen Postausweis aus der Tasche, ein lächerlich kleines Papierrechteck ohne Foto. Ich habe ihn vor einiger Zeit mit Hilfe der Geburtsurkunde anfertigen lassen, die mir die beiden Schwestern gegeben haben.

Die Männer würdigen den Postausweis keines Blickes. «Wir müssen Sie mit zur Wache nehmen», sagt der Dunkle. «Zur Überprüfung.» Dann wendet er sich wieder Camplairs zu.

«Eine Freundin von Ihnen?»

Irmgard schüttelt den Kopf. «Wir haben uns gerade erst kennengelernt», sagte sie, «im Bunker am Zoo. Wir sind nur ein Stück miteinander gegangen. Sind Sie fertig? Dann auf Wiedersehen.»

Als sie das sagt, sieht sie mir kurz und fest in die Augen. Dann gehen sie weiter, alle drei. Im Vorbeigehen nimmt mir Irmgard noch schnell die drei kleinen Pelzkragen vom Mantel ab.

Ich schaue ihnen nicht nach. Jedes Zeichen, dass wir uns kennen, kann sie gefährden. Camplairs biegen um die Straßenecke, ich folge den beiden Männern. Wir gehen einfach auseinander, ohne Abschied.

Noch auf dem Weg zur Wache entschließe ich mich, die Wahrheit zu sagen.

«Ich bin jüdisch», sage ich.

Kapitel 7

## Im Vakuum: Theresienstadt

Ich bin jüdisch.» Indem ich es aussprach, war ich wieder mit dem Schicksal meiner Familie und aller anderen Juden vereint. Was immer jetzt mit mir geschehen würde, ich war nicht mehr allein. Aus dem Ich war wieder ein Wir geworden.

Nach fünfzehn Monaten im Untergrund gab es mich wieder. Das Rennen und Verstecken war vorbei. In den letzten Monaten war ich vielen Menschen begegnet, die mir geholfen hatten, ich hatte sogar Freunde gefunden. Doch diese Menschen hatten nichts mit meinem früheren Leben zu tun. Wahrscheinlich würde ich keinen von ihnen je wiedersehen. In dieser ganzen Zeit hatte ich mit keinem einzigen Juden gesprochen. Ich fühlte mich abgetrennt vom Schicksal meines Volkes. Jeden Tag hatte ich mich schuldig gefühlt. Hätte ich doch mit meiner Mutter und meinem Bruder gehen sollen? Dann wüßte ich wenigstens, was mit ihnen geschehen war.

Nun war ich fast erleichtert, dass es vorbei war, und zugleich hatte ich Angst vor dem, was kommen würde. Die beiden Männer hatten mich in die Mitte genommen und führten mich in Richtung Kurfürstendamm. Ich versuchte, den Moment hinauszuzögern, in dem es kein Zurück mehr gab.

«Dürfte ich bitte noch auf die Toilette gehen?», sagte ich.

«Das muss warten», sagte der Dunkelhaarige.

«Ich kann nicht warten», sagte ich. «Es dauert nicht lange. Da ist ein Café!»

Widerwillig betraten sie mit mir das Café und begleiteten mich bis zur Tür der Damentoilette. Dann stand ich allein im Waschraum. Ich suchte nach einer Fluchtmöglichkeit. Der Waschraum hatte keine Fenster, und die Luke über der Toilette war viel zu klein. Es gab kein Entkommen. Ich stellte mich vor das Waschbecken, drehte den Wasserhahn auf und wusch mir langsam und bedächtig die Hände. Ich wusste, es war mein letzter Moment in Freiheit.

Ich trocknete meine Hände und ging zurück zu den beiden Männern, die noch immer vor der Tür warteten.

Auf dem Weg zur Wache erfuhr ich, dass sie jüdische Greifer waren. Im Dienst der Gestapo durchkämmten sie die Straßen, fuhren U-Bahn, trieben sich in Cafés und Kinos herum und hielten nach Menschen Ausschau, die sie von früher kannten oder die ihrem Aussehen nach jüdisch sein könnten. Wie die beiden Männer mir unterwegs erzählten, waren sie nicht auf mich aufmerksam geworden, sondern auf Hugo Camplairs Bruder. Er war klein und dunkel - vermutlich sein hugenottisches Erbteil –, und deshalb hatten sie ihn für einen Juden gehalten. Zum ersten Mal hörte ich davon, dass es Juden gab, die andere Juden denunzierten, um sich selbst vor der Deportation zu retten. Ich war nie besonders vorsichtig gewesen, wenn ich mich in den Straßen bewegt hatte. Die Gefahr hatte ich immer woanders vermutet. Offenbar hatte ich großes Glück gehabt, dass ich den Greifern nicht schon früher in die Hände gefallen war.

Wir gingen nicht zur Wache, denn da ich bereits zugegeben hatte, jüdisch zu sein, brauchten sie meine Papiere nicht mehr zu überprüfen. Stattdessen hakten mich die beiden links und rechts fest unter und schleppten mich zur nächsten U-Bahn-Station. In der U-Bahn ließen sie mich nicht los, und auch nicht auf dem Weg zum Auffanglager in der Iranischen Straße. In dem Moment, als wir zu Fuß auf das Tor des Lagers zusteuerten, öffneten sich die Tore. Ein großer Lastwagen fuhr heraus.

«Der geht nach dem Osten», sagte der Gutaussehende.

Das Auffanglager war in der früheren Pathologie des Jüdischen Krankenhauses in der Iranischen Straße untergebracht – ein Labyrinth aus langen Gängen und kahlen Räumen. Die ehemaligen Obduktionssäle waren zu Schlafsälen umfunktioniert worden. Später erfuhr ich, dass das Lager erst zwei Monate zuvor von der Großen Hamburger Straße hierher verlegt worden war, denn es gab kaum noch Juden in Berlin, und die Gestapo brauchte weniger Räume. Trotzdem war vor dem Umzug in das kleinere Quartier ein Transport ins Ghetto Theresienstadt zusammengestellt worden, um das Lager noch einmal zu leeren.

Im Lager wurde mir ein Bett in einem großen Schlafsaal zugeteilt.

Es war schwierig, das Leben hier zu durchschauen. Es war ein Durchgangslager, aber manche Leute schienen sich fest hier eingerichtet zu haben. Die jüdischen und halbjüdischen Häftlinge, die auf ihren Abtransport warteten, waren in größeren Schlafsälen untergebracht. Doch es gab auch Leute, die Arbeit hatten und offensichtlich dauerhaft im Lager lebten.

Alle versuchten, sich eine Art Illusion von Alltag zu schaffen. Doch niemand wusste, ob er nicht schon am nächsten Tag seinen Namen auf einer Transportliste fand.

Ich versuchte, mit möglichst vielen Leuten zu reden, um herauszufinden, ob ich vielleicht jemanden fände, den ich von früher kannte. Irgendwann hörte ich den Namen Stella.

Ich kannte nur eine Stella, die hübsche blonde Stella Goldschlag, die mit meinem Bruder zusammen bei Siemens gearbeitet hatte.

«Ja, das ist sie», erzählte mir jemand. «Sie hat ein eigenes Zimmer.»

«Wie lange ist sie schon im Lager?»

«Schon ewig», sagte er. «Ein Jahr mindestens. Sie ist eine Greiferin.»

Stella arbeitete also auch für die Gestapo. Sofort dachte ich an den 20. Januar 1943. Noch immer beschäftigte mich die Frage, ob uns damals jemand denunziert hatte.

Am Abend besuchte ich Stella auf ihrem Zimmer. Sie schien erfreut, mich zu sehen. «Komm doch rein!», rief sie. Blendend sah sie aus, groß, blond und selbstsicher, wie ich sie von unseren wenigen Begegnungen her in Erinnerung hatte. Sie lächelte mich an. Ich lächelte nicht zurück.

«Kann ich dir etwas anbieten?», fragte sie. «Einen Tee?»

«Nein danke.» Ich sah mich in ihrem Zimmer um. An den Wänden hatte sie ein paar Fotos befestigt. Sonst war der winzige Raum kahl und spartanisch eingerichtet.

«Du arbeitest für sie?», fragte ich. Stella setzte sich auf ihr Bett.

«Das ist alles nicht so einfach», sagte sie. Ihr Lächeln war verschwunden, und ihr Kinn zitterte ein wenig. «Sie haben versprochen, meine Eltern zu schützen. Aber sie sind deportiert worden. Nach Theresienstadt. Ich konnte es nicht verhindern.»

«Meine Mutter und mein Bruder sind schon im Januar 1943 abgeholt worden. Aber das weißt du ja.»

Stella sah mich direkt an. «Oh, das tut mir leid. Nein, das wusste ich nicht.»

«Ich frage mich die ganze Zeit, wer uns verraten haben könnte», sagte ich. «Wir hatten unsere Flucht geplant. Genau am Tag unserer Abreise sind sie gekommen. Du hast doch sicher meinen Bruder noch am selben Tag in der Fabrik gesehen.»

Stella fingerte eine Zigarette aus der Schachtel auf ihrem Nachttisch und zündete sie an. Dann hielt sie mir die Schachtel hin. Ich reagierte nicht.

«Ich habe euch nicht verraten», sagte Stella. «Ich schwöre es! Im Januar war ich selbst noch ein U-Boot. Dann haben sie mich verhaftet. Seitdem bin ich hier.»

«Und ich war über ein Jahr im Untergrund», sagte ich. «Leute wie du haben mich aufgegriffen. In der Joachimstaler Straße.»

Stella lächelte und blies Rauch aus. «Genau meine Gegend. Ach, Margot! Seltsam, dass wir uns nie begegnet sind.»

Stella hatte in all den Monaten, in denen ich untergetaucht war, dort gejagt, wo ich mich jeden Tag aufhielt: in der Gegend um Kurfürstendamm, Lietzenburger Straße, Pariser Straße und Olivaer Platz. Ob sie etwas mit der Verhaftung meiner Familie zu tun hatte, habe ich nie erfahren.

Theresienstadt. Jeden Tag fiel dieser Name. Theresienstadt oder der Osten: Das waren die beiden Möglichkeiten, die wir hatten, die zwei Wege, die von hier fortführten.

Über den Osten wussten wir nichts. Über Theresienstadt dagegen hörten wir mehr. Die meisten Informationen stammten von einem Mann, der tagsüber außerhalb des Lagers arbeitete und nur abends zum Schlafen zurückkehrte. Er war früher bei der Jüdischen Gemeinde angestellt gewesen. Dann hatte man ihn zusammen mit seiner Familie ins Ghetto Theresienstadt deportiert. Später stellte sich heraus, dass er einer der wenigen war, der über die Finanzen der Jüdischen Gemeinde Bescheid wusste. Man holte ihn aus dem Ghetto wieder zurück nach Berlin, weil er bei der Enteignung der Gemeinde nützlich sein konnte. Seine Frau und seine Tochter blieben in Theresienstadt.

Durch diesen Mann erfuhren wir viel über das Ghetto. Nach Theresienstadt waren Menschen gebracht worden, die vor dem Krieg in der Öffentlichkeit gestanden hatten, Künstler, Wissenschaftler, Rabbiner, außerdem alte Leute, Mischlinge und jüdische Partner aus privilegierten Mischehen. Im Vergleich mit den Lagern im Osten, über die wir nichts wussten, aus denen aber auch noch nie jemand zurückgekehrt war, schien uns Theresienstadt ein Ort zu sein, an dem ein Überleben noch möglich war.

Nach einigen Wochen, es war bereits Ende Mai 1944, wurde wieder ein Transport zusammengestellt. Er sollte nach

Theresienstadt gehen. Nur 23 Leute waren dafür vorgesehen, fast ausschließlich Mischlinge und Privilegierte. Für mich war klar: Ich wollte auf diese Transportliste. Ich wollte nicht warten, bis ein nächster Transport zusammengestellt wurde, der vielleicht in den Osten gehen würde.

Durch Zufall lernte ich in diesen Tagen einen Mann kennen, der für die Lagerverwaltung arbeitete. Er war Jude, aber unter anderem mitverantwortlich für die Zusammenstellung der Transportlisten.

Wir unterhielten uns über unser Leben vor dem Krieg, vor der Verfolgung, und stellten fest, dass wir einen gemeinsamen Freund hatten. Vor Jahren war er Patient bei jenem jungen Anästhesisten gewesen, der sich und seiner Familie das Leben genommen hatte, um der Deportation zu entgehen.

Der Mann freute sich, jemanden zu treffen, der den jungen Arzt auch gekannt hatte. «Er hat mir das Leben gerettet», sagte er. Als ich ihm von seinem Schicksal erzählte, war er entsetzt. «Wenn ich Ihnen irgendwie helfen kann, müssen Sie es nur sagen», sagte er. «Vielleicht kann ich wenigstens auf diese Weise noch etwas für ihn tun.»

«Ich möchte arbeiten», sagte ich. Ich konnte den Gedanken nicht ertragen, den ganzen Tag tatenlos herumzusitzen und auf den nächsten Transport zu warten.

Am nächsten Tag bekam ich eine Arbeit bei einem Mann zugewiesen, der tagsüber im Jüdischen Krankenhaus arbeitete. Im Lager bewohnte er ein eigenes Zimmer, zusammen mit seinen beiden kleinen Söhnen. Ich erhielt die Aufgabe, die Kinder zu betreuen, solange der Vater fort war, und das Zimmer sauber zu halten. Den ganzen Tag verbrachte ich mit den Kindern. Ich versuchte, mit ihnen zu spielen und sie zu beschäftigen. Mittags holte ich das Essen für uns alle drei aus der Küche.

Wenig später erfuhr ich, dass mein Name auf der Transportliste für Theresienstadt stand.

Nachdem ich für den Transport vorgesehen war, bekam ich von der Lagerleitung eine Decke und ein Kissen zugeteilt. Offenbar war es erlaubt, diese Dinge ins Ghetto mitzunehmen. Dazu hatte ich mein Köfferchen mit ein paar Kleidern und persönlichen Dingen, darunter das Adressbuch und die Kette meiner Mutter – bei meiner Verhaftung waren wir gerade aus dem Bunker zurückgekehrt und hatten deshalb alles Wichtige dabei.

Nach und nach erfuhr ich, wer auch für diesen Transport bestimmt war, darunter ein junger Mann, ein Halbjude mit Namen Brünell. Seinen Vornamen wusste niemand, aus irgendeinem Grund wurde er nur «Schnäpschen» genannt. Schnäpschen Brünell war groß und schlaksig und trug seine blonden Haare glatt zurückgekämmt. Er wirkte so, als gehöre er gar nicht hierher, so viel Zuversicht strahlte er aus. Wir schlossen Freundschaft und verabredeten, auf dem Transport und später im Ghetto zusammenzubleiben, solange es ging. Ich war froh, dass ich meine Angst und mein Leid mit jemandem teilen konnte. Es war schwer, im Lager Freunde zu finden. Die Menschen waren mit sich selbst beschäftigt. Meist ging es darum, abzuschätzen, in welcher Hinsicht man sich später gegenseitig nützlich sein könnte. Schnäpschen war anders. Er wollte sich um mich kümmern, weil er mich mochte, das spürte ich. Und ich mochte ihn.

Wir verließen das Lager in der Iranischen Straße in einem Lastwagen. Fort aus Berlin. Die Tore schlossen sich hinter uns. Von diesem Moment an ging alles an mir vorbei wie ein Albtraum, den man gleich nach dem Aufwachen wieder vergisst und der trotzdem einen unauslöschlichen Schrecken hinterlässt. Meine Seele war nicht in meinem Körper, nicht in diesem Lastwagen auf dem Weg nach Theresienstadt. Irgendwann registrierte ich, dass wir auf einem Bahnsteig standen und in einen Zug verladen wurden. Es war kein Viehwaggon, sondern ein sehr alter, wahrscheinlich längst ausgemusterter

Zug. Die Fahrt dauerte lange, wie lange, dafür hatte ich jedes Gefühl verloren.

Am 6. Juni 1944 kam unser Zug in Theresienstadt an. Wir stiegen aus und passierten die Schleuse. Auf dem Weg verlor ich Schnäpschen aus den Augen, aber ich hatte keine Kraft mehr, nach ihm zu suchen. Der Raum, in dem wir unsere erste Nacht in Theresienstadt verbringen sollten, war der Dachboden einer Kaserne. Der Fußboden bestand aus ungehobelten Holzplanken. Wir legten uns hin, die Frauen auf der einen, die Männer auf der anderen Seite. Niemand sprach, alle lagen einfach nur da, im Halbdunkel, die Blicke gingen ins Leere. Ich fühlte mich ganz allein unter all den erstarrten, willenlosen Menschen um mich herum.

Panik stieg in mir auf, ich musste mit jemandem sprechen, sofort, damit ich nicht die Fassung verlor. Ich kroch hinüber zu der Seite, auf der die Männer lagen, um Schnäpschen Brünell zu suchen. Irgendwann fand ich ihn. «Es wird alles gut», sagte er leise, als ich mich neben ihn legte. Die ganze Nacht flüsterten wir miteinander, einfach, um die Stimme eines vertrauten Menschen zu hören. Schließlich, gegen Morgen, schliefen wir ein.

Am nächsten Tag wurden wir auf unsere Unterkünfte verteilt.

Wir liefen durch graue Straßen.

Theresienstadt war eine graue Stadt, von hohen Festungswällen umgeben. Die Straßen waren symmetrisch angelegt, gesäumt von eintönigen Häuserblocks und Kasernen. Die Häuser waren niedrig, ein- bis dreistöckig, und sahen fast alle gleich aus. Durch die Toreinfahrten konnte ich in die Hinterhöfe schauen, düstere, karge Höfe, in die wenig Licht fiel.

Auch die Menschen, die uns in den Straßen begegneten, waren grau. Es gab viele alte Leute, denn anfangs war Theresienstadt hauptsächlich ein Altersghetto gewesen. Jetzt schien es vor allem von alten Frauen bevölkert zu sein: Sie waren zäher als die Männer und überlebten länger. Ihre Wangen waren eingefallen vor Hunger und weil ihnen die Zähne fehlten, ihre Augen trüb. Niemand pflegte und versorgte sie. Sie liefen in den Straßen umher und bettelten, denn sie waren zu schwach, um zu arbeiten. Schmutzige Gesichter, zerlumpte Kleider - die alten Frauen sahen alle gleich aus, und es war kaum vorstellbar, dass sie einmal einen Namen gehabt hatten. Sie waren nur mehr die alten Frauen von Theresienstadt.

Als die Deutschen kamen, waren die Einwohner der alten Garnisonsstadt ausgesiedelt worden, um für das Konzentrationslager Platz zu machen. Viele nannten Theresienstadt ein Ghetto, aber es war eher ein Auffang- und Durchgangslager, denn der größte Teil der Insassen wurde in den Osten deportiert.

Als ich kam, im Juni 1944, war das Lager überfüllt. Zwar waren immer wieder Transporte in den Osten gegangen, aber genauso oft trafen neue Züge mit Menschen ein. Der Strom versiegte nie.

Ich bekam eine Schlafstelle in einer Kaserne zugewiesen, genau wie Schnäpschen Brünell. Mein Zimmer teilte ich mir mit etwa einem Dutzend anderer Frauen. Die Betten waren zweistöckige, roh gezimmerte Holzgestelle mit etwas Stroh darin. Ich hatte dazu noch meine Decke und mein Kissen aus dem Lager in Berlin, das war ein großer Luxus. Am Kopfende jedes Bettes war ein Holzbrett angebracht, darauf stand ein Essnapf aus Blech und was immer man an Besteck auftreiben konnte, dazu eine Blechtasse, die auch als Zahnputzbecher diente.

Allmählich verstand ich, wie das Lagerleben funktionierte. Essen. Darum drehte sich alles. Alle hungerten. Dazu die Enge und der Schmutz. Jederzeit konnte über unser Leben - oder über unseren Tod - entschieden werden. Das war schlimmer als der Hunger. Theresienstadt war schrecklich, aber noch schrecklicher war die Vorstellung, es verlassen zu müssen in Richtung Osten, aus dem niemand zurückkehrte.

Nur wer eine gute Arbeitsstelle bekam, konnte sich Vorteile verschaffen oder sogar seine Deportation hinauszögern. Ich hatte Glück. Kurz nach meiner Ankunft sah ich einen alten Bekannten wieder: Gerhard Cohn. Er hatte früher bei der Jüdischen Gemeinde gearbeitet, seine Frau beim Kulturbund. Jetzt war er bei der jüdischen Selbstverwaltung in Theresienstadt angestellt und kam sofort zu mir, nachdem er meinen Namen auf der Liste der Neuankömmlinge entdeckt hatte. «Ich habe eine Arbeit für dich», sagte er gleich zur Begrüßung. «In der Schneiderei.»

In Theresienstadt gab es eine kleine Werkstatt, in der Kleider für die Ehefrauen der SS-Männer in der Kommandantur und für die weiblichen Angestellten hergestellt wurden. Dort sollte ich arbeiten. Ich begriff schnell, dass handwerkliche Geschicklichkeit und andere Fähigkeiten in Theresienstadt einem das Leben retten konnten. Wieder war ich froh, einen Beruf gelernt zu haben, der immer gebraucht wurde.

In der Schneiderei arbeiteten außer mir nur Tschechinnen. Meine Chefin war aus Prag. Etwas später begriff ich, was für ein Glück ich gehabt hatte. Eigentlich waren Stellen wie meine nur für Tschechen reserviert. Am begehrtesten waren Arbeiten in der Küche, in der Proviantur und in den Büros, durch die man sich und seinen Freunden Essen oder andere Vorteile verschaffen konnte. Meist schanzten sich die Tschechen diese Positionen gegenseitig zu, denn sie spielten die wichtigste Rolle in Theresienstadt, immerhin waren sie die Ersten im Lager gewesen. Im Jahr 1940 hatte die Gestapo zunächst nur ein Gefängnis in der sogenannten Kleinen Festung eingerichtet, in dem tschechische politische Häftlinge untergebracht waren. Ende 1941 wurde die ganze Garnisonsstadt geräumt, um Platz für ein Lager zu machen, für Juden aus

Böhmen und Mähren. Im November trafen die ersten Juden, meist aus Prag und Umgebung, in Theresienstadt ein, fast ausschließlich jüngere Leute. Sie bildeten die ersten Aufbaukommandos, die die Stadt zum Lager umbauen sollten.

Erst 1942 wurde beschlossen, auch deutsche Juden, vor allem ältere und prominente und solche, die sich Kriegsauszeichnungen erworben hatten, nach Theresienstadt zu deportieren.

Die Tschechen hatten nicht nur Vorteile, was die Arbeit anging, sie wohnten auch besser. Viele Alteingesessene hatten einzelne Zimmer oder Wohnungen, manchmal sogar zusammen mit ihrer Familie.

Ganz oben in der Hierarchie stand der Lagerkommandant, zu meiner Zeit war das SS-Obersturmführer Karl Rahm. Ihm unterstanden die SS-Männer, die die Bewachung des Lagers kontrollierten. Es waren nicht viele, die eigentliche Wache bestand aus tschechischen Gendarmen.

Dem Lagerkommandanten stand ein «Judenältester» zur Seite, der vorgeblich die Interessen der Juden vertreten sollte. Tatsächlich musste er die Befehle des Kommandanten ausführen. Bis zum September 1944 war Paul Epstein Judenältester in Theresienstadt.

Um den Schein einer jüdischen Mustersiedlung aufrechtzuerhalten, wurde offiziell von einer «Jüdischen Selbstverwaltung» gesprochen. Sie besaß allerdings nur wenig Macht. Zwar konnten Einzelne ihre Stellung ausnutzen, um anderen zu helfen oder sie von Deportationen zurückzustellen, doch im Grunde war der Judenälteste völlig vom Kommandanten abhängig. Und die entscheidenden Befehle kamen aus Prag, von Adolf Eichmann persönlich.

Außerhalb der Garnisonsstadt, in der wir eingeschlossen waren, lag die berüchtigte «Kleine Festung», ursprünglich ein Hochsicherheitsgefängnis der Gestapo. Wer in die Kleine Festung verschwand, wurde nie wieder gesehen. Viele starben unter den Haftbedingungen oder durch Folter, oder sie wurden in den Osten deportiert.

Die tschechischen Gendarmen, die uns bewachten, erwiesen sich nicht gerade als besonders judenfreundlich, aber zumindest hassten sie Nazis fast ebenso wie wir. Durch sie drangen Nachrichten von außen ins Lager. Auch ein Schwarzmarkt existierte in Theresienstadt. Das meiste, was man auf dem Schwarzmarkt kaufen oder tauschen konnte, stammte von den Außenarbeitstrupps oder aus den Paketen, die die tschechischen Juden, die in Mischehen gelebt hatten, von ihren Ehemännern oder Ehefrauen empfingen. Einiges konnten die Wachleute einschmuggeln, und ab Oktober 1944 waren es vor allem die dänischen Juden, die den Schwarzmarkt mit Lebensmitteln versorgten, denn sie bekamen jeden Monat ein Versorgungspaket vom dänischen König. Theresienstadt war also nicht vollkommen isoliert.

Mein einziger Freund in dieser Zeit war Schnäpschen Brünell. Er schaffte es immer wieder, mir Mut zu machen. Obwohl wir uns nicht oft sahen - er hatte eine Stelle bei der Ghettowache, und ich arbeitete in der Schneiderei -, war ich froh, jemanden zu haben, der sich für mich verantwortlich fühlte, mit dem ich vertraut sein konnte. Manchmal dachte ich darüber nach, ob ich verliebt war in Schnäpschen. Nein, ich war nicht verliebt. Vielleicht hätte ich mich in ihn verlieben können, überall sonst, aber nicht in Theresienstadt. Ich konnte nicht an Liebe denken. Für mich war das Lager nicht der richtige Platz dafür.

Schnäpschen war nur halbjüdisch, und er war getauft. Er fühlte sich als Christ und hatte auch eine christliche Freundin in Berlin. Dieses Mädchen hatte ihn nicht vergessen. Oft kamen Pakete von ihr, die Schnäpschen mit mir teilte. In die Päckchen mit Ersatzkaffee legte sie jedes Mal Zigaretten hinein und bedeckt sie mit Kaffeepulver. Zigaretten waren die inoffizielle Währung von Theresienstadt. Schnäpschen und ich tauschten sie gegen Brot ein und mussten dadurch weniger hungern.

Eines Abends besuchte mich Schnäpschen in der Kaserne – zu meiner Überraschung, denn zu dieser Tageszeit war er meistens für die Wache eingeteilt. Wir gingen hinaus auf den Gang und setzten uns auf die Fensterbank, damit uns niemand hören konnte.

«Ich muss weg», sagte er. «Schon morgen.»

«Wohin?», fragte ich erschrocken. Ich fürchtete, sie würden Schnäpschen in den Osten schicken. Aber ich hatte nichts davon gehört, dass man einen Transport zusammenstellte.

«Zum Arbeitseinsatz», sagte er. «Baracken bauen. In einem Außenlager, irgendwo in Deutschland.»

«Ein Außenlager?» Das klang nicht so aussichtslos wie ein Transport in den Osten.

«Vor etwas mehr als einem Jahr sind schon einmal ein paar hundert Männer dort hingebracht worden», sagte Schnäpschen. «Von ihnen hat man nie wieder etwas gehört. Es ist angeblich ein Eichmann-Projekt.»

Ich war unfähig, etwas zu sagen. Ich musste an meinen Vater denken. Als ich ihn zum letzten Mal gesehen hatte, war ich auch stumm geblieben und konnte nicht richtig von ihm Abschied nehmen. Viele Menschen hatte ich auf meinem Weg hinter mir gelassen, meine Mutter, meinen Bruder, meine Freundin Gretchen. Keinem hatte ich Lebewohl sagen können.

Auch Schnäpschen schwieg. Schließlich stand er auf. «Ich habe dich als meine Verlobte angegeben», sagte er. «Damit du meine Pakete bekommst.»

Das war alles. Wir sagten knapp auf Wiedersehen, als sei es nur ein Abschied bis morgen, bis zur nächsten Woche, und dann fühlte ich noch, wie mir Schnäpschen etwas in die Hand drückte. Als er den Korridor entlanggegangen und um die Ecke gebogen war, sah ich nach, was es war: ein Foto.

Schnäpschen Brünell

Es zeigte ihn im Profil, das blonde Haar zurückgekämmt, in einem eleganten grauen Anzug. Ich habe es noch heute.

Nach Schnäpschens Abtransport erhielt ich weiter die Pakete, die für ihn bestimmt waren. Solche Dinge funktionierten in Theresienstadt. Ständig waren wir bedroht von Deportation und Tod, aber die Bürokratie lief reibungslos. Wenn auf einem Papier stand, dass mir Schnäpschens Pakete zustanden, dann bekam ich sie, auch wenn um mich herum die Menschen fast verhungerten.

Doch irgendwann blieben die Pakete aus. Vielleicht hatte die Freundin erfahren, dass Schnäpschen nicht mehr in Theresienstadt war, und hatte ihre Pakete woandershin geschickt. Dass etwas mit Schnäpschen geschehen sein konnte – daran wollte ich nicht denken.

Ich unterwarf mich völlig der Lagerroutine, wie jeder von uns. Man brauchte wenig Verstand dazu. Alles war auf Essen, Schlafen und Arbeiten ausgerichtet, und alles, was damit zu tun hatte, war ein Kampf. Es kam nur auf eines an: den Tag zu überleben.

Nachts litt ich vor allem unter den Wanzen, von denen es in den Holzbetten und Strohmatratzen nur so wimmelte. Es war meine zweite Begegnung mit dem Ungeziefer. Damals im Untergrund hatte ich noch vor den Wanzen fliehen können. Hier waren sie überall. Es nützte nichts, sie einzeln zu fangen und zu zerquetschen. Es waren zu viele, sie krochen von Bett zu Bett, von Mensch zu Mensch. Sie krochen ins Haar und über das Gesicht, sie setzten sich in Kniekehlen und Achselhöhlen fest. Es gab nur eine Möglichkeit: die Augen zu schließen und das Krabbeln zu ignorieren. Es fiel mir schwer, gegen den Drang anzukämpfen, mich zu kratzen und nach den Tieren zu schlagen. Jede Nacht dauerte es mehrere Stunden, bis ich einschlafen konnte, und dann schreckte ich immer wieder auf, weil etwas über mein Gesicht lief. Morgens waren Stroh und Holzplanken voller Blutflecke - vom Blut der Wanzen und von meinem eigenen.

Doch die Wanzen fürchtete ich weniger als den Hunger. Morgens bekamen wir nichts als einen Becher wässrigen Ersatzkaffee, der fürchterlich schmeckte, dazu alle drei Tage ein Stück Brot, ein wenig Margarine und ein Tütchen Zucker. Mittags gab es zwei oder drei halbverfaulte Kartoffeln, mit einem Löffel Mehlpampe darauf. Am Abend kam die Wassersuppe, in der, wenn man Glück hatte, ein paar Stückchen Karotte schwammen. Viel zu selten gab es «Buchteln»: weiße viereckige, aus Mehl, Wasser und Hefe gebackene Brötchen, mit einem Klecks dunkler Masse darauf, die aus Kaffeeersatz und Zucker gemacht war und offenbar Schokolade vorstellen sollte.

Wir hatten zu wenig zum Leben und zu viel zum Sterben. Immerhin gab es in Theresienstadt eine medizinische Versorgung, aber sie war so primitiv, dass die Menschen nicht unbedingt starben, aber auch nie wirklich geheilt wurden, wenn sie krank waren.

Ich war nicht krank und nicht gesund. Allen ging es so. Dieser Zustand beschreibt das Dahinvegetieren in Theresienstadt ziemlich genau. Der Körper hatte keine Kraft mehr, sich gegen den kleinsten Schnupfen zu wehren. Aus Erkältungen wurden Lungenentzündungen. Durch den Hunger, den Schmutz und das Ungeziefer war die Haut von Ausschlägen und Furunkeln bedeckt. Im Spital wurden diese Krankheiten nur mit den einfachsten Methoden behandelt. Es gab keine Medikamente, keine Instrumente, kein richtiges Verbandszeug.

Ich bekam eine Mandelentzündung. Immer wieder musste ich ins Spital, um mir die Mandeln ausdrücken zu lassen. Mehr konnten sie nicht für mich tun. Das Ausdrücken besorgte eine Schwester mit bloßen Händen und mit Hilfe eines Skalpells, das nicht sehr steril aussah. Es tat höllisch weh. Nach dieser Behandlung klang die Entzündung jedes Mal für eine Weile ab, flammte aber stets wieder auf.

In dieser Zeit saß ich oft im Wartezimmer des Spitals und wartete auf meine Behandlung. Manchmal saß auch ein Mädchen dort, das mir auffiel, weil es so hübsch war. Das Mädchen hatte dunkle, seidig glatte Haare und ein zartes, bleiches Gesicht. Als wir zum ersten Mal zusammen im Wartezimmer saßen, musste ich sie die ganze Zeit verstohlen anschauen. Sie anzusprechen, wagte ich nicht.

Irgendwann wurde sie in eines der Behandlungszimmer gerufen. Sie stand auf und lief zur Tür. Jetzt konnte ich sehen, dass etwas an ihr nicht stimmte: Das hübsche Mädchen hinkte. Eines ihrer Beine knickte bei jedem Schritt von der Hüfte aus ein.

Ich hätte mich gern mit ihr unterhalten, aber ich tat es nicht. Ich war schon angesteckt von der Lethargie um mich herum. Später verlor ich das Mädchen aus den Augen.

Inzwischen hatte ich meine Arbeit in der Schneiderwerkstatt verloren, Gerhard Cohn hatte mir eine neue verschafft. «Sie haben Baracken gebaut, vor der Stadt, für eine kriegswichtige Produktion. Da gehst du hin.»

Ich wollte nicht fort aus der Schneiderei. Diese Arbeit hatte wenigstens Bezug zu meinem früheren Leben.

«Was muss ich da tun?», fragte ich.

«Glimmer spalten», sagte Gerhard. «Du hast geschickte Hände. Das ist für sie ein großes Ding, der Glimmer. So schnell werden sie das nicht auflösen.»

An meinem ersten Arbeitstag «im Glimmer» verließ ich mit einer Gruppe von Frauen zum ersten Mal seit meiner Ankunft die Festung Theresienstadt.

Wir hatten einen Passierschein bekommen, denn die Baracken lagen außerhalb der ummauerten Stadt.

Die Baracke, in der ich arbeiten sollte, war riesig. Hunderte Frauen saßen dort, auf schmalen Holzbänken, an endlos langen Tischreihen. Jede hatte ein Messer in der Hand und vor sich einen Metallkasten mit unterschiedlich großen Fächern. Daneben einen Haufen grau glänzender Steinplatten.

In der Baracke herrschte Totenstille. Niemand sprach. Entweder durften die Frauen nicht sprechen, oder sie waren zu sehr damit beschäftigt, die Steinplatten in hauchdünne Schichten aufzuspalten. Es war gespenstisch: Hunderte Frauen, und kein Ton war zu hören außer dem Geräusch der Messer, die über die raue Oberfläche der Steine kratzten.

Ich bekam meinen Platz zugewiesen.

Der Glimmer war ein weicher Stein. Er bestand aus mehreren Schichten, ähnlich wie Schiefer. Uns wurden große Stücke davon vorgelegt. Der Stein glitzerte, und die einzelnen Schichten zeichneten sich durch feine helle Linien voneinander ab. Man musste das Messer vorsichtig an der richtigen Stelle in den Glimmer treiben, um möglichst große und dünne Scheiben davon abzutrennen. Diese Scheiben wurden in der Industrie als Isoliermaterial verwendet. Große Scheiben, die unsere Aufseher von uns forderten, waren schwer herzustellen, denn der Stein bröckelte leicht. In die Metallkästen mussten wir die fertigen Glimmerscheiben der Größe nach einsortieren. Am Ende des Tages wurden die Arbeitsergebnisse kontrolliert.

Links neben mir saß eine Frau, etwa um die fünfzig, die sehr ungeschickt war. Wir sprachen kein Wort miteinander, doch mir fiel gleich auf, dass sie zwei linke Hände hatte. Sie tat mir leid. Immer rutschte ihr das Messer ab, oder die Glimmerplatten zersplitterten in ihren Händen. Ich hatte den Trick bald heraus und «glimmerte» schnell. Damit die Frau neben mir ihr Soll erfüllen konnte und nicht so viel Ausschussware produzierte, half ich ihr. Immer wenn ich zwei von meinen Scheiben geschafft hatte, nahm ich eine von ihren und spaltete sie.

«Danke», flüsterte sie.

Ich begriff, dass es möglich war, sich zu unterhalten, wenn man nur flüsterte und lange Pausen einlegte, dann fiel es nicht auf. Immer wenn eine der tschechischen Aufseherinnen in unsere Nähe kam oder zu uns hinsah, schwiegen wir und senkten die Köpfe. So machten es alle.

«Wie heißt du?», flüsterte die Frau.

«Margot», sagte ich. «Ich bin aus Berlin.»

«Eva», sagte die Frau. «Auch aus Berlin.»

Nach einiger Zeit erfuhr ich, dass sie Lehrerin für Hebräisch und Englisch gewesen war. Nachdem sie diese Arbeit aufgeben musste, hatte sie eine Anstellung bei der Jüdischen Gemeinde gefunden. Wegen dieser Position war es ihr gelungen, nach Theresienstadt zu kommen, anstatt auf eine Deportationsliste für den Osten gesetzt zu werden. Eine ältere Freundin, die für sie wie eine Mutter war, hatte sie mit nach Theresienstadt nehmen können. Diese Freundin, Frau Markus, war über siebzig, und Eva sorgte für sie.

In Berlin hatte ich Eva nie gesehen. Nun saßen wir beide hier und arbeiteten zusammen im Glimmer.

Die Arbeit war schwer, doch wir alle wollten hierbleiben. Niemand von uns konnte es riskieren, seine Position zu verlieren oder den Zorn der Bewacher auf sich zu ziehen.

Wir arbeiteten in Tages- und Nachtschichten. Nach jeder

Schicht wurde unsere Produktion gewogen. Das Ergebnis wurde in die Bücher eingetragen. Jeden Morgen kam die SS und ließ sich die Bücher mit den Produktionsberichten zeigen.

Eines Morgens geschah es. Ich verschlief. Es war fast ein Wunder, dass wir alle überhaupt jeden Morgen zur richtigen Zeit aufwachen konnten, um pünktlich auf unseren Posten zu sein. Es gab keine Uhren, keine Wecker. Wir mussten einfach rechtzeitig wach sein.

Bisher war es mir immer gelungen, bis zu diesem Tag. Ich wachte auf – und es war hell. Ich sprang auf, griff nach meinem Passierschein und machte mich auf den Weg. Vielleicht war noch etwas zu retten. Ich musste so schnell wie möglich in der Baracke sein.

Am Ausgang des Lagers wurde ich kontrolliert. Man nahm mir meinen Passierschein weg. Das letzte Stück zur Baracke rannte ich fast. Ganz außer Atem kam ich dort an, ging durch die Reihen der schweigenden Frauen an meinen Platz, nahm mein Messer und ein Stück Glimmer und begann mit der Arbeit. Die Aufseherin fixierte mich. Sie sagte nichts. Ich sah an ihrem Blick, dass noch etwas geschehen würde.

Bei der morgendlichen Anwesenheitskontrolle hatte ich gefehlt. «Sie holen dich bestimmt noch zum Verhör», flüsterte die Frau, die rechts von mir saß.

Tatsächlich kam bald die Vorarbeiterin und stellte sich hinter mich. «Steh auf», sagte sie. «Schnell.»

Sie übergab mich einem SS-Mann, der am Ausgang unserer Baracke wartete. Er führte mich in ein Büro.

Ein anderer SS-Mann saß zurückgelehnt auf einem Schreibtischstuhl und wippte entspannt vor und zurück. Vor ihm lag das Produktionsbuch. Der Mann, der mich hereingeführt hatte, lehnte lässig im Türrahmen. Beide taten so, als sei ich gar nicht da. Ich stand mitten im Raum, regungslos. Plötzlich, wie auf Kommando, starrten mich beide an. Sie begutachteten mich von oben bis unten. Der Mann am Schreibtisch beugte sich vor: «Du bist zu spät gekommen! Du weißt, was das bedeutet. Das ist Sabotage!»

Ich rührte mich nicht.

«Und du weißt, was man für Sabotage bekommt!», brüllte er. Es ging immer weiter. Ich sah auf den Boden. Das war das Ende. Sie würden mich auf die Deportationsliste setzen. Oder ich käme gleich ins Gefängnis, in die Kleine Festung, aus der niemand zurückkehrte.

Dann wurde es still. Ich stand noch immer da, in derselben Haltung wie zuvor.

Der SS-Mann tippte mit seinem Bleistift auf den Tisch, immer wieder. Ich hatte das Gefühl, dass mein Herz im gleichen Rhythmus schlug. Ich konnte mich kaum noch auf den Beinen halten, wusste nicht, ob der andere SS-Mann immer noch hinter mir stand, ich sah nur das Bleistiftende auf die Schreibtischunterlage klopfen. Schließlich knallte der SS-Mann den Bleistift auf den Tisch. Ich zuckte zusammen. «Wenn du nicht eine so gute Glimmerin wärst, wärst du jetzt schon im nächsten Transport nach Osten.»

Ich war entlassen. Als ich in die Baracke zurückging, folgten mir Hunderte Blicke. Ich nahm mein Messer und begann zu glimmern. Niemand sprach ein Wort mit mir. Die meisten Frauen schauten mich mitleidig an, manche schienen erleichtert, dass es nicht sie getroffen hatte, aber keine sagte etwas oder versuchte, mich zu trösten. Es war, als könnte mein Unglück auf die anderen abfärben. Die SS war auf mich aufmerksam geworden. Bisher war ich nur eine von den Hunderten gewesen. Jetzt war ich wie gebrandmarkt.

Am nächsten Tag ging ich wieder zur Arbeit. Nichts geschah. Niemand kam, mich zu holen. Niemand rief meinen Namen auf. Doch von diesem Tag an begleitete mich immer der Gedanke: Wird der SS-Mann Wort halten?

Dann wurde ein Film gedreht in Theresienstadt, ein Propagandafilm. Der Welt sollte gezeigt werden, unter welch guten Bedingungen die Juden in Theresienstadt angeblich lebten. Natürlich mussten diese Bedingungen erst inszeniert werden. Es begann eine große Verschönerungsaktion. Schon im Juni hatte man für den Besuch einer Delegation des Roten Kreuzes einige Zimmer hergerichtet und die wichtigsten Straßenzüge gesäubert. Einige Fassaden hatten einen neuen Anstrich erhalten, und in einer der Altersbaracken waren die Zweistockbetten durch einfache Betten ersetzt worden. Als die Delegation kam, wurden nur diese Teile des Lagers vorgeführt. Hinter den renovierten Fassaden sah es genauso aus wie zuvor.

Vor dem Besuch des Roten Kreuzes war Theresienstadt so überfüllt gewesen wie nie zuvor. Die Enge, der Schmutz, die vielen hungernden Menschen passten nicht ins Bild vom Musterlager, das Eichmann präsentieren wollte. Damit die Delegation von den wahren Zuständen nichts erfuhr, wurden in den Monaten vor dem Besuch unzählige Transporte in die Todeslager zusammengestellt, damit sich das Lager wenigstens etwas leerte. Das Rote Kreuz hatte also mit seinem Besuch indirekt dafür gesorgt, dass Tausende Menschen deportiert wurden.

Theresienstadt wurde zur Filmkulisse. Arbeitskommandos wurden zusammengestellt, kleine Parks angelegt, Sportplätze. Es gab sogar einen Kinderpavillon aus Holz und Glas. All diese Dinge waren wie aus einer anderen Welt in das düstere, trostlose Theresienstadt hineinkopiert. Es waren Kulissen, nur für die Kamera bestimmt.

Die Dreharbeiten begannen im August 1944, in den heißesten Wochen des Sommers. Wir waren die Statisten.

Es sprach sich herum, dass auch Lagerkommandant Karl Rahm in dem Film auftrat. Vor laufenden Kameras spielte er mit Kindern im neu errichteten Glaspavillon. «Onkel Rahm» mussten die Kinder ihn nennen. «Heute gibt es schon wieder Sardinen, Onkel Rahm!» Kein Kind aus Theresienstadt hat jemals wieder seinen Fuß in diesen Spielsaal gesetzt, und natürlich gab es niemals Sardinen.

Eines Nachmittags wurde ich vom Glimmerspalten abkommandiert und früher als gewöhnlich mit vielen anderen zurück ins Ghetto geführt. Auf einem Stück Rasen war eine kleine Bühne aufgebaut. Wir wurden angewiesen, uns gruppenweise auf den Rasen zu setzen. Eine Kamera war auf uns gerichtet, eine zweite auf die Bühne. Ein paar SS-Männer und Polizisten sahen zu. Dann betraten Schauspieler und Sänger die Bühne und begannen, eine Szene aus der «Dreigroschenoper» aufzuführen Als die Szene beendet war, saßen wir einfach nur da, schwiegen und blinzelten gegen die Sonne. Niemand wusste, was er tun sollte. «Klatschen!», schrie jemand von den Filmleuten zu uns herüber. «Was ist denn los? Alle klatschen, verdammt nochmal!» Die Vorstellung ging weiter. Von nun an klatschten wir nach jeder Szene.

Es war die erste und einzige Aufführung, die ich in Theresienstadt sah.

Als ich ins Lager kam, wusste ich von denjenigen, die schon länger hier waren, dass es früher noch so etwas wie ein verborgenes Kulturleben in Theresienstadt gegeben hatte, Vorträge, Lesungen und kleine Musikabende. Doch immer mehr Transporte fuhren in den Osten, immer mehr Menschen starben, und diejenigen, die noch da waren, brauchten ihre ganze Kraft, um den Tag zu überleben.

Einige der Leute, die auf der Bühne spielten und sangen, erkannte ich wieder. Sie waren früher beim Kulturbund gewesen. Ich musste an meine Freunde denken, an Freddie Berliner, an Egon Marcus, den Bühnenbildner, den ich beinahe geheiratet hätte. Eine andere Bühnenbildnerin, Hanna Litten, hatte eine Gelegenheit zum Auswandern gefunden, doch sie blieb in Berlin, weil sie ihren Freund und ihre Eltern nicht verlassen wollte. Wie Egon Marcus wurde sie nach Riga verschleppt. Siggie Hirsch war Requisiteur beim Kulturbund gewesen. Bei ihm und seiner Schwester hatte ich meine ersten Nächte im Untergrund verbracht. War er noch in Berlin? War er noch am Leben?

Als ich in der gleißenden Sonne auf dem Rasen saß und wie befohlen applaudierte, konnte ich nur eines denken: Was wird aus den Letzten, die hier spielen?

Das Filmteam verschwand. Die Parks verwilderten, die Sportplätze wurden zu Schlammlachen, und der Kinderpavillon lag verwaist und verfallen da.

Es wurde Herbst.

Wieder kamen Transporte nach Theresienstadt. Diesmal aus dem holländischen Lager Westerbork. Ich versuchte herauszufinden, wer in diesem Transport war, schließlich hatte ich Verwandte in Holland. Tatsächlich fand ich meine Tante Selli, eine Schwester der neun Hecht-Cousins.

Schon bald nach meiner Ankunft in Theresienstadt hatte ich einen anderen Verwandten wiedergefunden: meinen Cousin Bernd, Tante Sellis Sohn. Er war mit seiner Frau Anka zusammen im Lager.

Bernd war bereits kurz nach 1933 von Berlin nach Prag ausgewandert und hatte dort Anka kennengelernt, eine junge tschechische Studentin. Sie verliebten sich und heirateten in Prag. Bernd war Architekt und bekam sofort viele Aufträge. Anka und er hatten mehrere Möglichkeiten, auszuwandern, doch sie blieben, weil ihnen das Leben in Prag gefiel. Als dann die Deutschen kamen, war es zu spät. Bernd kam mit einem der ersten Aufbaukommandos nach Theresienstadt. Anka etwas später, im Dezember 1941. Fast zwei Jahre nach ihrer Ankunft wurde Anka schwanger. Im kalten Februar 1944 brachte sie einen Sohn zur Welt. Er starb mit nur zwei Monaten in Theresienstadt.

Als ich Bernd und Anka wiedersah, im Juni 1944, gehörten

sie zu den privilegierten Bewohnern des Lagers. Sie lebten zusammen und hatten sich in ihrer Unterkunft einen Verschlag zusammengezimmert, um sich von den anderen ein wenig abzugrenzen.

Auf Tante Selli stieß ich in einer Sammelunterkunft, ähnlich der, in der ich meine erste Nacht in Theresienstadt verbracht hatte. Als sie mich sah, fing sie an zu weinen. «Bernd ist hier», sagte ich und hoffte, das würde sie trösten. Aber sie hörte nicht auf zu weinen. Sie weinte aus Freude, ihren Sohn wiederzusehen, und aus Verzweiflung, dass sie ihn ausgerechnet hier wiedergefunden hatte, an einem Ort ohne Hoffnung.

Im September 1944 begann die SS, das Lager zu leeren. Die Dreharbeiten für den Propagandafilm waren beendet. Wir Statisten wurden nicht mehr gebraucht. Das Vorzeigelager hatte ausgedient.

Fast jeden Tag ging jetzt ein Transport aus Theresienstadt in den Osten. Und jeden Tag fürchtete ich, dabei zu sein. Doch der SS-Mann schien offenbar Wort zu halten: Mein Name stand auf keiner Transportliste, und ich wurde weiter zum Arbeiten im Glimmer geschickt. Wahrscheinlich hat der Glimmer mir das Leben gerettet.

Wir hofften, dass der Krieg bald vorbei sein würde. Durch die tschechischen Wachmänner sickerten Nachrichten über den Frontverlauf ins Lager. Aber wir wussten nicht, ob das Kriegsende schneller kommen würde als unsere Deportation.

Fast alle Leute, die früher beim Kulturbund gewesen waren, wurden mit diesen letzten Transporten in den Osten verschleppt, Schauspieler, Sänger, Mitarbeiter der Verwaltung. Menschen, die bisher vor der Deportation sicher gewesen waren, fanden ihre Namen plötzlich auf den Transportlisten wieder, auch mein Beschützer Gerhard Cohn. Viele, die schon seit 1942 wichtige Stellungen in der Lagerverwaltung hatten, wurden jetzt noch verschleppt. Am 27. September, zu Beginn der Aktion, hatte man den Judenältesten Paul Epstein in der Kleinen Festung erschossen. Der neue Judenälteste war der Rabbiner und Gelehrte Benjamin Murmelstein.

Auch Tante Selli wurde deportiert, nur wenige Wochen nachdem sie aus Westerbork nach Theresienstadt gekommen war. Zum Abschied schenkte sie mir ein Strickkostüm, das sie aus Holland mitgebracht hatte. Ich trug es oft im Lager. Mit der Zeit wurde es sehr schmutzig. Nach der Befreiung trennte ich es auf, wusch die Wolle vorsichtig und wickelte sie zu Knäueln. Ich habe sie noch heute.

Bald stand auch Sellis Sohn Bernd auf einer der Listen. Anka hatte noch keinen Bescheid bekommen. Um bei ihrem Mann bleiben zu können, meldete sie sich freiwillig, so wie viele andere Frauen, deren Männer zuerst deportiert wurden. Doch Anka wurde nicht demselben Transport zugeteilt wie ihr Mann, sondern erst dem nächsten. Zu diesem Zeitpunkt war sie wieder schwanger. Doch außer ihr wusste zu diesem Zeitpunkt niemand etwas, nicht einmal ihr Mann. Was mit Bernd und Anka geschah, erfuhr ich erst viele Jahre später.

Theresienstadt war wie ein groß angelegter Versuch, ein Experiment. Eine Frage bestimmte unser Leben: Wie viel kann der Mensch aushalten? Theresienstadt war ein Zwischenreich, nicht Leben, nicht Tod. Der Tod wartete in den Lagern im Osten auf uns. Im Ghetto gab es Hunger, Schmutz und Enge. Jeder wurde zum Einzelkämpfer. Ich sehnte mich nach Mitmenschlichkeit, nach Nähe, aber es fiel mir selbst schwer, beides zuzulassen. Jeder existierte für sich, in einer Art Verkapselung. Theresienstadt war ein Vakuum, ein Ort ohne Luft, ohne Licht, ohne Zeit. Durch die staubigen Straßen schlichen Menschen, die keine Menschen mehr waren, Menschen mit Augen, die nichts mehr sahen.

Das Ghetto leerte sich. Was früher bedrückend eng gewesen war, war jetzt beunruhigend leer und verwahrlost. Nach den Transporten waren von 29000 Einwohnern Theresienstadts nur noch 11000 übrig. Innerhalb eines Monats hatte man 18000 Menschen verschleppt.

Stille. Die Stille war überall. Es war keine gute, sondern eine bedrohliche Stille, die das Gefühl des Eingesperrtseins noch verstärkte. Ich fühlte mich so hilflos wie nie zuvor.

Ich lief endlos durch die ausgestorbene Stadt. Noch immer war ich fest entschlossen zu überleben. Doch die Hoffnung auf ein Leben nach der Befreiung war keine reale mehr, sie war zu einem Traum geworden.

Ich wanderte durch die leeren Straßen, die leeren Häuser, die leeren Räume. Wo waren all die Menschen?

An einem Nagel hing noch ein Kleid, das eine Frau vergessen hatte. Ein Becher stand auf einem Tisch, als hätte eben noch jemand daraus getrunken. Ein halb geschlossener Koffer, aus dem Kleiderfetzen quollen. Vieles war in den Schlafsälen zurückgeblieben. Die Menschen hatten schon zu viel gelitten, sie wollten sich nicht einmal mehr mit den wenigen Sachen belasten, die ihnen noch geblieben waren. Räume mit zwei- und dreistöckigen Betten, die sonst von Menschen überquollen, waren nun still und verlassen. Nur der Dreck zeugte von denen, die hier gewohnt hatten. Dazwischen Persönliches, auch Wertvolles, ein Bild, eine Uhr, ein Ring. Zimmer und Verschläge, die über Monate und Jahre mühselig von ihren Bewohnern eingerichtet worden waren, standen verwahrlost da, leer und armselig. In vielen Zimmern brannte noch das Licht, meist nur eine schwache Glühbirne, die an einem Draht von der Decke hing. Irgendwo lief ein Wasserhahn, den jemand vergessen hatte zu schließen. Das Rauschen des Wasserstrahls war unwirklich laut.

Die Menschen waren fort. Sie besaßen nichts mehr. Ich hatte noch Bilder, einige Kleider, ich hatte das kleine Adressbuch und die Bernsteinkette, die meine Mutter mir hinterlassen hatte. Ich hatte so viel mehr als all die Leute, die man in den Osten verschleppt hatte. Es gab sie nicht mehr. Nur die Dinge, die sie zurückgelassen hatten, konnten noch von ihnen erzählen.

## Kapitel 8
## «Erkennst du mich nicht?»:
## Die Befreiung

Ich lebte für den Tag. Ich ließ mich treiben. Alles ging an mir vorüber, ohne mich wirklich zu berühren.

Es wurde Winter, der zweite Winter, seit ich von meiner Familie getrennt war.

Noch immer arbeitete ich im Glimmer. Nach der Arbeit musste ich die Zimmer und Flure in den Altersbaracken putzen. Wir hatten dazu nur Schrubber, ein paar Lappen aus zerrissenen Kartoffelsäcken und kaltes Wasser. Jeden Abend waren meine Finger steif und blau gefroren.

Mit dem wenigen Essen, das wir bekamen, froren wir noch mehr als ohnehin schon bei dieser Kälte. Am schlimmsten war es, die alten Leute zu sehen. Sie vegetierten jetzt zu Hunderten in Baracken dahin, und niemand kümmerte sich um sie. Die, die noch gehen konnten, streiften durch die Straßen und bettelten vor der Essensausgabe um Suppe. Die meisten waren selbst dafür zu schwach. Irgendwann hatten die Alten nicht mehr die Kraft, nachts zur Latrine zu gehen, sich am Brunnen zu waschen, sich mit einem Blechnapf in die Schlange vor der Essensausgabe zu stellen, sie verwahrlosten, hungerten, verloren den Lebensmut und starben. Sie alle waren im vorigen Jahrhundert geboren. Wer hätte gedacht, dass sie nicht im Alter geachtet und von ihren Kindern gepflegt werden würden, sondern wie Schatten ihrer selbst durch fremde Straßen irren und fremde Leute um Brot anbetteln würden, um schließlich in einer eiskalten Baracke zu sterben?

Die Kommandantur und der Ältestenrat unter dem Vorsitz des neuen Judenältesten Benjamin Murmelstein hatten beschlossen, das Lager nach den Massendeportationen wieder vorzeigbar zu machen. Eine neue Verschönerungsaktion begann. Diesmal mussten vor allem die Frauen hart arbeiten, denn die meisten arbeitsfähigen Männer waren schon deportiert worden.

Murmelstein war unter den Häftlingen fast genauso verhasst wie Lagerkommandant Rahm, man verdächtigte ihn, mit der SS zu kollaborieren und vor allem seinen eigenen Vorteil zu suchen.

Viele der beliebten Mitglieder der Selbstverwaltung waren mit den letzten Transporten deportiert oder schon vorher in der Kleinen Festung erschossen worden. Einer der Letzten war Leo Baeck. Ihm vertrauten die Menschen, an ihm hingen ihre Hoffnungen. In seiner ersten Zeit in Theresienstadt hatte der Rabbiner und Philosoph heimlich Vorträge und Seminare abgehalten. Jetzt versuchte er, als Seelsorger dem Tod etwas entgegenzusetzen. Baeck war 1933 Präsident der Reichsvertretung der Deutschen Juden geworden und hatte gegen den schrittweisen Verlust unserer Rechte gekämpft. Mehrere Möglichkeiten zur Auswanderung hatte er nicht genutzt und war 1943 nach Theresienstadt deportiert worden. Ich hatte ihn noch als Rabbiner in Berlin kennengelernt. In Theresienstadt begegnete ich ihm zum ersten Mal wieder, als er den Toten die letzte Ehrung gab.

Im Februar kamen die unsichtbaren Züge. Wir sahen sie nicht. Wir erfuhren davon durch Gerüchte: Es waren offene Güterwaggons, in denen Menschen lagen, die kaum mehr Menschen ähnelten. Anfang Februar 1945 rollten sie in Theresienstadt ein. Wir hörten davon durch die Arbeitskommandos, die beim Ausladen der Lebenden und Toten halfen, und durch die Krankenschwestern, die sie versorgten. Viele fielen tot aus den Waggons. Sie waren auf dem Transport gestorben, an Kälte, Hunger, Erschöpfung oder an Flecktyphus. Uns hielt man fern von ihnen. Wir wussten noch immer nicht, was im Osten wirklich geschah. Es gab nur wenige Leute, die sie gesehen hatten, die fürchterlich mageren Gestalten. Aber wir spürten, dass sie da waren. Wir merkten es, weil jetzt der Flecktyphus kam. Wer sich ansteckte, hatte wenig Chancen, zu überleben. Einer nach dem anderen wurde krank. Das Spital war überfüllt, riesige Krankenbaracken wurden eingerichtet. Wir begannen zu ahnen, dass es für unsere Familien und Freunde, die man deportiert hatte, wenig Hoffnung gab. Der «Osten» nahm allmählich Gestalt an. Wir sahen es nicht. Aber wir ahnten, fühlten, rochen es – das Elend, den Tod.

Anfang Februar hieß es plötzlich, ein neuer Transport sei eingetroffen. Eine Krankenschwester kam in unsere Kaserne gelaufen, um uns die Nachricht zu überbringen. «Die Leute vom Barackenbau sind zurück!»

Schnäpschen Brünell war beim Barackenbau gewesen.

«Wo sind sie?», fragte ich.

«In Quarantäne», sagte sie.

Zusammen mit vielen anderen Frauen lief ich zur verschlossenen und bewachten Kaserne, in der die Männer in strenger Quarantäne untergebracht waren. Sie hatten sich oben an den Fenstern versammelt und schauten zu uns hinunter. Einige von uns hatten schon entdeckt, wen sie suchten, und winkten hinauf. Ich hielt Ausschau nach Schnäpschen, aber ich konnte ihn nirgends sehen.

Nach einigen Tagen sickerte durch, dass das Kommando in einem Ort namens Wulkow eingesetzt worden war, in der Nähe von Frankfurt an der Oder. Seit kurzem waren dort schon Schüsse und Detonationen von der näher rückenden Front zu hören. Die Russen standen an der Oder, nicht weit von Berlin. Eines Nachts wurden die Männer vom Barackenbau in aller Eile in Viehwaggons verladen – sie sollten zurück nach Theresienstadt gebracht werden, bevor die Russen kamen. Die Fahrt, für die ein Zug normalerweise nur einige Stunden brauchte, dauerte mehrere Tage.

Der Barackenbau bei Wulkow war ein Eichmann-Projekt.

1943, lange vor meiner Ankunft in Theresienstadt, war ein erstes Arbeitskommando dorthin geschickt worden: zweihundert besonders kräftige Männer und zwanzig Frauen. Sie sollten Baracken, Bunker und Luftschutzkeller in den Wäldern bauen, damit das Reichssicherheitshauptamt dorthin umziehen könnte, falls Berlin eines Tages bedroht wäre. Wenn das Projekt fertiggestellt sei, so versprach man ihnen, würden sie wieder nach Theresienstadt zurückgebracht. Außerdem sollten sie die Namen ihrer Angehörigen im Lager nennen. Zuerst wusste niemand, warum. Erst bei ihrer Rückkehr fanden die Wulkower heraus, dass keiner ihrer Verwandten deportiert worden war. Bevor er nach Wulkow ging, hatte Schnäpschen mich als seine Verlobte angegeben. Vielleicht lag es also nicht nur an meinem Geschick beim Glimmern, dass ich noch immer hier war. Vielleicht hatte ich mein Überleben bisher vor allem Schnäpschen zu verdanken.

Jetzt, Anfang 1945, waren die Baracken und Luftschutzkeller in Wulkow sinnlos geworden. Das Reichssicherheitshauptamt würde sie nie benutzen, denn die weißrussische Front stand bereits bei Küstrin und Frankfurt. Häftlinge und SS-Männer wurden in Eisenbahnwaggons geladen und zurück nach Theresienstadt geschickt. Die SS-Männer beanspruchten die meisten Waggons für sich, und so gingen die Häftlinge dicht gedrängt und zusammengekauert auf diese quälend lange Reise. Der Zug musste Umwege machen, denn die meisten Brücken waren gesprengt. Immer wieder geriet er in Fliegerangriffe und bewegte sich dann für Stunden nicht von der Stelle. In den Waggons war es bitterkalt. Wenn die müden, ausgehungerten, frierenden Menschen nachts austreten mussten, wurden sie von der SS mit vorgehaltenem Gewehr hinausgeführt, obwohl sie ohnehin nicht zur Flucht imstande gewesen wären.

Nach einer tagelangen Irrfahrt erreichten die Männer Theresienstadt. Noch immer funktionierte die Nazi-Bürokratie mit absurder Perfektion. Das Reich stand kurz vor dem Zusammenbruch, die Angriffe kamen aus allen Himmelsrichtungen, fast jedes Fahrzeug war für den Krieg eingezogen worden. Und trotzdem wurde eine Lokomotive abgestellt, um eine Handvoll Häftlinge nach Theresienstadt zurückzubringen – weil Eichmann es versprochen hatte.

Kurze Zeit nachdem die Männer aus Wulkow aus der Quarantäne entlassen worden waren, ging ich wie jeden Abend den Gang in der Kaserne entlang zu meinem Schlafsaal. Ein Mann kam mir entgegen, er steuerte mit langen Schritten genau auf mich zu. Erst konnte ich nur seine Umrisse erkennen, aber er kam mir seltsam vertraut vor. Als er schon fast vor mir stand, sah ich, dass er den Arm in einer Schlinge trug und einen dicken Verband um Kopf und Hals gewickelt hatte. Irgendwo inmitten dieses Verbandes steckte eine Brille, ein primitives Modell mit einem scheußlichen Rahmen. Dann erkannte ich ihn: Es war Adolf Friedländer, der Chef der Verwaltung des Kulturbundes.

«Margot!», rief er. Früher hatten wir uns gesiezt, wenn wir überhaupt einmal ein Wort miteinander gewechselt hatten. Damals war er fast dreißig Jahre alt gewesen und ich achtzehn. Jetzt sagte er einfach meinen Namen und lächelte. Ihn zu sehen war, wie nach Hause zu kommen, nach Berlin, in das Berlin, das es früher einmal gegeben hatte.

«Wo kommst du her?», fragte ich.

«Aus Wulkow.»

«Dann kennst du vielleicht einen Freund von mir. Alle nennen ihn Schnäpschen.»

«Schnäpschen, ja, der war bei uns», sagte er. «Bis vor ein paar Wochen.»

«Wo ist er jetzt?»

Adolf zögerte.

«Er soll geflohen sein. Zumindest hat er es versucht. Aber sie haben ihn erwischt.»

Adolf wusste nicht, ob Schnäpschen erschossen worden war oder ob sie ihn in den Osten geschickt hatten. Hätte Schnäpschen nur ein paar Tage oder Wochen länger ausgehalten, er wäre mit all den anderen wieder zurück nach Theresienstadt gekommen. Er hätte überlebt.

Adolf und ich setzten uns auf die Treppe und teilten eine Zigarette.

Ein Stück meines alten Lebens war zu mir zurückgekehrt. Da wir in derselben Kaserne wohnten, konnten wir uns oft sehen. Ich hatte plötzlich viel freie Zeit. Von einem Tag auf den anderen waren die Glimmerbaracken aufgelöst worden, niemand sagte uns, warum. Adolf wiederum hatte noch keine Arbeit zugewiesen bekommen. Er musste oft ins Spital, um seine Furunkulose behandeln zu lassen – der Grund, warum er die dicken Verbände trug –, aber sonst war auch er meistens in der Kaserne. Wir verbrachten viele Stunden miteinander, teilten etwas Essen oder eine halbe Zigarette und redeten über gemeinsame Freunde.

Viele dieser Freunde waren vielleicht schon nicht mehr am Leben oder weit fort in der Emigration. Doch wir fühlten uns ihnen wieder näher, weil wir über sie sprechen konnten. Ich erzählte Adolf von meinem Jahr im Untergrund, und er berichtete von seiner ersten Zeit in Theresienstadt, bevor er nach Wulkow kam.

«Damals habe ich mich gleich zu einer Schwerstarbeitergruppe gemeldet», erzählte er. «Dort bekam man etwas mehr zu essen und konnte außerhalb des Lagers arbeiten. Auf dem Transport, mit dem ich nach Theresienstadt kam, hatte ich einen jungen Mann kennengelernt, der unbedingt zur Schwerstarbeit wollte, Robert Wachs. Wir waren Freunde geworden und wollten zusammenbleiben.»

Robert Wachs war Halbjude. Sein christlicher Vater hatte sich nicht von seiner jüdischen Frau trennen wollen und war dafür ins KZ gekommen. Wenig später bekam die Mutter die

Nachricht, dass eines ihrer Kinder nach Theresienstadt deportiert werden sollte, weil sie Mischlinge waren. Doch wer gehen und wer bleiben sollte, musste sie selbst entscheiden. Der Sohn oder die Tochter – eine Wahl, die sie unmöglich treffen konnte. Schließlich entschied Robert für sie: Er meldete sich freiwillig, damit sich seine Schwester um die Mutter kümmern konnte. So kam er nach Theresienstadt.

«Wir arbeiteten in einem Steinbruch», erzählte Adolf. «Morgens wurden wir in einem Lastwagen dorthin gefahren. Mir fiel die Arbeit schwerer als Robert, ich war immerhin über zehn Jahre älter. Wenn ich erschöpft war, sagte Robert: Ab jetzt machst du immer eine Schippe weniger, und ich eine Schippe mehr.»

Nach einiger Zeit wurde der Trupp im Straßenbau eingesetzt, bei einer ganz normalen Straßenbaufirma. In ihrer ersten Mittagspause saßen die Häftlinge einfach nur da und warteten, dass die Pause vorbei war, denn sie hatten nichts zu essen. «Was ist los?», fragte sie der Chef. «Warum esst ihr nichts?»

«Wir haben nichts», sagte jemand.

«Bei mir arbeitet niemand, ohne zu essen», sagte der Chef und schickte sofort sein Büromädchen los, eine Gemüsesuppe zu kochen und sie den Häftlingen zu bringen.

Die Lastwagenfahrer, die die Männer aus dem KZ jeden Tag zur Arbeit fuhren, waren immer an Schwarzmarktgeschäften interessiert. Sie brachten von zu Hause Lebensmittel mit und tauschten sie bei den Häftlingen gegen Zigaretten.

An einem Tag hatte Adolf eine ganze Salami eingetauscht. Er wollte sie nicht selbst essen, sondern im Lager damit handeln. Um sie an den Wachen vorbeizuschleusen, hatte er die Wurst an den Hosenträgern befestigt, sodass sie innen im Hosenbein herunterhing. Normalerweise bestanden die Wachen aus tschechischen oder deutschen Polizisten, die die Häftlinge nicht weiter kontrollierten. Doch ausgerechnet an diesem Tag stand auch die SS da, um die Häftlinge nach Schmuggelware zu durchsuchen. Schnell versuchte Adolf, die Wurst von den Hosenträgern loszubinden, doch die Knoten waren zu fest, er schaffte es nicht rasch genug, sie zu lösen. Schon stand er vor der Wache. Zu seinem Glück war er an einen tschechischen Gendarmen geraten, nicht an einen SS-Mann. Der Gendarm tastete seine Hose ab. Als er die Salami berührte, hielt er inne und sah Adolf an. «Was hast du da?», fragte er auf Tschechisch. Adolf sprach ein bisschen Tschechisch und antwortete ehrlich: «Eine Salami.» Etwas anderes fiel ihm nicht ein.

Der Gendarm ließ ihn durch, ohne ein weiteres Wort zu sagen.

Als Adolf wieder zurück im Lager war, setzte er sich hin und aß die ganze Salami auf, die eigentlich für den Tauschhandel gedacht war. Hinterher hatte er fürchterliches Bauchweh.

«Andere kamen nicht davon», erzählte Adolf. «Hans Manasse, einer meiner Freunde, wurde von der SS durchsucht. Er hatte ein paar grüne Äpfel dabei. Es war noch früh im Jahr, die Äpfel waren noch nicht einmal reif. Er kam mit dem nächsten Transport in den Osten.»

Adolf litt besonders darunter, dass seine Mutter nicht bei ihm war. Nach der Schließung des Kulturbundes hatte er in der Verwaltung der Jüdischen Gemeinde gearbeitet. Eines Tages wurde seine Mutter, die schon über sechzig war, einem Alterstransport nach Theresienstadt zugeteilt. Doch an dem Tag, als der Transport abgefertigt wurde, zusammen mit anderen Zügen, die für Polen bestimmt waren, ging der SS die Abwicklung offensichtlich nicht schnell genug. Die SS-Führer ordneten an, dass auch der Zug, in dem Adolfs Mutter war, in den Osten gehen sollte. Adolf war es in letzter Minute gelungen, eine Freistellung für seine Mutter zu bekommen. Doch es war zu spät, der Transport war schon fort. Etwas

Adolf Friedländer mit Eltern und Schwester Ilse, um 1915

später bekam Adolf die Nachricht, dass er nach Theresienstadt deportiert werden sollte, gleichermaßen als Entschädigung dafür, dass man seine Mutter in ein Vernichtungslager geschickt hatte. Sie war nach Auschwitz gekommen, aber das erfuhr er erst viel später.

Adolf machte sich Vorwürfe, dass er seine Mutter nicht hatte retten können. Eine alte Tante von ihm war ebenfalls in Theresienstadt. Als Adolfs Schwerstarbeitertrupp zum Barackenbau nach Wulkow geschickt wurde, fragte man ihn, ob er im Lager Verwandte hätte, die seine Vergünstigungen bekommen sollten. Er nannte seine Tante, so, wie Schnäpschen mich angegeben hatte. Die Tante wurde nicht deportiert. Als Adolf aus Wulkow zurückkehrte und sah, dass er sie hatte schützen können, war er fest davon überzeugt, dass seine Mutter in Theresienstadt überlebt hätte.

Das Lager war halb leer. Die Front rückte näher. Zu dieser Zeit wurden viele Arbeitsstellen frei. Früher war Arbeit der Schlüssel zum Überleben gewesen, und es war schwer, eine Stelle zu finden. Inzwischen war es sogar möglich, eine der begehrten Positionen in der Küche oder Proviantur zu bekommen.

Adolf stellte sich in einer der Küchen vor, in denen für das Lager gekocht wurde. Die Küchenchefin hieß Frau Blau. Sie war Tschechin und schon seit 1942 in Theresienstadt. Adolf sprach sie gleich formvollendet mit «Gnädige Frau» an. «Gnädige Frau» – das hatte Frau Blau seit Prag nicht mehr gehört! Und schon hatte er die Stelle. Von nun an leitete er die Essensausgabe. Das hieß nicht nur, dass wir genug zu essen hatten, sondern auch, dass Adolf nicht mehr so schwer arbeiten musste.

Doch eines Morgens wachte ich mit unerträglichen Kopfschmerzen auf. Als ich dazu noch hohes Fieber bekam, ging ich ins Spital zur Untersuchung. Ich kam auf die Isolierstation, mit Verdacht auf Enzephalitis – ohne mich von Adolf verabschieden zu können.

Es dauerte nicht lange, bis das Fieber wieder sank. Ich fühlte mich nicht mehr krank, aber die Isolierstation durfte ich trotzdem nicht verlassen.

Eines Tages hörte ich ein seltsames Geräusch. Etwas prasselte gegen das Fenster. Es klang wie Hagel – oder als werfe jemand Steinchen gegen die Fensterscheibe. Ich sprang aus dem Bett. Die Station lag zwar nur im Hochparterre, aber die Fenster in den Krankenzimmern waren so angebracht, dass wir nicht hinausschauen konnten. Schnell lief ich zur Toilette. Das Fenster dort war niedriger und ließ sich gut öffnen. Als ich hinausschaute, sah ich, dass Adolf unten stand und Steinchen gegen mein Fenster warf.

Inzwischen war es schon fast Frühling geworden. Eines Tages brachte mir Adolf einen Zweig mit, der schon erste Knospen trug. Er reichte ihn mir hoch ans Fenster. Ich kam gerade mit den Fingerspitzen daran und zog den Zweig hinauf. Ein Glück, dass man ihn nicht erwischt hatte, als er ihn vom Strauch abbrach! Ich fragte mich, woher er diesen Zweig hatte. Nie hatte ich einen blühenden Baum in Theresienstadt gesehen.

Wir waren mehrere Mädchen auf dem Zimmer. Der Verdacht auf Enzephalitis hatte sich nicht bestätigt, und dennoch wurde ich nicht entlassen. Viele von uns wussten nicht einmal genau, welche Krankheit sie angeblich hatten. Unser Aufenthalt auf der Isolierstation kam uns sinnlos und fast absurd vor. Fast jeden Tag kam ein Arzt und sah nach uns, Fieber wurde gemessen, ab und zu nahm jemand uns Blut ab. Manchmal bekamen wir unser Blut gleich wieder mit einer Spritze injiziert. Dann wieder mussten wir mit geschlossenen Augen vorwärts und rückwärts gehen, während der Arzt uns genau beobachtete.

Ansonsten passierte nicht viel. Wir langweilten uns. Um sich die Zeit zu vertreiben, begannen einige von uns, Gedichte zu schreiben und sich gegenseitig vorzulesen. Überhaupt kursierten in Theresienstadt viele Gedichte. Sie gingen von Hand zu Hand, manche in einer Schreibstube heimlich mit Maschine getippt, manche handgeschrieben auf kleinen Zetteln. Wem diese Gedichte in die Hände kamen, der schrieb sie ab und gab sie weiter. Es waren Gedichte über das Lagerleben, Gedichte an die Menschen draußen, Gedichte, die das Elend, das über uns gekommen war, zu erfassen versuchten.

Einen Monat verbrachte ich im Spital. Schließlich wurde ich entlassen, ohne dass jemals eine Diagnose gestellt wurde.

Es war bereits Ende März. Ich bekam eine Stelle in der Wäscheausgabe. Eine der Merkwürdigkeiten in Theresienstadt war, dass die Wäscherei noch immer arbeitete. Auch wenn wir alle bis auf die Knochen abgemagert waren, auch wenn in den Krankenbaracken der Flecktyphus wütete und die alten Leute zu Hunderten in Massenunterkünften dahinvegetierten und starben: Es gab eine Wäscheannahme, in der man seine schmutzige Wäsche abgeben konnte, die dann ein paar Tage später in der Ausgabe zur Abholung bereitlag. Man ließ uns hungern, aber für saubere Wäsche wurde gesorgt.

Ich war glücklich, dass ich jemanden hatte, der sich um mich sorgte, und stolz, dass Adolf mich ernst nahm. Zum ersten Mal, seit ich von meiner Mutter getrennt war, fühlte ich mich wieder beschützt und geborgen.

Doch dann wurde wieder ein Arbeitstransport zum Barackenbau zusammengestellt. Adolf wurde zum verantwortlichen SS-Obersturmführer gerufen. Es war der gleiche, der schon den letzten Transport nach Wulkow geleitet hatte. Adolf sollte als Vorarbeiter mit auf diesen neuen Transport gehen, doch weil er den SS-Mann kannte, wagte Adolf zu widersprechen.

«Ich habe ein Mädchen hier», sagte Adolf, «und eine gute Stelle!» Noch vor wenigen Wochen war es undenkbar gewesen, offen gegen Befehle zu protestieren. Den Wachen, der SS – allen war anzusehen, dass es in diesem Krieg nicht mehr gut stand um die Deutschen. Das Lager war halb leer. Doch die Routine ging weiter. Jeder tat, was er immer tat, mechanisch, unbeteiligt. Alle warteten ab, was geschehen würde. Unsere Bewacher hielten sich zurück, sie brüllten nicht, sie straften weniger, sie schauten weg, wenn sich Paare heimlich trafen. Offenbar fürchteten sie, sich im letzten Moment noch etwas zuschulden kommen zu lassen. Konnte es sein, dass sie Angst hatten? Angst vor Strafe? Angst vor Rache? Angst vor uns?

Noch war es nicht so weit. Gerade ihre Angst konnte gefährlich für uns sein. Immerhin konnten sie eines Tages auf die Idee kommen, das ganze Lager zu liquidieren, um ihre Schuld zu verschleiern.

Adolf hatte keinen Erfolg mit seinem Einspruch. Er musste auf den Transport gehen. Der erste Zug fuhr mit wenigen Männern und Barackenteilen voran, nach Bayern. Ein zweiter folgte etwas später.

Doch schon eine Woche später war er wieder da. Die gesamte Aktion war zu einem Desaster für die SS geworden. Als sie den Ort erreichten, an dem die Baracken errichtet werden sollten, stellte der SS-Aufseher fest, dass sie keinen einzigen Hammer mitgenommen hatten. Sie hatten es einfach vergessen. Der Aufseher war schon älter und gehörte zur dritten Garnitur von SS-Männern, denn die jungen waren längst an der Front oder gefallen. Nun musste er ins nächste Dorf laufen und versuchen, sich von den Bauern Hämmer zu leihen. Doch wer war in diesen Zeiten schon bereit, etwas zu verleihen? Nicht einmal die SS-Uniform konnte die Bauern dazu bringen, sich von etwas so Kostbarem wie einem Hammer zu trennen. Unverrichteter Dinge kam der Aufseher zurück. Die Häftlinge banden sich notdürftig ein paar Holzscheite zu provisorischen Werkzeugen zusammen und begannen zu arbeiten.

Das Aufstellen der Baracken dauerte etwa doppelt so lange wie sonst. Als die erste fertig war, hieß es, die Amerikaner kämen immer näher. Schließlich mussten die Häftlinge auf Anweisung der SS alle übrigen Einzelteile in die Baracke legen und die Tür vernageln. Dann wurden sie wieder auf den Zug verladen. Es ging zurück nach Theresienstadt.

Auch diesmal musste der Zug oft anhalten. Nachts stand er stundenlang auf den Gleisen, ohne sich einen Millimeter vorwärtszubewegen. Es war schon März, aber trotzdem war es nachts noch sehr kalt. Die Häftlinge schliefen in den Güterwaggons und wärmten sich gegenseitig. Währenddessen mussten die SS-Männer draußen Wache halten, damit niemand entkam. Sie hatten nur ihre Uniform, keine Decken, keine warmen Mäntel. Sie froren jämmerlich, bis einer von ihnen auf die Idee kam, dass man sich von den Juden ein paar Jacken borgen könnte. Schließlich schob der gesamte SS-Trupp in Häftlingsjacken mit aufgenähtem Judenstern Wache vor den Güterwaggons.

Am 6. April besuchte Paul Dunant als Vertreter des Roten Kreuzes Theresienstadt. Nach langen Verhandlungen hatte das Rote Kreuz endlich wieder Zugang zum Ghetto bekommen. Es bestand ständig die Gefahr, dass Theresienstadt, wie viele andere KZs, noch in letzter Minute aufgelöst würde. Und Auflösung bedeutete Liquidation. Auflösung bedeutete, dass sie uns alle umbringen würden. Auch wenn das Rote Kreuz schon vorher das Lager besichtigt hatte - noch nie hatten seine Vertreter die Zustände, in denen wir lebten, wirklich gesehen. Sie hatten ein Theresienstadt vorgeführt bekommen, das es nicht gab.

Diesmal wurde der Vertreter des Roten Kreuzes nicht von der SS, sondern von Leo Baeck durch das Lager geführt. Die SS blieb während der ganzen Besichtigung im Hintergrund. Immer mehr Häftlinge wagten es, sich der Delegation anzuschließen. Sie liefen einfach schweigend hinterher. Schließlich folgten der kleinen Gruppe viele Menschen. Auch ich war dabei. Ich war dabei, als Theresienstadt zum ersten Mal der Welt gezeigt wurde - so, wie es wirklich war.

Das Rote Kreuz erreichte, dass Theresienstadt nicht aufgelöst wurde. Es sollte weiter bestehen und als Aufnahmelager für Gefangene aus anderen Konzentrationslagern dienen.

Eines Tages fuhr ein Zug langsam in Theresienstadt ein. Es war etwa um den 20. April 1945 herum. Zusammen mit vielen anderen war ich von meiner Arbeit fortgeholt und zum Bahnhof geführt worden. Wir sahen zu, wie der Zug einfuhr,

Viehwaggons, eine endlose Reihe. Wir hatten keine Ahnung, was das zu bedeuten hatte. Meter für Meter schob sich der Zug vor, bis er mit kreischenden Bremsen zum Stehen kam. Wir rührten uns nicht von der Stelle, standen minutenlang an den Gleisen und warteten. Dann wurden die Waggontüren aufgeschoben.

Sie fielen einfach heraus oder wurden hinausgestoßen: Menschen, die keine Menschen mehr waren. Viele waren schon tot, aber die Toten waren kaum von den Lebenden zu unterscheiden. Die Augen lagen tief in den Höhlen, die Wangen waren eingefallen. Nur die Nasen stachen spitz aus den Gesichtern hervor. Die Menschen trugen eine Art gestreifter Pyjamas, aber meist waren es nur noch Lumpen, von den nackten Schultern und Armen hingen Stofffetzen, die irgendwann einmal Jacken gewesen waren. Anstelle von Schuhen trugen sie Holzpantinen. Kaum jemand hatte ein ganzes Paar Schuhe. Die meisten hatten nur einen, manche gar keinen an. Viele hatten Ödeme in den Beinen, die dadurch so dick angeschwollen waren wie Elefantenbeine. Andere waren nur noch Gerippe. Etwas fiel mir in die Arme, ein Mensch, so schwach, dass ich ihn tragen musste. Er war federleicht.

Diese Menschen kamen aus Auschwitz. Zum ersten Mal hörten wir diesen Namen: Jetzt erfuhren wir, dass auch die unsichtbaren Züge von dort gekommen waren. Damals war Auschwitz gerade befreit worden. Wir hatten davon nichts gewusst.

Die Transporte, die jetzt eintrafen, bestanden aus Häftlingen, die die SS vor der Befreiung am 27. Januar auf einen Todesmarsch geschickt hatte. Die SS unternahm alles, damit die Überlebenden den Russen nicht in die Hände fielen und die Alliierten vom wahren Ausmaß der Vernichtung nichts erfuhren.

Fast drei Monate waren die Menschen unterwegs gewesen, erst zu Fuß, in einer langen Kolonne. Es waren nur Männer, auch wenn sie auf den ersten Blick geschlechtslos wirkten wie Skelette. Der größte Teil von ihnen war längst tot, erschossen, verhungert, an Erschöpfung gestorben. Irgendwann hatte man die letzten Überlebenden aufgelesen, in Viehwaggons gepfercht und nach Theresienstadt geschickt, in eines der letzten Lager, die noch nicht befreit waren. Eine tagelange Fahrt in Güterwaggons, ohne Essen, ohne Licht, zusammen mit Typhuskranken und in fürchterlichem Schmutz. Viele hatten sie nicht überlebt. Aber es waren immer noch Hunderte, die uns entgegenfielen.

In diesem Moment bekam der «Osten» einen Namen. In diesem Moment erfuhren wir von den Todeslagern. Und in diesem Moment begriff ich, dass ich meine Mutter und meinen Bruder nicht wiedersehen würde.

Es war unbegreiflich, dass überhaupt jemand von ihnen überlebt hatte. Wir trugen und schleppten sie vom Bahnhof fort auf einen Hügel in der Nähe: Die Menschen sollten erst gesammelt und dann auf ihre Quartiere verteilt werden. Menschen – an ihnen war nichts Menschliches mehr, die Augen waren leer, die Gesichter wie ausgelöscht. Vielleicht waren einige von ihnen sogar einmal aus Theresienstadt nach Auschwitz gekommen, in einem eigenen Hemd, einer richtigen Hose, in der Hand ein kleines Köfferchen oder einen Rucksack auf den Schultern. Auschwitz hatte ihnen alles genommen, hatte sie zu diesen Gestalten gemacht, die nicht männlich, nicht weiblich waren, alterslos und unkenntlich.

Jetzt hatte ich keine Hoffnung mehr. Da es mir bisher gelungen war, zu überleben, hatte ich noch immer gehofft, dass es auch meine Mutter und mein Bruder geschafft haben könnten. Ich wollte überleben, weil ich meine Familie wiedersehen wollte. Was war mein Überleben jetzt noch wert?

Viele Züge waren gefahren, dorthin, wo ich auch meine Mutter und meinen Bruder vermutete. Anfangs hatten wir noch geglaubt, dass dort Zwangsarbeit und Hunger auf die Deportierten warteten, aber nicht unbedingt der Tod. Später wurde die Angst vor der Deportation immer größer, denn niemand kehrte je von dort zurück.

Nun hatte der Osten nicht nur einen Namen bekommen, sondern auch ein Gesicht. Eines, das nicht mehr menschlich und nicht mehr lebendig war.

An diesem Tag wurde ich als Hilfskrankenschwester eingesetzt. Inzwischen war der kleine Hügel neben dem Bahnhof bevölkert mit mageren Gestalten. Die meisten lagen apathisch auf der Erde, einige irrten umher. Auch ich lief hilflos und ohne Ziel durch die Menge. Ich hatte eine Armbinde bekommen, die mich als Hilfsschwester auswies. Aber was sollte ich tun? Diese Menschen brauchten vor allem etwas zu essen. Doch ich hatte nichts.

Plötzlich zupfte mich jemand am Arm. Ich blieb stehen.

«Margot, erinnerst du dich an mich?»

Ich schaute in eines dieser Gesichter. Eines war wie das andere. Ich wusste nicht, wer dieser Schatten von Mensch sein konnte.

«Arnold Kirschberg», sagte die Gestalt. «Erkennst du mich nicht?»

Arnold Kirschberg war Tenor beim Kulturbund gewesen. Aber dieses Skelett war nicht Arnold Kirschberg.

«Margot», sagte er. «Hast du nicht ein Stückchen Brot?»

Allmählich begriff ich, dass er es war, auch wenn nicht einmal die Stimme an den Arnold Kirschberg erinnerte, den ich kannte. «Ich habe nichts», sagte ich. «Aber warte hier! Ich hole etwas. Geh nicht weg!»

Schnell lief ich los. Ich lief zu einer der Essensausgaben. Ich musste so schnell wie möglich ein Stück Brot für Arnold holen.

Es dauerte eine Weile, bis ich zurück war. Die Stelle, an der ich ihn getroffen hatte, fand ich sofort, aber inzwischen hatte man angefangen, die Menschen in Gruppen einzuteilen und in ihre Unterkünfte zu bringen. Arnolds Gruppe war verschwunden. Einige Gruppen wurden in Baracken untergebracht, andere auf die Dachböden der größeren Häuser verteilt. Auf einem dieser Dachböden sollte ich arbeiten. Zusammen mit ein paar anderen Frauen, die ebenfalls weiße Armbinden trugen, schritt ich durch die Reihen von Menschen, die auf dem Boden lagen, einer neben dem anderen. Inzwischen hatten sie Decken bekommen, aber sie trugen noch immer ihre schmutzigen, verlausten Sachen. Sie stöhnten und riefen nach mir. «Schwester, Schwester!»

Wir holten Wasser und versuchten, die Menschen zu waschen, so gut es ging. Viel mehr gab es nicht, was wir tun konnten. Das Einzige, was ich tun konnte, war zu sagen: «Keine Angst.» Ich sagte es immer wieder, um sie zu trösten, einfach, um irgendetwas zu sagen: «Hier braucht ihr keine Angst mehr zu haben.»

Mehrere Tage und Nächte verbrachte ich auf dem Dachboden. Wenn ich ein paar Stunden freihatte, suchte ich weiter nach Arnold Kirschberg, aber ich fand ihn nirgends und vermutete ihn schon unter den Typhuskranken. Die Krankheit verbreitete sich schnell. Eine Epidemie drohte, denn erst nach ein paar Tagen hatte man die Kranken getrennt von den anderen untergebracht.

Adolf, der als Kind Typhus durchgemacht hatte und deshalb immun war, meldete sich freiwillig zur Arbeit in der Isolierbaracke. Auch dort fand er keine Spur von Arnold.

Schließlich fand Arnold mich. Plötzlich stand er auf dem Dachboden, noch immer dürr wie ein Gerippe. Aber jemand hatte ihm eine richtige Hose und eine Jacke zum Anziehen gegeben. In seinen Augen stand nicht mehr nur der Hunger. Es war wieder etwas Leben darin. Erst jetzt erkannte ich ihn wirklich wieder.

Wir merkten es zuerst am Verhalten der SS. Aufgescheucht liefen die SS-Männer im ganzen Ghetto herum. Sie luden ihre Habe auf Lastwagen, die sie vorher mit großen Aufbauten versehen hatten. Ihre Habe – das war auch all das, was sie uns gestohlen hatten. Wir beobachteten sie gespannt. Irgendwann öffnete sich das Tor, und die ersten Lastwagen fuhren aus dem Ghetto hinaus. Wir konnten es kaum glauben. Waren wir bald befreit?

Doch schon am nächsten Tag waren die SS-Männer wieder da, allerdings ohne ihre Lastwagen. Offensichtlich war die SS auf allen Straßen, die ins unbesetzte Deutschland führten, russischen Truppen begegnet. Die Russen befanden sich auf dem Weg nach Prag, und Theresienstadt lag genau auf ihrer Route. Für die SS gab es kein Durchkommen. Sie kehrten um. Die Lastwagen mussten sie zurücklassen, ihr Leben hatten sie noch einmal gerettet.

Doch schon wenige Tage später, am 5. Mai, verließ der Kommandant Karl Rahm das Lager. Ein SS-Mann stand am Fahnenmast vor dem Tor und zog die Hakenkreuzfahne ein. Er faltete sie zusammen und klemmte sie sich unter den Arm. Diesmal ging die SS wirklich. In jedem Fahrzeug, das noch halbwegs funktionierte, saßen sie, dicht gedrängt. In einer Kolonne fuhren sie zum Lagertor hinaus. Am selben Tag dankte der Judenälteste Murmelstein ab, und die Lagerleitung wurde von einem Ältestenrat unter dem Vorsitz von Leo Baeck übernommen.

Dann fuhr ein Auto in Theresienstadt ein. Ich sah es kommen, durch das Fenster der Kaserne, in der ich wohnte. Die Kaserne lag direkt an der Hauptstraße, die nach Prag führte. Ich traute mich kaum hinauszusehen, denn bisher war es streng verboten gewesen, nach dieser Seite aus dem Fenster zu schauen.

Ein offener Jeep mit einer großen Rotkreuzflagge über der Kühlerhaube. Wenig später weht diese Fahne über Theresienstadt. Wir trauen dem Frieden nicht. Es herrscht eine seltsame Stimmung. Niemand freut sich, niemand jubelt, niemand ändert seinen Tagesablauf auch nur ein bisschen. Wir verrichten unsere Arbeit wie an jedem anderen Tag. Die SS ist verschwunden. Sind wir nun befreit? Wie fühlt es sich an, befreit zu sein? Wir haben zu lange auf diesen Moment gewartet. Jetzt ist er da, und wir können, wir wollen es nicht glauben.

Drei ganze Tage lang leben wir nicht anders als zuvor. Obwohl das Rote Kreuz bereits da ist, hat die Rote Armee Theresienstadt noch nicht eingenommen. Noch ist das Gebiet um uns herum von deutschen Truppen besetzt. Alles hält den Atem an.

Dann kommen sie, die Russen.

Am Tor stehe ich, an der Straße nach Prag. Zusammen mit allen anderen sehe ich zu, wie die Russen auf ihren Lastwagen an uns vorbeifahren. Ich winke ihnen. Das Tor steht offen, zum ersten Mal steht es offen. Es gibt keine Wache mehr, keiner kann mich daran hindern, hinauszugehen. Trotzdem stehe ich einfach nur so da. Träume ich? Kann es wahr sein, dass ich überlebt habe? Vorsichtig mache ich ein paar Schritte, hinaus auf die Straße. Ich will nicht fort. Ich will nur sehen, ob es wahr ist, dass ich hinausgehen kann, ohne erschossen zu werden.

Neben mir steht Adolf. Wir sehen uns an. Wir erleben die Befreiung zusammen. Ein Moment, den wir nie vergessen werden.

## Kapitel 9
## Schwimme oder versinke: Das neue Leben

Wir stehen da und beobachten die Kolonnen, die ohne Unterbrechung seit Stunden an uns vorbeirollen. Einige Rotarmisten lächeln uns zu. Wir lächeln zurück. Wir sind erschüttert über ihren Anblick, denn sie sehen fast so zerlumpt aus wie wir. Es gibt kaum zwei gleiche Uniformen, alles ist irgendwie zusammengestückelt aus Uniformteilen und geplünderten Kleidungsstücken. Alle starren vor Schmutz. Männer und Frauen sind kaum voneinander zu unterscheiden. Schrottreife Lastwagen rumpeln die Straße entlang, müde Pferde ziehen schwere Wagen. Es gibt auch Soldaten zu Pferd. Sie schwanken im Sattel und kippen aus lauter Müdigkeit immer wieder vornüber. So viele verschiedene Gesichter. Es scheinen so viele zu sein, wie es Völker gibt in der Sowjetunion. Sie sind zu Tode erschöpft, sie sind schon lange unterwegs. Nur noch wenige Kilometer bis Prag. Sie wollen nach Prag, zur Siegesfeier. Der Sieg. Als wir die siegreiche Rote Armee an uns vorbeiziehen sehen, fragen wir uns: Wie konnte eine solche Armee, wie konnten diese müden und abgerissenen Leute die mächtigen Deutschen besiegen?

Die Zeit in Theresienstadt hatte ich wie durch einen Schleier wahrgenommen. Jetzt war ich befreit – und auch das kam mir unwirklich vor. Wir standen am Tor, unfähig, uns zu bewegen, unfähig, etwas zu tun.

Wir konnten uns nicht vom offenen Tor und vom Anblick der vorbeiziehenden Truppen trennen. Wir wollten nichts versäumen. Sogar das Essen war uns nicht mehr wichtig. Wir waren nicht hungrig. Manchmal warf uns jemand etwas von einem Lastwagen herunter, eine Zigarette oder etwas Brot, sie hatten selbst nicht viel. Wir merkten nicht, dass es Abend wurde. Keiner wollte schlafen gehen. Irgendwann fühlte ich, wie meine Knie weich wurden. Ich konnte nicht mehr stehen. Widerwillig beschloss ich, mich wenigstens für ein paar Stunden hinzulegen. Ich ging zurück in die Kaserne und legte mich auf meine Pritsche. Doch der Schlaf wollte nicht kommen. Erst jetzt, als ich auf den harten Brettern lag und meinen Körper wieder spürte, begriff ich allmählich, dass es Wirklichkeit war. Dass es zu Ende war.

Wenig später stand ich wieder auf und ging hinunter zum Tor. Inzwischen war es mitten in der Nacht. Trotzdem war ich nicht allein, es standen kaum weniger Theresienstädter dort als am Tag. Noch immer rollten die Truppen nach Prag, ohne Pause. Schliefen sie jemals?

Am nächsten Tag zog ich aus der Kaserne aus. Viele Leute hatten das Lager bereits verlassen, sie waren einfach fortgegangen. Jetzt gab es viele freie Zimmer, und ich musste nicht mehr in dem riesigen Schlafsaal auf der Holzpritsche schlafen.

Ich streifte durch die Straßen und Häuser. Schließlich fand ich eine Art Verschlag, den sich jemand in einem Flur gezimmert hatte. Er war mit Kartoffelsäcken abgeteilt, dahinter stand ein Bett, und davor war Platz für einen kleinen Tisch und einen Stuhl. Ich säuberte das Bett und fand eine kleine Kiste, die ich als Kommode danebenstellte. Zum ersten Mal, seit ich im Lager war, hatte ich einen Raum für mich allein, auch wenn es nur ein primitiver Verschlag war. Es gab sogar elektrisches Licht: Die nackte Glühbirne, die auf dem Gang an einem Kabel von der Decke hing, reichte aus, um mein kleines Zimmer zu beleuchten.

Adolf arbeitete noch immer in der Küche. Jetzt, nach der Befreiung, wurden öfter als früher die berühmten «Buchteln» gebacken. Einer der ersten Tage, die ich in meiner neuen Behausung verbrachte, war so ein Buchtel-Tag. Frühmorgens, während ich noch schlief, ging Adolf in die Küche und half beim Backen. Als der Teig fertig war und in eine Ecke gestellt wurde, damit er aufging, nahm Adolf ein kleines Stückchen und trug es zu mir. Er legte den Teig in die kleine Schüssel, die auf meinem Tisch stand, und ging wieder fort.

Als ich zwei Stunden später aufwachte, roch es in meinem kleinen Verschlag wunderbar nach Hefe. Ich stand auf, lief zum Tisch und sah, dass Teig über den Rand der Schüssel quoll. Schnell knetete ich ihn wieder zusammen und formte lange Brote daraus. Die Brote trug ich in eine der Wärmeküchen, um sie ausbacken zu lassen. Eine Stunde später besaß ich mehrere Stangen Weißbrot – nach Monaten, in denen ich nichts anderes gegessen hatte als das harte, grobe Lagerbrot. Eine davon brachte ich Arnold Kirschberg, der sich inzwischen doch mit Typhus angesteckt hatte. Ich war sicher, dass es ihm beim Gesundwerden helfen würde.

Nachdem die Rote Armee vorbeigezogen war, wurde es wieder ruhiger. Wir warteten ab, was als Nächstes kommen würde. Theresienstadt war wie eine Bühne geworden: Die einen zogen ab, die anderen kamen. Nur wir blieben da, warteten und schauten zu.

Plötzlich war alles voller Ärzte und Krankenschwestern. Als Erstes versuchten sie, den Typhus unter Kontrolle zu bringen. Die Kranken wurden in Baracken außerhalb des Lagers verlegt, damit die Epidemie nicht noch weiter um sich griff. Dann fingen sie an, alle Strohmatratzen aus den Betten zu reißen, hinunter in die Höfe und auf die Straßen zu werfen und zu großen Stapeln aufzuschichten, die dann in Brand gesteckt wurden. Überall in Theresienstadt brannten die Scheiterhaufen. Lastwagen brachten frisches Stroh, neue Decken und Kissen wurden verteilt. Alle Betten, alle Möbel und alle Gegenstände aus Holz wurden mit einem Desinfektionsmittel abgespritzt. Endlich gelangten auch richtige

Medikamente ins Lager. Wie jeder bekam auch ich ein Stück Seife und eine Tube Zahnpasta. Zum ersten Mal seit Monaten konnte ich mich mit echter Seife waschen und richtig die Zähne putzen.

Wir sahen, wie schwere Lastwagen in das Lager einfuhren, russische Lastwagen. Sie hielten an der Proviantur und an allen Küchen und luden Kisten und Säcke aus. Es ging das Gerücht, dass die Russen Versorgungsstellen der Wehrmacht geplündert hatten und diese Lebensmittel nun zu uns ins Lager brachten. In den Säcken und Kisten war vor allem Reis. Von nun an bekamen wir Reis, morgens, mittags und abends. Den Kranken wurde er Löffelchen für Löffelchen von den Schwestern eingeflößt, damit sie nach der zum Teil jahrelangen Unterernährung nicht plötzlich an zu reichlichem Essen starben.

Auch ich aß mich zum ersten Mal seit vielen Monaten satt. Wir bekamen gute Kartoffeln, die nicht erfroren waren, und Gemüse, das nicht bereits faulte und stank. Die Suppen waren dick und gehaltvoll. Es gab Brot, richtiges Brot, mit echter Butter! Dinge, die wir seit Jahren nicht mehr gesehen hatten.

Was dann geschah, konnten wir kaum glauben. Leute kamen ins Lager, keine Ärzte, keine Schwestern, keine Soldaten, sondern ganz normale Leute aus den Dörfern rings um Theresienstadt. Sie trugen das Hakenkreuz auf ihren Jacken, wie wir den Stern getragen hatten, nur auf dem Rücken und viel größer. Es waren Deutsche. Sie fingen an, die Straßen zu kehren. Sie leerten die Latrinen. Unter der Aufsicht der Russen wurden sie gezwungen, all die schmutzige und schwere Arbeit zu verrichten, die wir bisher gemacht hatten.

Erst in diesem Moment begriff ich, dass ich befreit war.

Mein erster Gedanke: Ja, es gibt einen Gott.

Der Augenblick, auf den ich so lange gewartet hatte, war gekommen. Aber die Zukunft erschien mir kein bisschen klarer als zuvor. Das Lager begann sich zu leeren, doch ich war noch immer da. Und Adolf mit mir. Um uns herum war so viel Bewegung, immer mehr Menschen gingen fort. Die Tschechen, die mit den letzten Transporten gekommen waren und von denen viele christliche Ehepartner in Prag oder Umgebung hatten, waren gleich mit den russischen Truppen nach Hause gefahren. Manche machten sich auf eigene Faust auf den Weg. Die holländischen Juden wurden mit Bussen abgeholt.

Ich hatte keine Eile. Ich musste mich an die Freiheit gewöhnen.

Es nahm kein Ende. Während die einen gingen, kehrten die anderen zurück. Diesmal waren es Überlebende aus Auschwitz, fast nur junge Leute, die früher in Theresienstadt gewesen waren. Sie suchten nach ihren Angehörigen, nach alten Freunden. Sie kamen in der Hoffnung, ihre Eltern, Geschwister oder Freunde noch hier vorzufinden. Doch meistens erfuhren sie nur, dass alle deportiert worden waren. Erst hier in Theresienstadt wurde ihnen klar, dass sie zwar überlebt hatten, aber nun ganz allein auf der Welt waren.

So kam auch Hans Manasse zurück. Hans, der wegen der geschmuggelten grünen Äpfel nach Auschwitz geschickt worden war. Wir freundeten uns auch mit einer Gruppe von sechs jungen Männern an, die sich aus Auschwitz gemeinsam auf den Weg zurück nach Theresienstadt gemacht hatten, vor allem mit einem von ihnen, Kurt Kohorn. Kurt, Hans Manasse, Arnold Kirschberg, der inzwischen wieder gesund war, und Robert Wachs, der mit Adolf in Wulkow gewesen war – sie wurden in diesen ersten Wochen nach der Befreiung unsere neue Familie.

Ich arbeitete noch immer an der Wäscheausgabe. Obwohl viele fortgegangen waren, war das Lager voller Menschen, die versorgt werden mussten. Es waren die, die nicht wussten, wohin sie gehen sollten. Tausende, Zehntausende waren aus ihrer Heimat verschleppt worden. Sie wussten nicht, wo ihre Angehörigen waren, ob überhaupt jemand von ihnen überlebt hatte.

Meistens waren es die Älteren, für die ein Platz gefunden werden konnte. Viele hatten Kinder oder andere Verwandte, die noch rechtzeitig in die USA oder nach Südamerika emigriert waren. Die Alten, die überlebt hatten, aber niemanden mehr auf der Welt hatten, wurden nach und nach in Altersheimen untergebracht. Übrig blieben wir, die Jungen.

Ich hatte die Gestalten gesehen, die Auschwitz und die Todesmärsche überlebt hatten. Die Augen eines Einzigen von ihnen sagten mehr über die Todeslager als alle Nachrichten über Auschwitz, die wir jetzt von den Russen bekamen. Ich hatte keine Hoffnung, dass irgendjemand von meiner Familie noch lebte.

Die Hand meiner Mutter hatte mich geleitet. Das hatte ich mir immer gesagt, all die Jahre. Ich hatte unter ihrem Schutz gestanden, damit ich überlebte. Und ich hatte es geschafft. Jetzt musste ich den Gedanken zulassen, dass meine Mutter tot war. Ich hatte mich ihr immer nahe gefühlt – bis jetzt. «Versuche, dein Leben zu machen.» Galt das bis hierhin und nicht weiter?

Für mich gab es keinen Grund, aus Theresienstadt fortzugehen. Meine Freunde und vor allem Adolf waren die liebsten Menschen, die ich noch hatte. Und sie alle waren hier. Wo sollte ich hin, zurück nach Berlin? Nach Brasilien zu Tante Jetti? Nach Amerika, das uns damals keine Chance gegeben hatte, als wir sie so nötig brauchten? Ich wusste, sobald ich das Lager verließe, würde ich nicht mehr verdrängen können. Ich hatte überlebt. Aber nichts war mehr so wie vorher. Hinter mir lag meine Vergangenheit, von der mir nur ein paar Fotos, ein paar Kleider, ein kleines Adressbuch und eine Bernsteinkette geblieben waren. Vor mir lag das Nichts. So ging es allen. Wir waren die Übriggebliebenen.

Wir wurden immer weniger. Eines Tages kam die Leiterin der Wäscheausgabe zu mir und verkündete, die Wäscherei würde aufgelöst. Ich wusste, was das bedeutete: Wir alle würden das Lager verlassen müssen.

Alles, was bis zu einem bestimmten Zeitpunkt nicht abgeholt worden war, wurde von den Russen übernommen, das galt auch für die Wäsche. Ich hatte bereits einen Haufen Wäsche, die niemand mehr wollte, und es wurde immer mehr.

Ich begann, zuerst all meine Freunde mit Bettzeug und Handtüchern zu versorgen. Einige Frotteehandtücher aus Theresienstadt habe ich noch heute. Ich benutze sie, um meine Pullover darauf zu trocknen.

Jeden Abend gingen Adolf und ich spazieren. Zum Ausruhen setzten wir uns immer auf dieselbe Bank, in einem Sektor der Stadt, der früher für uns gesperrt gewesen war. Die Zeit verging so schnell, es war schon Anfang Juni. Das Wetter war schön und warm. Unser erster Sommer in Freiheit.

Manchmal verließen wir das Lager, um in den Feldern spazieren zu gehen. Die Gegend um Theresienstadt war hügelig und fast unfassbar lieblich. Stundenlang liefen wir zwischen Feldern und Obstplantagen. Ab und zu kamen wir an einem Bauernhof vorbei. Die Höfe wirkten verfallen und verwahrlost. Manche standen leer, in anderen lebten nur alte Leute, Frauen und Kinder. Während des Krieges waren fast alle arbeitsfähigen Männer an die Front oder zur Zwangsarbeit geschickt worden, und gleich nach Kriegsende hatte die Vertreibung der Sudetendeutschen begonnen. Viele Häuser standen leer, die Besitzer waren geflüchtet. Felder lagen brach, denn es war niemand da, der sie bestellen konnte.

Eines Tages liefen wir nach Leitmeritz, etwa eine Stunde zu Fuß von Theresienstadt entfernt. Auf dem Weg kamen wir an riesigen Erdbeerfeldern vorbei, voll mit reifen Früchten. Da wir niemanden auf dem Feld sahen, gingen wir zum nächsten

Haus. Eine Bauersfrau öffnete uns die Tür. «Dürfen wir einen Korb Erdbeeren pflücken?», fragte Adolf auf Tschechisch.

«Wir bezahlen auch», sagte ich und streckte der Frau einen Schein hin. Wir hatten bereits etwas Geld bekommen. Sie schüttelte den Kopf.

«Nehmt, soviel ihr wollt», sagte sie.

Wir pflückten, bis unser Korb voll war, und als er voll war, pflückten wir einfach weiter. Wir aßen Erdbeeren, bis wir nicht mehr konnten.

Ein anderes Mal ging ich allein hinaus aus dem Lager. Ich kam durch einen kleinen Ort, wie es viele gab rings um Theresienstadt. Sommerliche Stille herrschte, niemand war auf der Straße, sogar der kleine Marktplatz lag da wie ausgestorben. Am Rande des Marktplatzes stand ein Baum, an dem ein Fahrrad lehnte. Ein Fahrrad! Das konnte ich gut gebrauchen. Zurück zum Lager war es weit, und ich war müde. Kurz entschlossen setzte ich mich darauf und fuhr zurück nach Theresienstadt. Ich hatte kein schlechtes Gewissen. So wie ich machten es alle. Wir alle eigneten uns Dinge an, wenn wir uns außerhalb des Lagers bewegten. Die Zeiten hatten uns gelehrt: Wenn du etwas brauchst und die Möglichkeit hast, es zu bekommen – nimm es, es ist deins! So vieles hat man uns genommen, jetzt nehmen wir!

Es gab kaum noch Geschäfte, die nicht völlig ausgeraubt waren. Ladentüren standen offen, in den Geschäften nur leere Regale. Was die durchmarschierenden Truppen nicht geplündert hatten, nahmen die Menschen mit auf ihre Flucht.

Eines Tages kehrte Arnold Kirschberg mit einer Rolle Stoff unter dem Arm von einem Spaziergang zurück. Es war ein hübscher weißer Baumwollstoff mit orangefarbenen Tupfen. Außerdem hatte er irgendwo eine Flasche Brandy mitgehen lassen. «Die habe ich befreit», sagte er stolz und hielt die Flasche triumphierend in die Höhe. Die Hälfte des Stoffes gab er mir. Es war genug für ein Kleid. «Der Rest ist für meine

Frau», sagte er. Wo seine Frau war, das wusste er nicht. Auch nicht, ob er sie je wiedersehen würde. In Auschwitz waren sie getrennt worden, und er wusste nicht, ob sie noch lebte. Sie hieß Margot, genau wie ich.

Wir hörten davon, dass in der amerikanisch besetzten Zone Lager eingerichtet werden sollten für diejenigen, die sich auf eine Auswanderung vorbereiteten oder noch nicht wussten, wohin sie gehen sollten: «DP-Camps». DP – das stand für *Displaced Persons*, Menschen, die man vertrieben hatte und die nirgendwo erwünscht waren. Auch Adolf und ich gehörten dazu. Fehl am Platze – so fühlte ich mich wirklich. Ich war 24 Jahre alt und hatte keine Ahnung, was ich tun sollte. Zu Tante Jetti nach Brasilien wollte ich nur, wenn es keine andere Möglichkeit mehr gab. Bei Adolf standen die Dinge anders. Er hatte eine Schwester in den USA, die er sehr liebte. Doch er wusste nicht, wie es ihr inzwischen ergangen war, ob sie noch unter ihrer alten Adresse lebte.

Unsere letzten Tage in Theresienstadt waren angebrochen. Bald würden sie uns in ein DP-Camp bringen. Und dann mussten wir uns endgültig entscheiden, wohin wir gehen wollten.

Eines Abends saßen wir wieder auf unserer Bank, als Adolf mich fragte: «Kannst du dir ein Leben mit mir vorstellen?»

Adolf wollte mich heiraten. Zum Heiraten gehörte, dass man verliebt war, so hatte ich immer gedacht. Verliebt war ich in Philipp Lewin gewesen. So verliebt, dass ich nicht schlafen konnte, glücklich und unglücklich zugleich. Jetzt war ich weder glücklich noch unglücklich. Ich war einfach erstarrt. War ich in Adolf verliebt? Ich brauchte noch Zeit, um mir solche Gefühle zuzugestehen, um wieder ein Mensch zu werden. Gefühle waren für mich nur mit Schmerz verbunden, mit Erinnerungen.

Adolf ging es genauso. Vielleicht brachte uns dieser Schmerz einander näher als das Verliebtsein. Wir hatten die

Befreiung zusammen erlebt. Wir hatten Sehnsucht nach dem Leben, nach einem ganz normalen Leben. Wir wollten arbeiten, uns etwas aufbauen. Wir wollten wieder Sicherheit spüren, Geborgenheit, all das, was wir verloren hatten. Ich wollte versuchen, zusammen mit Adolf das Verlorene wiederherzustellen.

Ich sagte ja. Adolf gab mir den Trauring seines Vaters. Eheringe waren die einzigen wertvollen Schmuckstücke, die man in Theresienstadt besitzen durfte. Adolf hatte ihn immer getragen und so durch die gesamte Lagerzeit gerettet. Ich steckte den Ring an. Nie wieder würde ich ihn abnehmen.

«Ich will so schnell wie möglich heiraten», sagte Adolf. «Noch hier. Ich will Theresienstadt mit dir verlassen, als Mann und Frau.»

Am 26. Juni, genau einen Tag bevor der letzte Rabbiner Theresienstadt verließ, wurden wir nach jüdischem Ritus getraut.

Rabbiner Neuhaus leitete die Zeremonie. Statt einer Chuppa hielten vier unserer Freunde als Brautbaldachin einen Gebetsmantel über uns. Wir hatten keinen Wein, und so gab uns Arnold die Flasche Brandy, die er auf einem seiner Beutezüge «befreit» hatte. Leider konnte er selbst nicht zur Hochzeit kommen, denn er war wieder krank. Stattdessen lieh er Adolf, dessen Hose bereits sehr zerschlissen war, seine eigene Hose und einen Gürtel. Mein Hochzeitskleid hatte ich mir in den letzten Tagen selbst genäht – aus dem orange-weißen Tupfenstoff, den ich ebenfalls von Arnold bekommen hatte.

Traditionell muss der Bräutigam bei einer jüdischen Hochzeit ein Glas zertreten. Da wir kein Glas hatten, wickelten wir eine alte Porzellantasse in einen Stück Stoff. Adolf trat darauf, und die Tasse zersplitterte in viele Scherben. Eine davon bewahrte ich auf, bis heute.

Zum Abschluss wurde uns die handgeschriebene Heiratsurkunde überreicht. Sie war auf Aramäisch verfasst, mit unseren hebräischen Namen darin. «Chana Bat-Gitel» – «Hannah, Tochter der Gitel». Gitel war der jüdische Name meiner Mutter. Ganz unten trug die Ketuba einen Stempelabdruck, den Lagerstempel von Theresienstadt.

Nach der Zeremonie luden wir unsere Freunde zu Kaffee und Kuchen ein. Einen großen Kuchen steuerte Frau Blau bei, Adolfs Chefin in der Küche. Die meisten schenkten uns Gedichte. Von Eva, der Frau, die neben mir beim Glimmer gesessen hatte, bekamen wir Blumen. Es hatte sich herausgestellt, dass Adolf Eva noch aus Berlin kannte, als sie beide bei der Jüdischen Gemeinde gearbeitet hatten. Auch Eva war durch die Arbeit beim Glimmer geschützt gewesen und nicht deportiert worden. Die Blumen hatte sie auf einer Wiese am Rand von Theresienstadt entdeckt, im früher verbotenen Teil, wo die Stadt an Felder und Kuhweiden grenzte. Die Blumen hatte sie, wie sie erzählte, unter Lebensgefahr zwischen den Beinen der grasenden Kühe weggepflückt. «Damit ihr einen Hochzeitsstrauß habt.» Sie wusste nicht, wie diese Art Blumen hieß, und so nannten wir sie einfach Kuhblumen.

Nach der Heirat suchten wir uns ein gemeinsames Zimmer in dem Haus, in dem ich meinen Verschlag hatte. Uns war immer klar, dass wir erst zusammenwohnen würden, wenn wir verheiratet wären. Wir wollten nicht eines von den vielen Pärchen sein, die sich in Theresienstadt fanden und dann schnell wieder trennten. Wir wollten ein neues Leben anfangen, ganz von Anfang an.

Ein Zimmer für uns allein! Wir versuchten, so normal wie möglich zu leben in dieser noch immer absurden Situation. Wir waren ein Ehepaar. Wir gingen jeden Tag zur Arbeit, es gab für uns keinen Grund, es nicht zu tun. Abends holten wir unser Essen aus der Wärmeküche. Inzwischen war Theresienstadt halb leer, doch noch immer funktionierte der Alltag reibungslos. Wir warteten darauf, dass man uns fortbrachte. Doch bis dahin machten wir einfach weiter wie bisher.

Opis 30/6

TELEGRAMM
TELEGRAM

NLT = RP 9.00FC =
ADMINISTRATION OF
CAMP THERESIENSTADT =

Aufgenommen - Přijat

von 30 VI 1945

NEWYORK 584 41 28 15

PLEASE FIND ADOLF FRIEDLANDER AND COMMUNICATE MESSAGE TO HIM STOP SISTER ILSE HAPPY HE IS ALIVE I AM MARRIED WHAT CAN I DO FOR YOU LOVE KISSES = ILSE FRIEDLANDER VAY 14 WEST 68TH STREET NEWYORK +

Telegramm von Ilse nach der Befreiung, 30. Juni 1945

Am 30. Juni, vier Tage nach unserer Hochzeit, erhielt Adolf ein Telegramm von seiner Schwester Ilse aus Amerika. Das Telegramm kam mit der Militärpost und war an die Theresienstädter Behörde adressiert, mit der Bitte, Adolf ausfindig zu machen. Wie wir später erfuhren, hatte Ilse jeden Tag die Zeitungen durchforscht, in denen Listen von Überlebenden abgedruckt waren. Eines Tages war sie in einer deutschsprachigen New Yorker Zeitung auf Adolfs Namen gestoßen.

In dem Moment, in dem er das Telegramm in den Händen hielt, veränderte sich alles für Adolf. Dass er seine Schwester wiedergefunden hatte, gab ihm ein neues Ziel. Seine Mutter hatte er nicht retten können, und das quälte ihn jeden Tag. Doch jetzt gab es wieder Hoffnung. Er hatte noch eine Familie.

Für Adolf war jetzt alles ganz klar. Er war fest entschlossen auszuwandern. Er wollte nicht mehr unter den Menschen leben, die seine Mutter ermordet hatten.

Ich war mir nicht so sicher. Ich wusste, ich würde mit Adolf gehen, wohin auch immer. Aber aus eigenem Willen hätte ich mich niemals für Amerika entschieden. Zumindest nicht so schnell. Insgeheim dachte ich daran, wie es wäre: zurück nach Berlin. Es war keine bewusste Überlegung. Es schien mir nur seltsam, dass ich meine Stadt, meine Heimat, nie wiedersehen sollte. Als ich erfuhr, dass eine Frau, die ich kannte, zurück nach Berlin ging, gab ich ihr einen Brief mit. Er war an Camplairs adressiert, Fasanenstraße 70. Ich hoffte, dass sie noch dort wohnten. Es war ein vorsichtiger Versuch, wieder eine Verbindung mit Berlin zu knüpfen – und mit den Menschen, die so viel für mich getan hatten.

An einem warmen Sommertag Anfang Juli verließen wir Theresienstadt – in Viehwaggons. Diesmal sollten sie uns in die Freiheit bringen. Es störte uns nicht, dass es Viehwaggons waren. Es konnte nur besser werden, dachten wir.

Die wenigen Dinge, die wir besaßen, wurden aufgeladen, auch mein Fahrrad nahm ich mit. Dann stiegen wir in die Waggons. Die Türen wurden geschlossen, dann fuhren wir im Schritttempo aus dem Bahnhof. Ich war froh, dass ich nichts sehen konnte. Es war kein richtiger Abschied. Ich wollte keine Gefühle haben. Ich wollte nur nach vorn sehen. Ein Kapitel war zu Ende, das war alles. Ein neues Kapitel begann.

Auf dem Boden der Waggons waren Matratzen ausgelegt, auf denen wir sitzen konnten. In unserem Waggon waren auch unser Freund Kurt und andere, die wir kannten. Irgendwann stellten wir fest, dass die Türen nicht verschlossen waren. Wir schoben sie einen Spalt weit auf und schauten hinaus.

Wir sahen Bäume, Wiesen und Felder vorbeifliegen, spürten den Fahrtwind. Es roch nach Heu und Sommer. «Was für ein Unterschied!», sagte Kurt. «Gegen unsere früheren Fahrten mit dem Viehwaggon direkt ein Vergnügen!»

Die Bahnfahrt dauerte nicht lange, sie ging über Prag nach Pilsen. In Pilsen, an der russisch-amerikanischen Zonengrenze, warteten amerikanische Militärlastwagen. Sie waren mit UN-Soldaten besetzt, die uns in das DP-Lager in Bayern bringen sollten.

Wir freuten uns auf die Fahrt mit den Lastwagen. Endlich konnten wir mehr von der Landschaft sehen. Wir fuhren durch den Böhmerwald, den Bayerischen Wald. Berge, Wälder, eine Weite, an die meine Augen nicht mehr gewöhnt waren nach all den Jahren in Berlin, erst eingeschränkt durch Ausgangsverbote, dann versteckt in düsteren Zimmern, und nach den grauen Mauern Theresienstadts. Unsere Ausflüge nach Leitmeritz waren etwas ganz anderes gewesen. Immer waren wir ins Lager zurückgekehrt. Jetzt bewegten wir uns vorwärts, mit unbekanntem Ziel.

Die Fahrt ging über gewundene Bergstraßen durch Tannenwälder, über denen die Sonne mittlerweile tief und dunkelgolden stand. Unser Freund Kurt hatte sich oben auf die Stoffplane gelegt, die den Laderaum abdeckte. Er ließ sich schaukeln und genoss die Wärme. Wir fuhren in einer langen Kolonne. Unser Wagen war der zweite von vorn. Auf einer Seite steile Bergwände, auf der anderen Seite ging es ebenso steil hinab ins Tal. Endlich hatten wir den Pass erreicht. Von nun an ging es ständig bergab. Die Wege waren abschüssig. Plötzlich nahmen wir einen seltsamen Geruch wahr: «Die Bremsen!», schrie jemand. «Die Bremsen brennen durch!»

In diesem Augenblick verlor der Fahrer direkt vor uns die Kontrolle über seinen Lastwagen. Der Wagen stürzte vornüber, mehrere Passagiere fielen heraus und rollten den Abhang hinunter. Unser Fahrer riss das Steuer herum und fuhr in die Felswand hinein. Kurt, der noch immer oben auf dem Dach lag, wurde auf die Straße geschleudert. Wir alle stiegen aus und liefen zu ihm, aber Kurt rappelte sich schon wieder auf. Er war unverletzt und rannte sofort mit anderen Männern den Berghang hinunter. Von dort unten waren Schreie zu hören.

Die anderen Lastwagen hatten es noch geschafft, rechtzeitig zu bremsen, doch überall auf der steil abfallenden Böschung lagen die Verletzten aus dem ersten Wagen. Sie bluteten, stöhnten und schrien. Schließlich hörten wir Sirenen, die Polizei kam und einige Krankenwagen, um die Verletzten ins Spital zu bringen. Kurt nahmen sie auch mit, gegen seinen Willen. Er war blutverschmiert, doch die Sanitäter hatten nicht begriffen, dass es das Blut der Verletzten war und nicht sein eigenes, das an ihm klebte.

Ich war wie betäubt. Ich konnte nicht fassen, dass vielleicht einige von uns an unserem ersten Tag in der Freiheit auf diese Weise sterben mussten.

Wir verbrachten die Nacht in einer Notunterkunft, einem Elektrizitätswerk am Fuß der Berge. Dort schliefen wir auf dem nackten Kachelfußboden. Erst am nächsten Morgen kamen wir in unserem DP-Lager an. Als wir in das Lager einfuhren, begann plötzlich in unserem Lastwagen eine Frau zu weinen. Dann sahen wir es alle: Rings um das Lager lief ein Zaun aus Stacheldraht. Im Lastwagen brach Panik aus. Wir kamen aus dem KZ und waren schon wieder hinter Stacheldraht!

Das Lager wurde von den Insassen aus irgendeinem Grund «Lager Windsor» genannt. «Windsor» war ein trostloser Ort. Die Baracken waren primitiv, fast wie in Theresienstadt. Männer und Frauen wurden getrennt untergebracht, auch die Ehepaare. Wir waren wie vor den Kopf gestoßen. Wir waren gerade einmal ein paar Tage verheiratet. Für uns war es eine Demütigung, voneinander getrennt zu werden. Auch im Ghetto hatten sie Männer und Frauen davon abgehalten, sich zu treffen.

Etwa am zweiten Tag nach unserer Ankunft hatte Adolf

Geburtstag. Ich hätte ihm gern eine Blume gekauft, doch bis jetzt ließ man uns nicht aus dem Lager. Wir waren eingesperrt.

Ich lief durch das Lager, auf der Suche nach etwas, das ich Adolf schenken konnte. In der Nähe des Stacheldrahtzauns wuchsen ein bisschen Gras und darauf ein paar gelbe Blumen. Sie sahen genau so aus wie unsere «Kuhblumen» aus Theresienstadt. Ich lief dorthin und pflückte ein paar davon in Erinnerung an Eva – und als erstes Geschenk für meinen Mann.

Lager «Windsor» wurde von der UNRRA geleitet, der Flüchtlingsorganisation der Vereinten Nationen. Nach einigen Tagen stellten wir eine Delegation zusammen, die sich in unserem Namen bei der Lagerleitung über die Zustände beschweren sollte. Auch Adolf war dabei. Die UNRRA-Leute waren völlig überfordert mit der Organisation des Lagers, das gaben sie gleich zu, als sich die Delegation über unser Eingesperrtsein und den Stacheldraht beschwerte. «Sie kommen von überall her», sagte einer vom UNRRA-Komitee zu Adolf. «Aus den KZs, von der Straße, sogar aus den Wäldern. Es sind einfach zu viele.»

Jeden Tag tauchten Menschen aus ihren Verstecken auf, sie wurden an allen möglichen Orten aufgelesen, an denen sie auf den Todesmärschen gestrandet waren. Gruppen von Häftlingen waren einfach irgendwo stehengelassen worden von der SS, die in den letzten Kriegstagen noch versuchte, ihre eigene Haut zu retten. Die befreiten Insassen aus all den KZs mussten zusammengesammelt und untergebracht werden. Es gab nur wenige DP-Lager, und sie lagen fast alle in der amerikanischen Besatzungszone.

Ganz Deutschland war im Chaos versunken. Städte lagen in Ruinen, Verkehrsverbindungen waren zerstört, und alle wollten nur eines: nach Hause. Soldaten, Zwangsarbeiter, ehemalige KZ-Häftlinge – Tausende, Zehntausende waren unterwegs in Deutschland, im heißen, strahlenden Sommer 1945. Und alle, die keine Heimat hatten, strandeten in den DP-Lagern.

Nachdem zu Beginn all die verschiedenen *Displaced Persons* zusammen untergebracht waren, hatte die UNRRA bald begonnen, rein jüdische Lager zu eröffnen. Anfangs hatten sich sogar in manchen Lagern ehemalige KZ-Insassen mit Ex-Nazis eine Baracke teilen müssen.

Eine Woche später kamen wir nach Deggendorf an der Donau, nicht weit vom Bayerischen Wald. Das Lager bestand aus mehreren Gebäuden. Das Gebiet, auf dem das Lager stand, war früher ein Militärgelände gewesen. Der kleine Ort lag ganz in der Nähe, man konnte sogar zu Fuß dorthin laufen. Das Wichtigste war: Es gab keinen Zaun. Wir konnten einfach so hinauslaufen aus dem Lager, hinein in die Wälder und das sanfte Hügelland.

Die jungen Menschen - und die meisten waren jung - wurden in einem großen Gebäude untergebracht. Die Älteren teilte man in kleine Gruppen. Wir als Ehepaar bekamen ein eigenes Zimmer.

Sofort übernahm Adolf eine Arbeit in der Lagerverwaltung. Unser Zimmer lag neben den Verwaltungsbüros, direkt am Eingang. Jeden Tag konnten wir von unserem Fenster aus sehen, dass der Strom der Menschen, die von Lager zu Lager zogen und nach anderen Überlebenden suchten, noch nicht abgerissen war. Die meisten DP-Camps lagen nicht weit voneinander entfernt. Viele Flüchtlinge reisten von einem Lager zum anderen, in der Hoffnung, Verwandte oder Freunde wiederzufinden. Vor allem junge Leute suchten nach Menschen, die sie von früher kannten. Sie hatten in KZs überlebt, in Verstecken oder in den Wäldern. In Deggendorf blieben viele einfach wohnen, auch wenn sie niemanden gefunden hatten. Hier waren sie wenigstens unter Menschen, die Ähnliches erlebt hatten wie sie.

Wir alle brauchten Zeit, um uns wieder an ein normales Leben zu gewöhnen. Wir mussten verstehen, dass dieses Leben auch Verantwortung bedeutete. Ich war immerhin schon dreiundzwanzig Jahre alt gewesen, als ich nach Theresienstadt kam. Aber viele der jungen Leute waren mit fünfzehn oder sechzehn Jahren von ihren Familien getrennt worden. Ihre Jugend hatten sie im KZ verbracht, allein und namenlos. Sie waren immer nur Anordnungen gefolgt, hatten niemals eine eigene Entscheidung getroffen. Jetzt standen sie ohne Familie da. Sie hatten nicht gelernt, was ein normales Miteinander bedeutet. Irgendwie hatten sie überlebt, durch Glück oder einen starken Willen, jeder für sich allein.

Und noch immer hieß es: Schwimme oder versinke! Ihr Überlebenswille war noch nicht gebrochen. Fast wie im Zeitraffer wurden diese jungen Leute wieder zu Menschen. Wir alle aßen, soviel wir nur konnten, und wurden zusehends dicker. Auf den ehemals rasierten Köpfen wuchsen wieder Haare, die Mädchen bekamen hübsche Kleider zugeteilt, die Jungen Hemden und Hosen, und bald wurden aus den Skeletten mit den eingefallenen Augen und hervorspringenden Nasen wieder ganz gewöhnliche junge Leute. Doch noch immer waren sie traumatisiert. Sie mussten erst wieder lernen, dass sie Menschen waren. Menschen, die einen Namen hatten.

Ich hatte es leichter. Ich hatte jemanden, der mir Halt gab. Bei Adolf fühlte ich mich beschützt und geborgen. Trotzdem musste ich mich erst daran gewöhnen, verheiratet zu sein. Seit meiner Untergrundzeit hatte ich alle Entscheidungen allein getroffen. Nun traf jemand Entscheidungen für mich. Adolf bestimmte, was geschah, so wie er bestimmt hatte, dass wir nach Amerika gehen würden. Einerseits war ich froh, dass ich ein wenig Verantwortung abgeben konnte. Andererseits musste ich erst begreifen, dass ich über mein Leben nicht mehr allein entschied.

Ich hatte immer versucht, die Wirklichkeit zu akzeptieren.

Vielleicht hatte ich deswegen überlebt. Jetzt musste ich begreifen, dass der Tod meiner Mutter und meines Bruders Teil dieser Wirklichkeit war. Auch wenn ich nicht wusste, wie sie gestorben waren. Auch wenn ich kein Grab hatte.

Erst in der Normalität von Deggendorf konnte ich mich dem Schmerz des Überlebens hingeben. Ich dachte an meine Mutter. Meine Mutter hatte mir nur eines hinterlassen: «Versuche, dein Leben zu machen.» Ihr Wunsch ist in Erfüllung gegangen. Sie hat mich geleitet, ihre Hand war sicher über mir.

Jetzt begann ich, mein neues Leben in die eigenen Hände zu nehmen.

Kapitel 10
# Liberty Ship: Der Abschied

Unsere standesamtliche Trauung fand am 7. August 1945 im Rathaus von Deggendorf statt. Ein Standesbeamter, dessen Anzug einen lila Schimmer vor Altersschwäche hatte, sprach von Ehre, vom Aufbau des Vaterlandes und von der deutschen Mutterschaft – die alte Leier. Er hatte offenbar noch nicht umgeschaltet. Wir bemühten uns, nicht zu lachen.

Im Lager Deggendorf studierten wir die Operette «Im Weißen Rössl» ein. Alles, das Bühnenbild und die Kostüme, machten wir selbst. Es wurde ein Riesenerfolg. Das «Weiße Rössl» war wie eine Heilung, für uns und die Zuschauer.

Kaum zu glauben, dass diese Menschen in ihren Kostümen, gut genährt, mit glänzendem Haar, vor wenigen Monaten noch Gerippe gewesen waren, die dem Tod näher standen als dem Leben. Es war erstaunlich, wie schnell sie sich erholt hatten. Sie wollten aufholen, was sie in den letzten Jahren versäumt hatten.

Die meisten von uns hatten ihre Familie verloren. Wir alle hatten gehofft, dass sich irgendwann jemand im Lager melden, dass jemand nach uns suchen würde. Aber nur wenige fanden sich in den DP-Lagern wieder. Inzwischen waren vier Monate seit dem Ende des Krieges vergangen. Wir hatten kaum noch Hoffnung.

Ich bemühte mich, die Post für unser Lager etwas zu organisieren. Viele erhielten Pakete aus Amerika. Die Pakete kamen mit der Militärpost und wurden an einem zentralen Ort gesammelt, von dem aus sie in die verschiedenen Lager verteilt wurden. Leider erreichten viele Sendungen nie ihren Empfänger, sie wurden vorher gestohlen.

Aufführung der Operette «Im Weißen Rössl» im Lager Deggendorf, Sommer 1945. Margot Friedlander ist die Siebte von rechts in der hinteren Reihe.

Ilse, die Schwester meines Mannes, schickte uns viele Pakete, aber nicht alle kamen an. Immer wieder versuchte sie, uns Schuhe zu schicken. Sie wollte besonders klug sein und legte einen Schuh in ein Paket und den zweiten in das nächste. Es nützte nichts. Zum Schluss hatte ich einen Haufen einzelner Schuhe, die ich manchmal aus Spaß anzog.

Oft, wenn Leute nach Deggendorf kamen, um nach Freunden oder Bekannten zu suchen, nahmen Adolf und ich diese Besucher auf. Das war Teil unserer Aufgabe. Aus unserem Zimmerfenster konnten wir jeden sehen, der das Tor passierte.

Kurz vor Weihnachten fuhr ein amerikanischer Jeep vor. Ich stand am Fenster und sah, wie der Wagen im Hof hielt. Ein Mann und eine Frau stiegen aus. Ich rief Adolf, und wir gingen beide hinaus, um sie zu begrüßen.

«Keill», stellte sich der Mann vor. «Und das ist meine Frau.» Sie waren etwa Ende vierzig, und ich sah gleich, dass sie nicht aus einem DP-Lager kamen. Sie waren gut angezogen und offensichtlich Nichtjuden. «Wir suchen jemanden», sagte Frau Keill. «Vielleicht können Sie uns helfen.» Die beiden waren auf der Suche nach einer jüdischen Familie, die sie vor dem Krieg gekannt hatten. Mir fiel ein, dass es einen jungen Mann im Lager gab, der denselben Namen trug. Wir ließen sofort nach ihm suchen.

Während wir warteten, luden wir Herrn und Frau Keill zu einem Kaffee in unser Zimmer ein. Nachdem sich herausgestellt hatte, dass der junge Mann keine Verbindung mit der von den Keills gesuchten Familie hatte, brachten wir sie wieder zum Auto.

«Danke für den Kaffee», sagte Frau Keill. «Vielleicht können wir uns bald revanchieren. Wir wohnen in Eichstätt, nicht weit von hier. Hübsch, besonders, wenn es schneit. Kommen Sie uns doch mal besuchen.»

Adolf und ich sahen uns an.

«Wir meinen es ernst», sagte Frau Keill. «Sie könnten ein paar Wochen bei uns Ferien machen. Sagen Sie nur, wann es Ihnen passt, dann schicken wir ein Auto und holen Sie ab.»

Bald nach Neujahr kam die Einladung. Wir packten die wenigen Sachen, die wir besaßen, dazu ein paar Kleider, die uns Ilse aus Amerika geschickt hatte. Wenige Tage später saßen wir in einem amerikanischen Militärjeep und fuhren aus dem Lager hinaus in die winterliche Landschaft.

Das Auto hielt vor einer wunderschönen Villa in einem kleinen Park. Wir hätten geglaubt, der Fahrer hätte sich in der Adresse geirrt, wenn nicht Herr und Frau Keill auf der Treppe gestanden hätten, flankiert von zwei Drahthaarterriern.

Sie führten uns auf unser Zimmer, ein wunderschönes großes Zimmer mit einem eigenen Bad. «Sie haben jetzt viel Zeit», sagte Frau Keill. «Ruhen Sie sich aus. Nachher gibt es Abendessen, unten im Speisezimmer.» Pünktlich um acht gingen wir hinunter, in Erwartung eines einfachen kleinen

Abendessens mit den Keills. Doch als wir das Speisezimmer betraten, stand plötzlich ein Mann in amerikanischer Uniform vor uns. *«Good evening!»* Er schüttelte erst mir, dann Adolf die Hand. Ich stammelte irgendetwas auf Englisch. Nach seinen Rangabzeichen zu urteilen, war es ein hoher Offizier. Noch ein weiterer Amerikaner war im Raum, der einen Schäferhund an der Leine führte. Fieberhaft versuchte ich mich an mein Schulenglisch zu erinnern. Adolfs Englisch war noch schlechter als meines. Wir fühlten uns entsetzlich unbeholfen. Nach all den Jahren in Verstecken, Kasernen und Baracken bewegten wir uns in der prächtigen Villa und zwischen all den schönen alten Möbeln, als ob wir fürchteten, jeden Augenblick aus einem Traum aufzuwachen. Wir wagten kaum, laut aufzutreten, geschweige denn, etwas zu berühren. Noch dazu stand uns ein ganzer Abend bevor, an dem wir mit unserem rudimentären Englisch Konversation mit unseren «Befreiern» treiben mussten.

Doch dann nahm der amerikanische Offizier meine Hand und schüttelte sie. «Keene Sorje», sagte er in bestem Berlinerisch. «Wir können deutsch sprechen!» Jürgen Rötter, so hieß der Offizier, stellte sich als unser eigentlicher Gastgeber heraus. Herr und Frau Keill arbeiteten bei der amerikanischen Verwaltung. Sie waren ebenfalls nur Gäste in der Villa.

Rötter stammte aus Berlin. Sein Vater war ein sehr bekannter Anwalt gewesen, er hatte Ernst Thälmann bei seiner Verhaftung 1933 vertreten und daraufhin selbst Schwierigkeiten mit dem Volksgerichtshof bekommen. Friedrich Rötter wurde verhaftet und aus der Anwaltskammer ausgeschlossen. Seine Frau emigrierte sofort mit den zwei Söhnen nach England. Unter großem Druck, aus Deutschland und aus dem Ausland, kam Friedrich Rötter schließlich frei und ging 1935 ebenfalls nach England. Von dort wanderten sie mit dem jüngeren Sohn Jürgen in die USA aus.

Als der Krieg ausbrach, meldete sich Jürgen zum Militär, wurde Offizier und nach dem Krieg kommandierender Offizier in Eichstätt.

«Ich hoffe, der Hund stört Sie nicht», sagte Rötter und zeigte auf den Schäferhund. «Der passt auf mich auf. Ich bin nämlich nicht sehr beliebt in der Gegend.»

«Warum?», fragte Adolf.

«Das kann ich Ihnen gern zeigen, wenn Sie wollen», sagte Rötter.

Einige Tage später nahm Jürgen Rötter Adolf mit in ein Gefangenenlager in Eichstätt. Hier waren ehemalige Soldaten aus dem Baltikum interniert, die im Krieg für Deutschland gekämpft hatten. Viele davon waren bei der SS gewesen. Jeden Tag kamen neue Gefangene dazu. Sie wurden von den Amerikanern verhört, und viele dieser Verhöre führte Rötter selbst.

*«Show me your arm»*, sagte Rötter zu einem der Gefangenen. Adolf saß in der Ecke des Zimmers auf einem Stuhl.

Der Mann tat, als habe er nicht verstanden. Er zuckte die Schultern.

«Deinen Arm!», brüllte Rötter auf Deutsch. «Zeig ihn mir!»

Erschrocken riss der Gefangene die Augen auf. Er rollte seinen Ärmel hoch und entblößte seinen nackten Oberarm. Auf der weißen Haut war eine noch frische rote Narbe zu sehen.

«Er hat sie wegoperieren lassen», sagte Rötter zu Adolf. «Die Tätowierung. Das machen viele.»

An diesem Abend war Adolf aufgewühlt und konnte kaum einschlafen. Ich dachte daran, wie ich vor dem SS-Mann gestanden hatte, als ich zu spät zur Arbeit in der Glimmerbaracke gekommen war. Er hatte mich angeschrien, verhört, bedroht. Jetzt standen diese Leute da und mussten Rechenschaft ablegen.

Als unsere Zeit in Eichstätt allmählich zu Ende ging, wurde ich krank. Ich bekam Diphtherie. Ich brauchte dringend Pferdeserum, das einzig wirksame Medikament. Normalerweise hätte ich dieses Pferdeserum niemals bekommen, doch über die Amerikaner ging es sehr schnell. Jürgen Rötter bestellte eine Krankenschwester, die Tag und Nacht bei mir blieb und mir mein Essen brachte, das speziell für mich gekocht wurde. Adolf hatten sie in ein anderes Zimmer einquartiert, damit ich ihn nicht ansteckte. Ab und zu stellte er sich in die Tür, die er nur einen Spaltbreit geöffnet hatte, und unterhielt sich mit mir. Es war fast wieder wie damals in Theresienstadt, als ich auf der Isolierstation lag und mit Adolf nur durch das Toilettenfenster sprechen konnte. Nur dass ich diesmal wirklich schwer krank war. Nun gab es Leute, die dafür sorgten, dass ich wieder gesund wurde.

Aus unseren drei Wochen in Eichstätt wurden fast zwei Monate, in denen ich kaum jemanden sah, nur die Krankenschwester und den Militärarzt. Nachdem ich die Diphtherie überstanden hatte, nahmen wir Abschied von Jürgen Rötter und den Keills. Wir fuhren zurück nach Deggendorf. Als wir nach Eichstätt gekommen waren, war es tiefer Winter gewesen. Jetzt war der Schnee getaut, erste Knospen zeigten sich an den Alleebäumen, die Sonne stand hoch am blassblauen Himmel. Unser letzter Frühling in Deutschland.

Im März hörten wir, dass in München ein amerikanisches Konsulat eingerichtet worden war. Das war der erste Schritt zur Emigration. Wir füllten alle nötigen Anträge aus und wurden schließlich nach München gerufen, um auch die restlichen Formalitäten zu erledigen. Wir beantworteten eine Unmenge Fragen, wir mussten uns von einem Arzt untersuchen lassen, wir standen um Stempel und Dokumente an, aber im Gegensatz zu den Auswanderungsbemühungen meiner Mutter war es ein Kinderspiel. Diesmal wussten wir, dass wir es schaffen würden. Wir hatten Adolfs Schwester Ilse, die in den USA auf uns wartete. Das, wofür meine Mutter so viele Monate gekämpft hatte, eine Ausreise nach Amerika, wurde Wirklichkeit für uns. Für meine Mutter und meinen Bruder war es zu spät.

An einem der ersten warmen Frühlingstage machten wir einen Ausflug ins Grüne. Arnold Kirschberg war dabei, mit seiner Verlobten. Er hatte erfahren, dass seine erste Frau nicht wiederkommen würde aus Auschwitz. In Deggendorf hatte er eine Frau kennengelernt, die zusammen mit ihrer kleinen Tochter überlebt hatte. Ein anderer Freund von uns, Dr. Cohn aus Ungarn, hatte seine Frau im DP-Camp wiedergefunden. Diese beiden und noch ein anderes Paar saßen jetzt zusammen mit uns auf einer Wiese beim Picknick. Wir wussten, dass es nur noch wenige Wochen, vielleicht wenige Tage waren, bis wir Deutschland verlassen würden. Es war eine seltsam unbeschwerte, sorgenfreie Zeit, im Frühling 1946. Wir brauchten diese letzten Tage, um Abschied zu nehmen. Doch dass wir in Deutschland nicht leben konnten, nach allem, was passiert war, das war uns klar.

Nach der Befreiung hatten wir noch ein Jahr nur unter Leuten verbracht, die das gleiche Schicksal hatten wie wir. Jetzt sollten wir in ein Land kommen, in dem niemand wusste, was wir erlebt hatten, in ein Land, in dem das Leben in den letzten Jahren trotz des Krieges für die meisten ganz gewöhnlich gewesen war. Wir wollten diesen Moment so lange wie möglich hinauszögern. Wenn wir erst einmal in Amerika wären, würde alles anders sein.

An diesem Nachmittag auf der Wiese bei Deggendorf schien die Zeit stillzustehen.

Es war kein Zufall, dass hier nur Pärchen saßen. Im DP-Lager waren viele Liebschaften entstanden, viele Paare hatten schnell geheiratet. Es war nicht sehr wahrscheinlich, dass all diese Ehen dem Alltag standhalten würden. Wir alle hatten Sehnsucht nach Liebe, nach Geborgenheit, nach dem Leben.

Doch das richtige, alltägliche Leben war dies noch nicht. Dieses Leben sollte erst noch beginnen.

Unsere Zeit in Deggendorf ging zu Ende. Eines Tages kam Kurt Kohorn in unser Zimmer gestürmt. Er arbeitete für die UNRRA und fuhr oft in die Zentrale nach München. Deshalb erfuhr er wichtige Neuigkeiten meist als Erster. «Schnell, ihr müsst packen», rief er. «Morgen sitzen wir alle im Zug. Es geht ein Schiff von Bremerhaven!» Es war ihm gelungen, uns auf die Liste zu setzen, zusammen mit vielen unserer Freunde.

Als ich in den Zug nach Bremerhaven stieg, war es wieder ein Abschied und das Gefühl: Jetzt erst fängt sie richtig an, die Wirklichkeit des neuen Lebens.

Der Zug fuhr sehr langsam. Die Bahnstrecken waren noch stellenweise zerstört. Fast alle Brücken waren nur provisorisch wiederaufgebaut und repariert worden und führten nur eingleisig über breite Flüsse. So schmal waren diese Brücken, dass wir links und rechts nichts als Wasser sahen, wenn wir aus dem Fenster schauten. Wir fuhren durch zerstörte Dörfer und Städte. Ein Jahr nach Ende des Krieges war vom Wiederaufbau nicht viel zu sehen. Wie sah es wohl in Berlin aus?

In Bremerhaven wurden wir in einem Gebäude nahe den Landungsbrücken untergebracht. Am nächsten Morgen sollte unser Schiff gehen. Männer und Frauen schliefen zusammen in einem einzigen großen Raum. Gegen Abend saßen wir alle müde und erschöpft auf unseren Pritschen Plötzlich öffnete sich die Tür, und eine junge Frau betrat das Zimmer.

«Ist hier noch ein Bett für mich frei?», fragte sie. Ihre Stimme klang so leise und schüchtern, dass sie kaum zu verstehen war. Sie hatte glatte dunkle Haare, und ihr Gesicht schimmerte blass, fast weiß.

«Hier», sagte ich laut und zeigte auf die Pritsche neben mir. Ich wusste nicht, warum, aber mir kam dieses Mädchen bekannt vor. Ich sah zu, wie sie mit leichten, schnellen Schritten quer durch den Saal auf mich zukam. Jetzt war sie mir wieder fremd. Wenn ich sie wirklich kannte, dann hatte sich irgendetwas an ihr verändert.

Sie setzte sich neben mich.

«Warst du in Theresienstadt?», fragte ich sie.

«Ja», sagte das Mädchen. Und da erkannte ich sie. Sie war das Mädchen, mit dem ich im Wartezimmer des Arztes gesessen und das ich nicht anzusprechen gewagt hatte. Das Mädchen, das so hübsch war und dabei so stark hinkte.

«Ich habe dich dort gesehen», sagte ich. «Du konntest nicht gut gehen. Das warst doch du?»

«Ja.»

«Aber jetzt gehst du ganz perfekt!»

Das Mädchen nickte. Sie schien nichts weiter dazu sagen zu wollen.

«Ich bin Margot», sagte ich und streckte ihr die Hand hin. Das Mädchen nahm sie. Die Hand war klein und weich, aber ihr Händedruck war fester, als ich erwartet hatte.

«Gerda», sagte sie. «Gerda Löwenstein.»

Am nächsten Morgen gingen wir auf das Schiff. Diesmal wurden Männer und Frauen getrennt. Unser Schiff, die «Marine Perch», war ein amerikanischer Truppentransporter, ein «Liberty Ship». Die Männer schliefen mit 400 Mann in einer Kabine. Uns Frauen dagegen wies man die Offiziersquartiere zu. Ich fand einen Platz neben Gerda.

Noch bevor wir ablegten, bekamen wir unser erstes amerikanisches Essen. Lange Schlangen zogen sich vom Speisesaal über die Treppen bis zu den Decks hinunter. Ich stellte mich irgendwo ganz hinten an, zusammen mit Adolf, Kurt und Dr. Cohn. Langsam, sehr langsam bewegte sich die Schlange vorwärts. Endlich stand ich vor einem Mann mit einer weißen Kochmütze. Doch statt etwas zu essen gab er mir nur einen Teller in die Hand. Ich betrachtete ihn. Ein seltsamer Teller. Er war aus Plastik und in mehrere Fächer aufgeteilt. So etwas hatte ich noch nie gesehen. Die Schlange bewegte sich weiter. Jetzt stand ich vor einem zweiten Koch, der mit einer Kelle etwas in eines der Fächer schöpfte. Ich ging von Koch zu Koch, und jeder schöpfte mir etwas anderes auf meinen Teller, bis der Teller so voll war, dass sich das Essen nur so darauf türmte. Das konnte ich nie im Leben alles aufessen. Die Männer hinter mir wurden mit jedem Koch, den sie passierten, immer besser gelaunt. Den letzten Koch fragte Dr. Cohn mit seinem charmanten ungarischen Akzent: «Bitta scheen – ist das alles für mich allein?»

Es war tatsächlich alles nur für ihn, aber es war auch das letzte Essen, das er auf diesem Schiff bekam, denn später war er nur noch seekrank.

Gegen Nachmittag waren wir schon mitten auf dem Meer. Abends, als wir in der Kabine lagen, fing das Schiff wild an zu schaukeln. Ich hielt es nicht mehr in der dunklen Kabine aus. Übelkeit stieg in mir hoch. Ich lief an Deck.

Dort standen schon mehrere Leute am Geländer, darunter Dr. Cohn. Nach einer Weile ging ich wieder nach unten, setzte mich auf eine Bank vor unserer Kabine. Ich schloss die Augen und versuchte, nicht an die Übelkeit zu denken. Nach einer Weile spürte ich, wie sich jemand neben mich setzte. Es war Gerda. Ich lehnte meinen Kopf an ihre Schulter, und so saßen wir da und warteten, warteten darauf, dass das Schiff aufhörte zu rollen oder dass die Nacht endlich vorbei war. Nach einer Weile lief ein amerikanischer Matrose an unserer Bank vorbei. *«Why aren't you sleeping?»*, fragte er. *«My friend is seasick!»*, sagte Gerda. Der Amerikaner verschwand. Nach einer Weile kam er mit einer großen Metallkiste wieder, die er uns vor die Füße stellte. Die Kiste war voller Äpfel, Orangen und Gurken. «Cucumbers», sagte der Matrose und zeigte auf die Gurken. Dann hob er den Daumen, nickte uns zu und ließ uns mit der Kiste allein.

Ich aß so viele Gurken, wie ich nur konnte, und tatsächlich halfen sie gegen die Seekrankheit. Trotzdem konnte ich

Auf dem Schiff nach New York, Juli 1946

nicht schlafen, und die Nacht schien kein Ende zu nehmen. Wir saßen noch immer so da wie am Anfang, mein Kopf an Gerdas Schulter.

«Soll ich dir erzählen, warum ich wieder gehen kann?», fragte Gerda plötzlich.

In dieser Nacht erzählte mir Gerda ihr Schicksal.

Gerda kam aus Prag. Vor ihrer Zeit in Theresienstadt hatte sie ganz normal gehen können. Dann kam sie zusammen mit ihren Eltern ins Ghetto, wohin bereits ihr Bruder mit einem der ersten Arbeitskommandos deportiert worden war. Nach einiger Zeit starb Gerdas Vater. Ihr Bruder, der in Prag Architektur studiert hatte, zeichnete für die SS Reklamebilder, Bilder von Theresienstadt, wie die Welt es sehen sollte. Doch auch diese Arbeit konnte ihn nicht schützen. Er kam auf einen Transport in den Osten.

So blieben nur noch Gerda und ihre Mutter übrig. In dieser Zeit begann Gerda zu hinken. Ihr Körper wehrte sich gegen den Verlust ihres Vaters und ihres Bruders. Sie selbst hatte nichts dagegen tun können. Sie musste funktionieren, überleben, ihr Schicksal hinnehmen. Aber ihr Körper nahm es nicht hin. Er verweigerte seinen Dienst.

Trotz ihres Gehfehlers wurde Gerda zur Arbeit in der Landwirtschaft eingeteilt. In dieser Zeit sah ich sie zum ersten Mal, im Wartezimmer des Spitals.

Es war September 1944, die Zeit der vielen Transporte: Gerdas Mutter kam auf eine Liste, sie sollte nach Osten deportiert werden. Noch war Gerda durch ihre Arbeit geschützt, aber sie wollte ihre Mutter nicht alleinlassen. Nachdem sie schon Vater und Bruder verloren hatte, wollte Gerda wenigstens mit ihrer Mutter zusammenbleiben. Sie meldete sich freiwillig für diesen Transport.

Gerda und ihre Mutter packten ihre Koffer. Zusammen mit ihrem Gepäck und vielen anderen Menschen wurden sie in den Zug gepfercht, eine lange Reihe von Viehwaggons. Der Zug setzte sich in Bewegung. Die Fahrt dauerte viele Stunden, irgendwann wurde der Zug wieder langsamer. Er rollte noch ein wenig aus und hielt schließlich mit einem langgezogenen Quietschen an. Ganz oben in den Waggons war eine schmale Luke. Gerda stieg auf ihren Koffer und zog sich an der Luke hoch, um hinauszuschauen. Den ganzen Zug entlang standen SS-Männer, in kurzen Abständen. Viele führten Hunde an der Leine. Ein Wort, ein Name verbreitete sich im ganzen Zug: «Auschwitz». Die Türen wurden aufgeschoben, die SS-Männer brüllten: «Raus, raus!», dazu bellten die Hunde. Die Menschen sprangen aus den Waggons. Ein Stück weiter stand ein Mann, der die Menschen jeweils nach rechts oder nach links weiterschickte. Gerda war ebenfalls herausgesprungen und bewegte sich auf diesen Mann zu. Noch während sie ging, fiel ihr auf, dass alle jungen, kräftig aussehenden Leute nach rechts gingen, alle alten und schwachen nach links. Sofort schoss es Gerda durch den Kopf: Sie hinkte! Ihr Gang war so auffällig, dass es dem Mann gar nicht entgehen konnte. Unwillkürlich richtete sie sich auf und streckte ihren Rücken. Erst jetzt merkte sie, dass sie schon die ganze Zeit ganz gerade Schritte machte, von Hinken keine Spur. Als sie bei der Selektion ankam, sagte der Mann: «Nach rechts!» Ihre Mutter wurde nach links geschoben.

Gerda sah ihre Mutter nie wieder.

Einige Tage später wurde sie mit vielen hundert arbeitsfähigen Frauen wieder in einen Viehwaggon verladen. Diesmal ging es fort von Auschwitz. Gerda musste in einer Fabrik arbeiten, in Österreich, den ganzen kalten Winter 1944/45 über, bis sie mit den überlebenden Frauen auf den Todesmarsch geschickt wurde, nach Westen, zurück ins Reich. Unzählige starben auf diesen Märschen an Hunger, Kälte und Erschöpfung. Schließlich kam die Kolonne kaum noch vorwärts. Von der einen Seite näherten sich die Russen, von der anderen Seite die Amerikaner. Schließlich geriet die SS in Panik und floh. Die letzten Häftlinge ließ sie einfach auf der Straße stehen.

Gerda hatte es geschafft. Sie war frei. Hätte sie bei der Selektion so gehinkt, wie sie es in Theresienstadt getan hatte, sie hätte diesen Tag nie erlebt. Doch von dem Moment an, in dem Gerda an der Rampe von Auschwitz aus dem Zug sprang, konnte sie wieder normal gehen.

Gerda hatte überlebt. Wir alle auf diesem Schiff hatten überlebt. Nun fuhren wir nach Amerika und ließen das Land hinter uns, in dem die, die wir liebten, ermordet worden waren. Viele von uns waren in Deutschland aufgewachsen. Aber konnten wir uns nach allem, was geschehen war, noch als Deutsche fühlen? Wir fuhren nach Amerika, aber würden wir eines Tages wirklich Amerikaner sein? Wir waren nichts. Wir waren staatenlos. Wir standen zwischen den Welten, wie dieses Schiff, das zwischen den Kontinenten hin- und herfuhr. Die eine Welt hatte uns ausgestoßen, die andere Welt hatte uns nicht gewollt, als wir so nötig ihre Hilfe gebraucht hatten.

Tage später, morgens um sechs, wurden wir geweckt. Wir liefen an Deck. Da waren sie, hinten am Horizont, die berühmten Wolkenkratzer. Manhattan, New York. Wir waren tatsächlich angekommen. Nachdem wir so lange darauf gewartet hatten, ging jetzt alles ganz schnell. Wir mussten uns von unseren Freunden trennen. Wir hatten niemanden mehr als diese Freunde, aber von diesem Moment an ging jeder seinen eigenen Weg. Nach meiner Verhaftung in Berlin war aus dem Ich wieder ein Wir geworden. Jetzt splitterte unsere Schicksalsgemeinschaft wieder auf in einzelne Leben.

Wir mussten schnell packen, schnell frühstücken, schnell unsere Koffer an Deck schaffen. Alle liefen auf dem Schiff hin und her und tauschten Adressen aus.

So viel war noch zu tun, dass ich beinahe die Freiheitsstatue verpasst hätte, die nun an der einen Seite des Schiffes auftauchte. Ich lief gerade auf dem Deck entlang in Richtung unserer Kabine, als ich sie sah. Da stand sie, riesig groß, aber mit fast unwirklicher Leichtigkeit hob sie sich aus dem Wasser. Als ich sie sah, hielt ich einen Augenblick inne. *The Statue of Liberty.* Ein Symbol der Freiheit sollte sie sein. Hatte sie dieses Symbol mit wirklicher Bedeutung erfüllt? Als wir sie brauchten, hat sie uns diese Freiheit nicht gegeben.

Hätte ich an dieser Stelle acht Jahre früher mit meiner Mutter und meinem Bruder gestanden, ich hätte vielleicht glücklich sein können.

## «Wie kann ich darüber schreiben?»

Meine Geschichte habe ich nachts aufgeschrieben. Nur in der Nacht war die Ruhe da, die ich zum Schreiben brauchte, die Tiefe der Gedanken. Immer lagen Papier und Bleistift an meinem Bett. Ich wollte jeden Gedanken festhalten, der mir in den Nachtstunden kam. Viele Erinnerungen, die ich in diesen Nächten aufschrieb, wären am anderen Morgen wieder verblasst.

Erst nach dem Tod meines Mannes konnte ich anfangen, meine Geschichte zu erzählen. Zusammen hatten wir die Befreiung Theresienstadts erlebt. Damals hatten wir einander alles erzählt, hatten über unsere Familien gesprochen, über die Jahre vor der Deportation in Berlin, den Untergrund, das Lager. Dann gingen wir nach Amerika. Wir wussten, was der andere erlebt hatte, und verstanden uns stillschweigend. Wir teilten unser Leben, aber jeder hatte seinen eigenen Schmerz.

Am jüdischen Neujahrsfest im September 1997 ging ich wie jedes Jahr an den Hohen Feiertagen zum Gottesdienst ins «Y», dem jüdischen Kulturzentrum an der 92nd Street in Manhattan. Doch zum ersten Mal blieb der Platz meines Mannes neben mir im Festsaal leer. Adolf war schwer krank.

Noch im Dezember darauf starb er. In über fünfzig Jahren Ehe waren wir stets eins gewesen. Ein letztes Mal wurde aus dem Wir wieder ein Ich.

Nach einiger Zeit begann ich, an Veranstaltungen und Kursen des «Y» teilzunehmen. Irgendwann las ich im Programm von einem Kurs: «*Write Your Memoirs*». Schreib deine Memoiren? Das war nichts für mich. Ich bin keine Schriftstellerin. Eine Geschichte habe ich. Aber diese Geschichte ist verknüpft mit dem Leiden und Sterben von vielen Millionen Menschen. Wie kann ich darüber schreiben?

Ich ließ mich überreden und nahm trotz allem an dem Memoiren-Kurs teil. So saß ich nun im Kursraum und hörte mir die Geschichten der anderen Kursteilnehmerinnen an. Sie schrieben über ihre Familien, ihre Kinder, ihre Enkel, ihre Haustiere.

Ich hatte auch nach mehreren Tagen noch keinen einzigen Satz zu Papier gebracht. Wie anders waren die Geschichten, die ich zu erzählen hatte! All diese Frauen waren in Amerika geboren. Sie hatten die Zeit der Deportationen, der Lager nicht erlebt.

Eines Nachts konnte ich nicht einschlafen. Ich stand auf, holte mir Papier und Bleistift, ging damit zurück in mein Bett und begann zu schreiben, beim Schein der Nachttischlampe. In der Dunkelheit und Einsamkeit meiner Wohnung in Queens konnte ich endlich meinen Gefühlen und Erinnerungen freien Lauf lassen. Hätte mein Mann noch gelebt, ich hätte es nicht getan. All diese Gefühle und Erinnerungen waren mit Deutschland verbunden, und Adolf wollte nie wieder etwas mit Deutschland zu tun haben. Die Deutschen hatten seine Mutter getötet und ihn deportiert. Er wollte nie wieder zurückkehren in dieses Land, nicht einmal in Gedanken.

Hatte ich ebenfalls mit Deutschland abgeschlossen? Erst jetzt, nach dem Tod meines Mannes, wurde mir klar, dass es nicht so war, dass es einen Unterschied gab zwischen Adolf und mir. Auch meine Familie war von den Deutschen ermordet worden. Aber das war nur ein Teil der Geschichte, meiner Geschichte. Meine Geschichte war anders als die der meisten Überlebenden, sie war komplizierter. Deutsche hatten mein Leben zerstört, Deutsche hatten es gerettet. Deutsche hatten mich versteckt, Juden mich ausgeliefert.

Es gab Gedanken tief in mir, die ich nie ganz mit meinem

In den USA,
ca. 1948

Mann teilen konnte. Gedanken an die Zeit im Untergrund. Doch dieser Zeit wagte ich mich noch nicht zu nähern.

Ich begann mit den ältesten, den frühesten, den Kindheitserinnerungen. Ich begann ganz am Anfang. Als Erstes schrieb ich eine Geschichte über meine beiden Großmütter.

Ich schrieb auf Englisch. Jahrelang hatte ich nur noch selten etwas in meiner Muttersprache geschrieben. Wir sprachen Deutsch, mein Mann und ich, aber es war eine Alltagssprache, die wir benutzten. Seit ich mit fünfundzwanzig Jahren aus Deutschland fortgegangen war, hatte ich nie wieder meine größten, tiefsten Gefühle in meiner Muttersprache ausgedrückt.

In meiner Familie hatten wir uns als deutsche Juden, als jüdische Deutsche gefühlt. Wir hatten unser Land nicht freiwillig verlassen. Als die Verfolgungen begannen, waren wir fast beleidigt: Meinen sie uns? Sie meinen uns nicht, wir sind doch Deutsche! Später wurde uns oft vorgeworfen, wir deutschen Juden wären zu angepasst gewesen, hätten die Zeichen der Zeit nicht rechtzeitig erkannt. Wie konnten wir? Wir waren Teil der Gesellschaft. Wir wollten nicht fort. Wir wurden ausgestoßen.

In meinem Inneren bin ich staatenlos, wie damals, als unser Einwanderungsschiff im Juli 1946 die Freiheitsstatue passierte und in den Hafen von New York einlief. Ich bin keine Deutsche mehr. Die Deutschen haben mich nicht gewollt. Sie haben mir meinen Pass genommen und meine Rechte. Sie haben meine Familie ermordet. Staatenlos bin ich in Amerika angekommen, und staatenlos fühlte ich mich noch immer. Inzwischen kann ich mich offiziell längst Amerikanerin nennen. Fühle ich mich deshalb auch als Amerikanerin? Ich lebe gern in Amerika, aber Dankbarkeit schulde ich diesem Land nicht. Alles, was mein neues, mein zweites Leben ausmacht, habe ich mir selbst geschaffen. Amerika hat mir nichts geschenkt. Im Gegenteil: Damals, noch in Deutschland, als meine Familie und ich wirklich Hilfe gebraucht hätten, hat uns Amerika keine Chance gegeben.

Mein Zuhause ist New York. Doch wo ist meine Heimat? Ich habe keine Heimat wie andere Menschen. Ich habe eine Heimat in der Vergangenheit. Meine Heimat ist ein Land, das es nicht mehr gibt.

«Das ist nicht meine Stadt», dachte ich, als ich Berlin zum ersten Mal wiedersah. Es war im Jahr 2003. Seit dem Tag, als ich in einem Lastwagen durch das Tor des Auffanglagers in der Iranischen Straße fuhr, hatte ich die Stadt nicht mehr gesehen. Ich erkannte sie kaum wieder. So viel hatte sich verändert. Viel war im Krieg zerstört, neue Häuser waren gebaut worden.

Ich besuchte all die Orte, die in meiner Geschichte eine wichtige Rolle gespielt hatten. Ich suchte das Haus in der Neuen Grünstraße, in dem meine Großeltern gelebt hatten.

Es stand nicht mehr. Das Haus in der Fasanenstraße, in dem ich mit den Camplairs gewohnt hatte, gab es noch. Ich fand auch den Hauseingang, in dem ich zusammen mit Gretchen vor dem Bombenangriff Schutz gesucht hatte. Die Lindenstraße, der Köllnische Park, der Hausvogteiplatz, die Neue Friedrichstraße, die Niebuhrstraße – es war ein ganz anderes Berlin als jenes, das ich verlassen hatte. So lange hatte diese Stadt nur noch in meiner Erinnerung existiert. Jetzt wurde sie wieder Wirklichkeit.

Das Haus in der Skalitzer Straße 32 sah noch genau so aus wie damals. Die ersten Schritte in den Untergrund war ich hier gegangen. Eine ganz normale, viel befahrene Straße, ein unscheinbares Berliner Mietshaus. Ich betrat den Hof. Ein grauer Berliner Hinterhof, wie es viele gibt. Es war eine seltsame Mischung aus Erkennen und Fremdsein. Mit einer seltsamen Scheu sah ich mir die Orte an, die zu diesen Erinnerungen gehörten, die Häuser, das Straßenpflaster. Den schlimmsten Augenblick meines Lebens hatte ich hier in dieser Straße erlebt: den Moment, als ich begriff, dass ich meine Mutter vielleicht nie wieder sehen würde.

Erst lange nach meiner Emigration erfuhr ich, was mit meiner Familie geschehen war. Bereits in Theresienstadt hatte ich geahnt, dass meine Mutter und mein Bruder nicht mehr lebten – als die Transporte aus Auschwitz kamen und wir von den Gaskammern hörten. Später in Amerika schrieb ich immer wieder an alle Organisationen, die nach Überlebenden suchten und Daten über die Toten sammelten. Immer bekam ich die Auskunft, dass es nichts gab, kein Dokument, nichts, das auf sie hindeutete. Es schien, als seien sie verschwunden, ohne eine Spur zu hinterlassen. 1959, vierzehn Jahre nach Ende des Krieges, bekam ich einen Brief: ein offizielles Dokument von einem Berliner Amtsgericht, das den Tod meiner Mutter, meines Bruders und anderer Familienmitglieder bestätigte. Es war ein Totenschein. Doch die Sterbedaten waren willkürlich gewählt. Was wirklich mit meiner Familie geschehen war, erfuhr ich erst vier Jahrzehnte später aus den Deportationslisten des Leo-Baeck-Instituts.

Zusammen mit meiner Cousine Anni Goldberger und ihrem Mann waren sie in das Auffanglager in der Großen Hamburger Straße gebracht worden. Wenig später wurde ein Transport zusammengestellt, in den Osten. Alle vier waren auf diesem Transport, der am 29. Januar 1943 in Auschwitz ankam.

Während des Transportes gelang es meiner Mutter, zwei Postkarten aus dem Zug zu werfen. Eine war an Erwin und Hilde im Polizeilager in Bistrei adressiert: «Wir kommen in eure Gegend. Bitte helft uns!», schrieb meine Mutter. Auch die anderen drei hatten unterzeichnet, Ralph, Anni und ihr Mann. Die andere Postkarte war an meine christliche Tante Anna gerichtet.

Irgendjemand muss diese Karten gefunden und zur Post gebracht haben, denn beide erreichten frankiert und abgestempelt nach einiger Zeit ihr Ziel. Auch Tante Anna hatte diese Karte bekommen, das erfuhr ich viele Jahre später von ihrer Tochter Marion.

Die verzweifelten Hilferufe nützten nichts. Meine Mutter bekam in Auschwitz nicht einmal eine Häftlingsnummer eintätowiert. Sie wurde gleich nach ihrer Ankunft in die Gaskammer geschickt. Ralph lebte noch etwa einen Monat. Sein Tod ist für den 24. Februar 1943 eingetragen.

Wie unvorstellbar muss der Schmerz meiner Mutter und meines Bruders gewesen sein, als sie nur wenige Minuten nach ihrer Ankunft in Auschwitz auseinandergerissen wurden. Gab es noch eine letzte Umarmung, einen letzten Blick von ferne? Wie viel Zeit blieb meiner Mutter für ihre letzten Gedanken? Haben sie beide gewusst, dass sie einander nicht wiedersehen werden? Dass das Opfer der Mutter, mit ihrem Sohn zu gehen, umsonst war?

Auch die Ungewissheit darüber, was aus mir geworden ist, muss für meine Mutter ein schrecklicher Schmerz gewesen sein. Ich war doch auch ihr Kind. Diese Gedanken kehren immer wieder, verlassen mich nie. Mein innerer Kampf mit dem Schuldgefühl als Überlebende und der Schmerz über das Schicksal meiner Familie - beides begleitet mich mein Leben lang und kostet mich viel Kraft.

Jahrzehnte nach der Ankunft des Briefes, aus dem ich endgültig vom Tod meiner Mutter und meines Bruders erfuhr, fiel mir das Buch des deutschen Showmasters Hans Rosenthal in die Hände: «Zwei Leben in Deutschland». Hans Rosenthal war Jude, und auch er überlebte die Nazizeit versteckt in Berlin. Auf einem der Bilder in diesem Buch, einem Klassenfoto aus der Schule an der Großen Hamburger Straße, entdeckte ich meinen Bruder. Ich schrieb an Hans Rosenthal: «Erinnern Sie sich an meinen Bruder, Ralph Bendheim?»

Sofort bekam ich Antwort. «Wer könnte sich nicht an Ralph erinnern?», schrieb er. «Er war doch immer Primus.» Hans und Ralph und zwei andere Jungen waren damals eng befreundet gewesen.

Zum ersten Mal hatte ich jemanden gefunden, der meinen Bruder gut gekannt, der ihn gemocht hatte. Alle anderen, die ihn damals erlebt hatten, waren tot. Ich konnte mich mit niemandem über ihn unterhalten. Viel zu wenig Zeit hatte ich mit meinem Bruder gehabt. Oft stelle ich mir vor, was aus Ralph geworden wäre, wenn er hätte leben dürfen. Ein so begabter Junge, der nur so wenig Spuren in der Welt hinterlassen durfte.

Als ich meine ersten Wochen im Untergrund verbrachte, waren meine Mutter und mein Bruder bereits tot.

Wären wir damals nach Bistrei gegangen, an Weihnachten 1942, als unser Cousin Erwin zusammen mit dem Wachtmeister kam, um uns abzuholen, wir hätten wahrscheinlich alle überlebt. Die Geschichte von Erwin, Hilde und allen anderen aus dem Polizeilager erfuhr ich nach dem Krieg – von ihnen selbst.

Das Polizeilager in Bistrei wurde 1944 aufgelöst. Doch schon vorher war Erwin an einen anderen Ort verlegt worden, wo er Zwangsarbeit verrichten musste. Allein, ohne seine Frau Hilde und die kleine Tochter Reni.

Einige Zeit nachdem sie von ihrem Mann getrennt worden war, bekam Hilde eine Warnung: Das Lager sollte aufgelöst werden. Auflösung – das bedeutete Deportation oder Tod! Doch jemand meinte es gut mit ihr: Wachtmeister Kolleck, der sie schon seit ihrer Ankunft im Polizeilager protegierte und der jetzt die Leitung übernommen hatte. Er machte Andeutungen, aus denen Hilde schloss, dass sie das Lager so schnell wie möglich verlassen musste. Doch wohin sollte sie gehen? Sie erinnerte sich daran, dass Erwin öfter von einer Frau David gesprochen hatte, einer Polin. Als er noch regelmäßig im Städtchen Reparaturen verrichtete, hatte er sich öfter mit ihr unterhalten. Einmal hatte ihm Frau David das Angebot gemacht, dass sie ihm helfen würde, wenn er in Not sei. Er bräuchte sich nur bei ihr zu melden. «Dort gehst du hin, wenn irgendetwas passiert!», hatte er immer zu Hilde gesagt.

Zusammen mit der kleinen Reni flüchtete Hilde am Abend aus dem Lager. Als es dunkel geworden war, lief sie durch Bistrei, bis sie die Adresse fand, die Erwin ihr genannt hatte. Sie klingelte. Frau David öffnete. Sie schaute die fremde Frau verwundert an, die da spät am Abend mit einem Kind auf dem Arm vor ihrer Tür stand. «Ich bin die Frau von Erwin», sagte Hilde.

Hilde bekam etwas zu essen. Dann führte Frau David sie

hinunter in den Keller des Hauses. Auf einem alten Sofa machte sie ihr ein Bett.

«Hier können Sie bleiben», sagte Frau David. «Nur still müssen Sie sein. Morgen früh komme ich und bringe das Essen. Dann nehme ich das Kind mit hinauf. Hier unten kann es nicht bleiben.»

Zwei Tage später kam auch Erwin. Er hatte von Hildes Verschwinden erfahren und konnte ebenfalls von seiner Arbeitsstelle flüchten. Nach Erwin kamen andere, Freunde und Verwandte, die ebenfalls aus dem Lager geflohen waren. Schließlich waren es zehn Menschen, die den Rest der Kriegszeit dort verbrachten. Nur die kleine Reni lebte oben im Haus. Frau David gab das Mädchen einfach als ihre Nichte aus, die aus der Großstadt zu Besuch sei. Niemand stellte Fragen.

Nach dem Krieg erzählte mir Hilde von ihrer Zeit im Versteck. Sie erzählte von den Schritten: Immer, wenn jemand im Erdgeschoss des Hauses umherlief, knarrten die Fußbodendielen. Meist waren es vertraute Schritte, manchmal fremde, und dann hielten die Menschen im Keller den Atem an. Wenn Kontrollen kamen, konnte Hilde durch das schmale Kellerfenster die Stiefel der Uniformierten sehen, die auf dem Hof herumliefen. Doch bei diesen Kontrollen wurden sie nie gefunden.

Noch aus dem Keller heraus organisierte Erwin das Überleben der Versteckten. Er war sehr beliebt in der Gegend gewesen und hatte vielen geholfen. Er hatte den Bauern ihre kaputten Landmaschinen wieder in Ordnung gebracht, hatte Autos, Fahrräder, Haushaltsgeräte und Schreibmaschinen repariert, und jetzt waren all diese Kontakte sehr nützlich. Um Lebensmittel für die immerhin fast ein Dutzend Menschen zu bekommen, die sie versteckte, fuhr Frau David regelmäßig zu Bauern, die Erwin von früher kannten.

Die Befreiung erlebten alle zehn in diesem Keller.

Meine Großmutter Betti, die Mutter meines Vaters, überlebte den Krieg nicht. Zusammen mit Onkel Sally und Tante Lina kam sie im Oktober 1942 nach Theresienstadt, fast zwei Jahre vor meiner Ankunft. Damals war sie 83 Jahre alt. Großmutter Betti starb sehr bald. Auch mein schwerbehinderter Onkel Sally lebte nicht lange. Als ich nach Theresienstadt kam, erfuhr ich, dass er sich vermutlich kurz nach dem Tod seiner Mutter selbst das Leben genommen hatte.

Lina wurde am 16. Mai 1944 von Theresienstadt nach Auschwitz deportiert. Nur drei Wochen lagen zwischen ihrer Deportation und meiner Ankunft am 6. Juni. Meine Tante Lina war einer der Räumungen zum Opfer gefallen, die die Nazis im überfüllten Theresienstadt vornahmen, um dem Roten Kreuz ein mustergültig organisiertes Vorzeigelager zu präsentieren.

Über Linas Ankunft in Auschwitz gibt es keine Zeugnisse. Doch wenn ich an sie denke, mit ihren geschienten Beinen, mit denen sie sich nur mühsam fortbewegen konnte, kann ich mir vorstellen, was bei der Selektion mit ihr geschah.

Das Schicksal meines Vater war das Letzte, von dem ich erfuhr. Seine kurze Freiheit in Belgien endete mit der deutschen Besatzung. Zunächst kam er ins Lager St-Cyprien, dann auf Umwegen ins berüchtigte Sammellager Gurs. Erst im Jahr 2003 bekam ich die Nachricht, dass er ebenfalls in Auschwitz gestorben war, noch vor seiner Schwester Lina. Im August 1942 fuhr ein Deportationszug von Gurs nach Auschwitz. Zusammen mit eintausend anderen Häftlingen wurde mein Vater direkt ins Gas geschickt.

Noch kurz nach der Befreiung hatte ich eine leise Hoffnung gehabt, dass es mein Vater vielleicht geschafft haben könnte. In Theresienstadt hatte ich die Menschen gesehen, die aus Auschwitz kamen, deshalb hatte ich für meine Mutter und meinen Bruder keine Hoffnung. Ich wusste, dass sie in den Osten gekommen waren. Auschwitz konnte man nicht überleben. Wenn es jemandem gelang, war es ein Wunder, und ich rechnete nicht mit einem Wunder. Aber mein Vater war in einem Lager weit im Westen, das hatten wir durch seine letzten Postkarten erfahren. Noch lange hatte ich gehofft, dass das Überleben in Frankreich möglich war.

Oft fragte ich mich: Hat es meinen Vater jemals bedrückt, uns zurückgelassen zu haben, zumindest in seiner Zeit in Belgien, als er noch glaubte, gerettet zu sein? Hat er an uns gedacht, in Gurs, im Zug nach Auschwitz? War ihm bewusst, dass er Fehler begangen hatte, die nie wiedergutzumachen waren? Es gab kein Zurück, nicht für ihn und nicht für uns. Das Schicksal hat für uns entschieden.

Auch wenn meine Mutter vieles versucht hatte, um uns zu retten, war sie immer wieder gescheitert. In den ersten Kriegsjahren hatte sie noch verzweifelt versucht, ihre Cousins in Holland um Hilfe zu bitten. Doch auch dort war es nur kurze Zeit sicher. Mein Onkel Erich Hecht war als einer der Ersten nach Holland gegangen, er hatte in Hilversum eine Villa gemietet und betrieb dort eine kleine Pension. Nach und nach kamen andere Familienmitglieder hinzu, um bei ihm zu wohnen, unter anderem mein Onkel Paul und seine Frau Martha.

Doch nachdem die Niederlande von den Deutschen besetzt worden waren, drohten auch hier jeden Tag Abholungen. Die Hechts blieben nicht verschont. Da alle zusammen in einem Haus wohnten, wurden alle zugleich verhaftet und kamen ins Lager Westerbork: mein Lieblingsonkel Paul und Tante Martha, Onkel Richard und der charmante Onkel Brunchen mit ihren Ehefrauen, aber auch Tante Selli, die ich später in Theresienstadt wiederfand. Außer Tante Selli wurden alle von Westerbork nach Bergen-Belsen deportiert.

Kurz vor Kriegsende, im April 1945, verließ ein Zug Bergen-Belsen, eine lange Reihe von Viehwaggons. Das Ziel:

Theresienstadt. Der Zug war voller Häftlinge, Tausende von ihnen, auch Paul, Martha, Bruno und Brunos Frau Lice waren darunter. Das Lager sollte evakuiert werden, um den näherrückenden Siegerarmeen das Ausmaß des Schreckens zu verheimlichen. Doch wohin mit all den Menschen? Von der einen Seite kamen die Amerikaner und Engländer, von der anderen die Russen. Ein Durchkommen nach Theresienstadt gab es nicht mehr. Tagelang fuhr der Zug quer durch Deutschland, bis er schließlich am 23. April in der kleinen brandenburgischen Stadt Tröbitz von den durchziehenden Russen befreit wurde. Es war eine Reise in den Tod. Von den mehreren tausend Menschen, die in Bergen-Belsen in den Zug gestiegen waren, waren nur noch etwa zweitausend am Leben. Die anderen waren dem Flecktyphus, dem Hunger oder der Erschöpfung erlegen.

Tante Martha erlebte den Tag der Befreiung nicht. Sie starb einen Tag bevor die Russen kamen. Onkel Paul wurde mit anderen Überlebenden in Tröbitz untergebracht. Doch auch für ihn kam die Befreiung zu spät: Er lebte nur zwei Wochen länger als seine Frau.

Den Transport, der ohne Ziel tagelang durch das schon fast besiegte Deutschland fuhr, kennt man bis heute als den «verlorenen Zug».

Viele Geschichten erzählen vom Tod, wenige vom Überleben. Eine davon ist die Geschichte von Anka, der Frau meines Cousins Bernd.

Um mit ihrem Mann zusammenzubleiben, hatte sich Anka in Theresienstadt für einen Transport in den Osten gemeldet. Zu diesem Zeitpunkt war Anka im dritten Monat schwanger. Ihr erstes Kind war in Theresienstadt geboren und kurz darauf gestorben. Von ihrer zweiten Schwangerschaft wusste niemand, nicht einmal ihr Mann.

Anka kam zwei Tage nach Bernd in Auschwitz an, ohne

ihren Mann noch einmal zu sehen. Bernd überlebte Auschwitz nicht.

Weil Anka so groß und kräftig war, kam sie nach der Selektion zur Fabrikarbeit. Niemand hatte bemerkt, dass sie ein Kind erwartete. Die Arbeit schützte sie, bis sie schließlich im Januar 1945 zusammen mit anderen Frauen auf einen Todesmarsch geschickt wurde. Nach vielen Tagen, in denen sie zu Fuß unterwegs gewesen waren, wurden sie auf einen offenen Lastwagen geladen und auf eine Irrfahrt geschickt, die viele Tage dauerte, bei schrecklicher Kälte. Schließlich nahmen die Lastwagen Kurs auf Österreich. Die Frauen sollten ins KZ Mauthausen gebracht werden. Kurz vor Mauthausen, auf dem offenen Lastwagen, brachte Anka ihre Tochter zur Welt. Einen Tag später wurde sie von den Russen befreit.

Wer die Verfolgung überlebte, ging meist nach Amerika oder Palästina. Kaum jemand von diesen Überlebenden wollte je wieder etwas mit Deutschland zu tun haben. Niemand wollte mehr an die Vergangenheit denken, alle waren zu beschäftigt damit, sich in ihrem neuen Leben zurechtzufinden. Auch für mich war der Gedanke an Deutschland sehr fern – bis ich 2003 zum ersten Mal wieder nach Berlin fuhr. Thomas Halaczinsky, ein Filmemacher, hatte mich fast dazu überreden müssen. Er wollte mich auf dieser Reise mit der Kamera begleiten und meine Wiederbegegnung mit Deutschland dokumentieren. Wir fuhren nach Berlin. Doch es wurde nicht nur eine Wiederbegegnung mit der Stadt, sondern auch mit der Sprache meiner Kindheit und Jugend. Wir drehten zweisprachig, auf Englisch und Deutsch. Die Sprachen mischten sich, und ganz allmählich, während des Films und in den Jahren danach, begann ich mich wieder meiner Muttersprache anzunähern.

Geschrieben hatte ich bisher nur auf Englisch. Doch immer stärker verlangten meine Gefühle nach der Sprache meiner Kindheit. In den ersten Jahrzehnten meines Lebens hatte ich deutsch gesprochen, gedacht und gefühlt. Um diese Zeit nachempfinden zu können, begann ich, wieder auf Deutsch zu schreiben. Nach und nach kehrte die Sprache zu mir zurück – vor allem nachts, wenn meine Vergangenheit mich nicht schlafen ließ.

Immer wieder beschäftigte mich die Frage, was mit den Menschen geschehen war, die mich damals in Berlin versteckt hatten. Gleich nach der Befreiung hatte ich noch von Theresienstadt aus versucht, die Camplairs zu finden. Doch unter unserer alten Adresse in der Fasanenstraße 70 lebten sie nicht mehr. Auf meinen Brief, den ich einer Frau mitgegeben hatte, die nach Berlin zurückging, meldete sich niemand.

Zwanzig Jahre später, im August 1965, kam die Antwort auf ganz andere Weise. Eines Tages lag ein Brief in meinem Briefkasten. Er war vom deutschen Entschädigungsamt.

Eine Frau Irmgard Camplair beantrage Entschädigung, hieß es darin. Sie hatte angegeben, eine junge Frau mit Namen Margot Bendheim versteckt zu haben, zunächst in der Kalckreuthstraße, dann in der Fasanenstraße 70. Ich erfuhr auch, dass Camplairs schon früher, im Jahr 1942, eine jüdische Familie mehrere Wochen lang in ihrer alten Wohnung in Schöneberg versteckt hatten.

Endlich hatte ich eine Adresse.

Jahre später sah ich Gretchen zum ersten Mal wieder, seit dem Tag, als ich auf dem Weg vom Zoo-Bunker in die Hände der Greifer gefallen war. Wir trafen uns in Zürich.

Gretchen erzählte mir, was mit ihrer Familie geschehen war. Ich war froh zu hören, dass sie durch meine Verhaftung nicht in Schwierigkeiten geraten waren. Nach dem Krieg hatten Irmgard und Hugo endlich heiraten können. Doch die Lungenkrankheit hatte Hugo schon gezeichnet. Irmgard überlebte ihn um viele Jahre.

Gretchens Verhältnis zu ihrer Tante war noch immer wie das einer Tochter zu ihrer Mutter. Doch um Gretchens leibliche Mutter gab es ein Geheimnis, von dem nur Irmgard wusste.

Nachdem ihre Mutter früh gestorben war, war Gretchen als Waise zurückgeblieben – ein uneheliches Kind, über ihren Vater wusste sie nichts. Die Mutter hatte ihr nie von ihm erzählt. Nur ihre Tante und ihr Onkel, Irmgard und Hugo, kannten das Geheimnis, doch sie hatten es all die Jahre lang bewahrt. Erst kurz vor ihrem Tod offenbarte Irmgard ihrer Nichte, dass ihr Vater ein jüdischer Rechtsanwalt gewesen war.

Gretchen und ich trafen uns noch zweimal in Zürich. In großen Abständen schrieben wir uns Briefe, unter die Gretchen jedes Mal einen Lippenstiftkuss setzte.

Als ich im Jahr 2003 zum ersten Mal wieder nach Berlin zurückkehrte, besuchte ich sie. Inzwischen lebte Gretchen in einem Pflegeheim. Sie war schwer krank, konnte nur noch liegen. Sie lag im Sterben. Ich setzte mich an ihr Bett, nahm ihre Hand und streichelte sie. Gretchen, die ich vor meinem inneren Auge noch immer als junges Mädchen sah – sie war eine alte Frau geworden.

Eine Woche später starb sie.

Damals hatte Gretchen es mir durch ihre Lebenslust und Fröhlichkeit leichter gemacht, die Monate im Versteck zu überstehen. Jetzt war auch sie fort – die Einzige, die mich in meiner Untergrundzeit erlebt hatte. Nur sie hatte die Margot gekannt, die ich damals gewesen war.

Manchmal sitze ich da und betrachte die Gegenstände, die mir aus meinem früheren Leben geblieben sind. Die Bernsteinkette und das kleine Adressbuch: Sie sind die letzten, die mir von diesem Leben erzählen können. Ich kann sie berühren, in die Hand nehmen. Sie haben mit mir überlebt – die Dinge, die mir meine Mutter hinterlassen hat.

## Danksagung

Ich danke Jo Frances Brown, der Direktorin des «60 plus»-Programms des Jüdischen Kulturzentrums, «92nd Street Y», die mich ermutigt hat, meine Geschichte aufzuschreiben.

In Dankbarkeit erinnere ich mich an Carol Lane, die Leiterin des Memoiren-Kurses, die inzwischen leider verstorben ist.

Ich danke Thomas Halaczinsky, der die Idee hatte, mein Leben in einem Film zu erzählen. Ohne ihn wäre ich nie nach Berlin zurückgekehrt. Ohne ihn wäre dieses Buch nie entstanden.

Ebenso danke ich Barbara Boehm-Tettelbach, die meine erste Wiederbegegnung mit Berlin so herzlich begleitete.

Nicht zuletzt gilt mein Dank André Schmitz. Er hat mich durch seine Freundschaft und Wärme wieder mit meiner alten Heimat vertraut gemacht.

Erica Fischer
**Himmelstraße**
Geschichte meiner Familie

Ein außergewöhnliches Stück Erinnerungsliteratur, ein verstörend offener Bericht: die drei Generationen umfassende Geschichte der Familie Erica Fischers. Sie schildert das Schicksal zweier ungleicher Geschwister, deren Mutter als Jüdin von den Nazis aus Wien vertrieben wurde, sich in England ein neues Leben aufbaute und von einer Auswanderung nach Australien träumte. Eindringlich, unsentimental und mit ungeheurer Spannung erzählt.

«Die Geschichte, die Erica Fischer erzählt, ist ein Beispiel für das, was nach dem Krieg in vielen jüdischen Familien geschehen ist. Und doch ist sie einzigartig.» *Süddeutsche Zeitung*

Sylke Tempel
**Israel**
Reise durch ein altes neues Land

Zu Fuß und mit dem Bus ist Sylke Tempel unterwegs in Israel und entdeckt ein faszinierendes Land, das sich stets neu erfindet. Das Buch ist zugleich Reisereportage und politische Biographie eines Staates, der seit seiner Gründung im Mai 1948 in einen Konflikt mit seinen arabischen Nachbarn verstrickt ist. Wie nebenbei entsteht eine Mentalitätsgeschichte, ja das historische Panorama einer Region, die die christlich-jüdische Kultur des Abendlandes und des Islam prägte wie keine andere.

«Sylke Tempel schreibt federnd leicht, unaufdringlich – und eben darum begeisternd.» *Süddeutsche Zeitung*

256 Seiten, gebunden
ISBN 978 3 87134 590 6